Schöne Lesestunden
wünscht herzlichst

Petra Durst-Benning

Petra Durst-Benning

Die Fotografin

Die Stunde der Sehnsucht

Band 4

Roman

blanvalet

Penguin Random House Verlagsgruppe FSC® N001967

1. Auflage

Redaktion: Gisela Klemt
Umschlaggestaltung: © Johannes Wiebel | punchdesign, unter
Verwendung von Motiven von Jan Siebert/Shutterstock.com,
kemai/Photocase.de und Richard Jenkins Photography
Die Bilder im Anhang stammen aus dem Privatarchiv von
Petra Durst-Benning
KW · Herstellung: eR
Satz: Uhl+Massopust, Aalen
Druck und Bindung: GGP Media GmbH, Pößneck
Printed in Germany
ISBN 978-3-7341-0660-6

www.blanvalet.de

»Man nähert sich auf leisen Sohlen,
auch wenn es sich um ein Stillleben handelt.
Auf Samtpfoten muss man gehen
und ein scharfes Auge haben.«

Henri Cartier-Bresson (1908–2004)

1. Kapitel

Münsingen auf der Schwäbischen Alb,
Neujahr 1914

»Ganz ehrlich? Als ich die Flammen durchs Dach der Druckerei lodern sah, dachte ich, alles wäre aus und vorbei!« Verflixt, wie ihre Stimme immer noch zitterte, dachte Mimi, wenn sie von dem Feuer, das binnen wenigen Minuten ihr komplettes Warenausgangslager zerstört hatte, erzählte! Dabei lag der Schrecken schon fast drei Monate zurück.

Josefine Neumann drückte mitfühlend Mimis Arm. »Mir blieb schon am Telefon fast das Herz stehen, ich mag mir gar nicht vorstellen, wie es für dich war, dies hier vor Ort zu erleben. Und ausgerechnet an diesem Tag war auch noch Anton weg ...«

Mimi nickte. Als Anton von seiner Verkaufsreise aus Stuttgart zurückgekommen war, hatte der hintere Anbau der Druckerei schon in Trümmern gelegen ...

Jetzt war der Neujahrstag 1914, und Mimi und Anton hatten zu einem großen Empfang in der Lithografischen Anstalt Münsingen – von allen einfach nur »die Druckerei« genannt – eingeladen. Ein deftiges Büfett war mitten in der Werkshalle aufgebaut worden, es gab Sekt, Wein und Bier und für die Kinder der Angestellten Limonade. Ein Aspekt des Festes war, dass Mimi und Anton Kontakte zu den Menschen aus dem Ort knüpfen wollten – den Münsinger Bürgermeister Oskar Baumann und die Mitglieder des Gemeinderats hatten sie ebenso eingeladen wie diverse Geschäftsleute: den Inhaber der Brotfabrik, die Pensionswirtin, bei der Anton und Mimi in den ersten Wochen gelebt hatten, zwei weitere Hoteliers sowie den Inhaber der Limonadenfabrik.

Auch Mimis Freundin Bernadette Furtwängler, wegen der Abertausenden von Schafen, die ihr gehörten, von vielen nur »die Schafbaronin« genannt, war der Einladung zum Neujahrsempfang gefolgt. Kerzengerade und mit strenger Haarkrone stand sie da, ein Sektglas in der Hand. Immer in Bernadettes Nähe war Generalmajor Lutz Staigerwald vom nahe liegenden Soldatenlager. Das goldene Eichenlaub auf seiner Uniform glänzte wie poliert – was es wahrscheinlich auch war.

Von den Münsinger Honoratioren fehlte einzig Wolfram Weiß, Bernadettes Geschäftspartner in der Schäferei Furtwängler-Weiß. Während Bernadette sich dort um den Vertrieb von Fleisch, Wolle und Schaffellen kümmerte, war Wolfram fürs Wohl der Schafe zuständig. Derzeit befand er sich zusammen mit seiner neuen französischen Hirtin Corinne und einer riesigen Schafherde in Rheinhessen auf der Winterweide – hier droben auf der tief verschneiten Albhochfläche wären die Tiere den Winter über verhungert oder erfroren. Dies galt ganz besonders für die wertvollen Merinoschafe, die im vergangenen Herbst mit Corinne von Südfrankreich auf die Schwäbische Alb gekommen waren und die in den kommenden Jahren Bernadettes und Wolframs Herde mit ihrem Blut veredeln sollten.

Als Mimi gehört hatte, dass ihre neue Freundin Corinne der Einladung ebenfalls nicht folgen konnte, war sie fast ein wenig erleichtert gewesen, denn Bernadette hasste Corinne aus tiefstem Herzen, und womöglich wäre es sogar zu einem unschönen Wortwechsel gekommen, was der allgemeinen Stimmung sicher nicht gutgetan hätte.

Neben dem gesellschaftlichen Aspekt des Festes war es für Mimi zugleich wichtig gewesen, einen schönen Rahmen zu schaffen, in dem ihre Geschäftspartner Adrian und Josefine Neumann sich das Unternehmen anschauen konnten, in das sie im letzten September so vertrauensvoll investiert hatten.

Und nun, nach dem Brand, hatte der heutige Tag nochmals eine ganz andere Bedeutung bekommen: Mimi und Anton wollten damit vielen Menschen ein Dankeschön aussprechen.

Während nach und nach die letzten Gäste eintrudelten, nutzte Mimi die Zeit, um Josefine durch die Druckerei zu führen. Sie zeigte in das neu aufgebaute Warenausgangslager, in dem ein halbes Dutzend Aufträge darauf warteten, im neuen Jahr an die Kundschaft ausgeliefert zu werden. »Wie du siehst – alles ist nach dem Feuer wiederaufgebaut worden«, sagte sie stolz und glücklich zugleich. »Es war wirklich unglaublich, wie viel Solidarität Anton und ich erleben durften. Gleich am Tag danach, als die Feuerwehr uns erlaubte, ins Gebäude zu gehen, reiste der Mann von der Stuttgarter Versicherung an, bei der Otto Brauneisen damals die Druckerei versichert hatte, um den Schaden aufzunehmen. Dass die Versicherung so schnell reagiert und gezahlt hat, war natürlich unsere Rettung!« War es der Geruch der Druckerschwärze, der in ihrer Nase kitzelte, oder war es noch immer die Rührung über die erfahrene Hilfe – jedenfalls hatte Mimi einen gewaltigen Kloß im Hals.

Josefine schauderte sichtlich. »Nicht auszudenken, was gewesen wäre, wenn der Vorbesitzer sich das Geld für die Gebäudeversicherung gespart hätte! Und nicht auszudenken, wenn die Flammen auf die Fertigungshalle oder das Warenlager übergegriffen hätten …«

»Damit wären wir ruiniert gewesen«, stimmte Mimi ihr zu. »Es konnte bis heute nicht geklärt werden, wie der Brand entstand, aber dass er sich allein aufs Warenausgangslager beschränkte, war im Nachhinein Glück im Unglück.« Wie so vieles andere, dachte Mimi bewegt, dann fuhr sie mit ihrer Erzählung fort. »Der Mann von der Versicherung hatte seine Formulare noch nicht ganz wieder eingepackt, da standen schon unsere Mitarbeiter – und sogar ein paar ihrer Frauen – mit hochgekrempelten Ärmeln zum Aufräumen parat. Uns blieb ja nichts anderes übrig, als den ganzen Anbau abzureißen! Ein Freund unseres Bekannten Wolfram Weiß kam mit einer riesigen Fuhre Baumaterial an, und der Bürgermeister schickte einen Trupp freiwilliger Helfer, die unter Anleitung des örtlichen Zimmermanns sogleich begannen, alles wiederaufzubauen.«

Josefine sah Mimi beeindruckt an. »Ich bin mir nicht

sicher, ob es so viel Hilfe auch bei uns in der Großstadt gegeben hätte …«

Mimi ließ ihren Blick dankbar über die immer größer werdende Gästeansammlung schweifen. Ja, hier in Münsingen war der Zusammenhalt wirklich sehr gut. »Aber als ob der Aufbau des Warenausganglagers nicht gereicht hätte, mussten wir kurz vor Jahresende auch noch schauen, wie wir an Papier und Farben kommen! Denn ausgerechnet zu dieser Zeit war unser Materiallager leer gefegt – alles war aufgebraucht. Ich finde es nach wie vor erstaunlich, welche Materialmengen man fürs Drucken benötigt.« Sie lachte.

Josefine öffnete den Mund, als wollte sie etwas sagen.

»Ja?«, ermunterte Mimi sie.

Doch Josefine winkte ab. »Eine Kleinigkeit. Adrian möchte wegen des Materiallagers nachher noch mit Anton sprechen. Überlassen wir das den Männern. Erzähl du lieber weiter!«

So beruhigend ihr Lächeln sicher wirken sollte, es hatte bei Mimi den gegenteiligen Effekt. Eine »Kleinigkeit« hätte Josefine erst gar nicht erwähnt. Was gab es also, was sie wissen sollte? Dennoch tat sie Josefine den Gefallen und nahm ihren Faden wieder auf: »Während das Auslieferungslager hinten noch gebaut wurde, leisteten unsere Mitarbeiter vorn in der Druckerei Doppelschichten – wir mussten schließlich sämtliche verbrannten Drucksachen nochmals produzieren! Die Kunden waren nicht gerade erfreut, dass wir nicht wie versprochen auslieferten – so manch einer machte uns böse Vorwürfe. Als ob wir etwas für das Feuer gekonnt hätten!«

Josefine verzog den Mund. »Die Kundschaft wird immer kompromissloser, das erleben wir in unserer Branche auch. Aber so ist das eben – wer das Geld hat, hat die Macht.«

»Und schließlich ist der Kunde immer König«, sagte Mimi ironisch. »Bis nachts um elf oder zwölf liefen die Druckerpressen. Und die Männer arbeiteten alle ohne Lohnausgleich! Das muss man sich mal vorstellen. Sicher, es ging auch um ihre Existenz, aber so viel Entgegenkommen hätte ich nie erwartet.«

Josefine drückte Mimis Arm erneut. »Was Anton, du und eure Leute hier geleistet habt, ist unbeschreiblich! Adrian und ich sind euch wirklich sehr dankbar. Als stille Teilhaber sind wir in solch einer Krise leider so gar keine Hilfe...«

Mimi, die aus den Augenwinkeln sah, wie Anton gerade seine aus Laichingen angereisten Eltern begrüßte, winkte ab. »Dass ihr uns weiterhin vertraut, ist hilfreich genug.«

»Anton...«, sagte Josefine, deren Augen Mimis Blick gefolgt waren. »Ich mag ihn! Und ich finde es wirklich erstaunlich und bewundernswert zugleich, wie viel Profil, Stärke und Durchsetzungsvermögen er immer wieder beweist. Schade, dass er nicht ein paar Jahre älter ist – ihr wärt ein schönes Paar.«

»Josefine!«, sagte Mimi halb lachend, halb entsetzt. Doch bevor sie zu einer weiteren Erwiderung ansetzen konnte, hörte sie hinter ihrem Rücken eine bekannte melodiöse Frauenstimme ihren Namen sagen.

»Clara Berg!«, riefen Mimi und Josefine wie aus einem Mund. Vergessen war der verheerende Brand, vergessen auch der Schreck, der ihnen immer noch ein wenig in den Knochen saß – zu groß war die Freude, die Unternehmerin und Freundin wiederzusehen.

»Führt ihr etwa Geschäftsgespräche? Ich dachte, heute wird gefeiert«, sagte Clara Berg übertrieben tadelnd, nachdem sie sich aus deren Umarmungen gelöst hatte. »Frau Reventlow, darf ich Ihnen meinen Mann vorstellen – Laszlo Kovacz! Ich glaube, Sie kennen sich noch nicht.«

Wie viel Liebe in dem Blick lag, den Clara ihm schenkte, dachte Mimi und reichte dem attraktiven Mann lächelnd die Hand. »Es ist mir eine Ehre, dass Sie die weite und sehr winterliche Reise vom Bodensee hierher auf sich genommen haben.« Sie nickte in Richtung des aufgebauten Büfetts »Bestimmt seid ihr alle furchtbar durstig und hungrig. Wie wäre es mit einem Glas Sekt und einer Butterbrezel?«

Statt Mimis Wink zu folgen, blieb Clara jedoch stehen. »Liebe Frau Reventlow – Mimi –, wäre das neue Jahr nicht ein guter Zeitpunkt, um zum ›Du‹ überzugehen? Wenn Sie mögen – ich bin Clara!«

»Das ist mein schönstes Neujahrsgeschenk«, sagte Mimi mit belegter Stimme, und schon lagen sich die beiden Frauen erneut in den Armen.

»Bevor hier jemand vor lauter Rührung noch zu weinen anfängt – ab zum Büfett!«, rief Josefine und scheuchte Clara, Mimi und Lazlo wie drei trödelnde Kinder vor sich her.

»Ein imposantes Unternehmen habt ihr euch da zugelegt, Respekt! Ich bin mir sicher, die Druckerei wird unter eurer Führung ein großer Erfolg«, sagte Clara und prostete den anderen zu.

Mimi strahlte. Solche Worte aus dem Mund der großen Unternehmerin Clara Berg? »Und ohne Sie, äh, ohne dich würde es all das hier gar nicht geben! Hättest du mich letztes Jahr nicht mit Josefine bekannt gemacht...«

Doch Clara Berg winkte ab. »Das hat einfach so sein sollen. Und genauso selbstverständlich ist es, dass wir unseren nächsten Versandhandelskatalog bei euch drucken lassen, nicht wahr, Lazlo?«

Diesmal strahlten Mimi und Josefine um die Wette.

»Ihr müsst mich entschuldigen«, sagte Mimi nach dem ersten Glas Sekt bedauernd. »Ich möchte ein wenig die Runde machen, hier jemanden vorstellen, da die Stimmung ein wenig auflockern. Mein Gefühl sagt mir, dass die Drucker angesichts der vielen Fremden, die sich hier in ihren ›heiligen Hallen‹ versammelt haben, ein wenig fremdeln.« Sie wies unauffällig auf die Männer, die sich allesamt rund um ihre Maschinen aufhielten. Sie und ihre Familien besuchten sonst die Feste vom Schützenverein, manch einer kannte sich auch von der wöchentlichen Übungsstunde des Gesangvereins – doch das waren Zusammenkünfte, bei denen man immer dieselben Leute traf.

Sowohl Josefine als auch Clara entließen sie gern – beide schienen froh, an diesem Tag nur Gast und somit von den anstrengenden Aufgaben einer Gastgeberin entbunden zu sein.

Mimi ging mit dem Sektglas in der Hand von einem zum anderen. Sie stellte hier Gäste einander vor, holte da jemanden aus einer Ecke oder sorgte mit einem kleinen Scherz für etwas Auflockerung. Sie wollte sich gerade ein Glas Wasser holen, als sie ihre Mutter, die zusammen mit Mimis Vater am Vortag angereist war, hektisch winken sah.

»Schau, Kind, wer gekommen ist – Onkel Josefs Nachbarin Luise ist hier! Antons Eltern haben sie mitgebracht.«

Mimi stieß einen kleinen Freudenschrei aus. »Luise, dass Sie extra unseretwegen Ihren Neujahrsputz verschieben, hätte ich nicht gedacht!«, sagte sie lächelnd. Von Luise hatte sie einst die Haushaltsführung gelernt, damals, als sie ihren kranken Onkel Josef pflegte – Luises hohen Ansprüchen war sie jedoch trotz größter Anstrengung niemals gerecht geworden.

»Frech bist du also immer noch, Mädle«, sagte die alte Frau und drückte Mimi schmunzelnd so fest an ihren Busen, dass es ihr einen Moment lang die Luft abschnürte. »Ich muss doch gucken, wie es dir ergangen ist! Und liebe Grüße soll ich ausrichten, von Sonja und Berta.«

»Guten Tag, Frau Reventlow«, mischte sich Karolina Schaufler mit säuerlicher Miene ein. »Nur dass Sie es wissen – wir haben extra für diesen Anlass unser Gasthaus geschlossen! Den fehlenden Umsatz ersetzt uns niemand, aber was tut man nicht alles für seine Kinder.« Sie seufzte theatralisch auf.

Mimi zwinkerte Luise unauffällig zu, ehe sie sich an Antons Mutter wandte. »Dann freuen wir uns umso mehr über Ihr Kommen!«, sagte sie versöhnlich, doch im Stillen ärgerte sie sich. Warum konnte sich Frau

Schaufler nicht einfach über die Einladung freuen, so wie alle anderen auch? Bestimmt hatte sie auch kein einziges Wort des Lobes für ihren Sohn übriggehabt, dachte sie, während Anton auf sie zukam. Gut sah er aus in seinem besten Anzug! Und beim Friseur war er allem Anschein nach auch extra gewesen. Sie selbst hatte sich ebenfalls trotz aller Widrigkeiten die Zeit genommen, nach Reutlingen zu fahren und sich etwas Neues schneidern zu lassen. In ihrem dunkelgrünen Seidenkleid, das wie angegossen passte, fühlte sie sich sehr wohl und hübsch. Wie hatte Josefine zuvor gesagt? »Ihr wärt ein schönes Paar!« Mimi musste unwillkürlich grinsen.

Anton nickte der kleinen Runde kurz zu, dann sagte er leise zu Mimi: »Bist du bereit?«

Mimi nickte. Und ob!

2. Kapitel

Wie bei ihrer Antrittsrede vor ein paar Monaten, als sie die Druckerei übernommen hatten, stiegen Mimi und Anton gemeinsam auf ein kleines Podest. Anton schlug mit einer Gabel gegen sein Weinglas, und dann warteten sie, bis sich ihnen alle Gäste aufmerksam zugewandt hatten.

»Verehrte Gäste, liebe Mitarbeiter, liebe Münsinger Bürger«, hob Anton an. »Ein aufregendes Jahr liegt hinter uns allen, ein hoffentlich gutes neues Jahr vor uns. Mimi Reventlow« – er bedachte sie mit einem kurzen Seitenblick – »und ich möchten uns an dieser Stelle bei allen bedanken, die uns nicht nur das Einleben in Münsingen leicht gemacht haben, sondern die uns auch nach dem Brand so spontan geholfen haben. Dabei gilt unser ganz besonderer Dank natürlich unseren Angestellten.« Anton ließ seinen Blick über die versammelte Menge schweifen. »Dank Ihres unglaublichen Einsatzes konnten wir nicht nur die verbrannten Kundenaufträge neu drucken, sondern auch noch unser erstes eigenes Druckprodukt!« Er hielt den Kalender mit den Schafmotiven in die Höhe, an dem Mimi bis kurz vor dem

Druck noch gefeilt hatte. »Mimi Reventlow hat einen Kalender entworfen, der die Schönheit der Münsinger Alb wiedergibt. Denn nichts spiegelt die raue Schwäbische Alb so sehr wie die Schafherden, die hier oben grasen. Mit großer Freude darf ich verkünden, dass es mir gelungen ist, zehntausend Stück dieses Kalenders im Vorweihnachtsgeschäft an Kaufhäuser, Schreibwarengeschäfte und andere Geschäfte zu verkaufen. Mit ähnlichen Druckprodukten wollen wir zukünftig für unseren Erfolg arbeiten – doch zuerst einmal möchten wir Sie, unsere Mitarbeiter, an diesem *ersten* Erfolg teilhaben lassen …« Erwartungsvoll schaute er in Richtung der Drucker. »Und deshalb werden wir parallel mit dem Januargehalt einen kleinen Bonus auszahlen!«

Unruhe kam auf, die Drucker schauten sich ungläubig an. Einen Bonus? So etwas hatten sie ja noch nie gehört!

»Ist es gut, solche Interna vor den Gästen auszuplaudern?«, hatte Mimi Anton im Vorfeld unsicher gefragt. Doch als sie nun sah, wie die Drucker bei dem öffentlichen Lob vor Stolz die Schultern strafften, dachte sie: Gut gemacht!

»Auch Sie, unsere lieben Gäste, sollen später nicht mit leeren Händen davongehen«, fuhr Anton fort. »Bitte nehmen Sie sich an den Tischen dahinten jeder einen Kalender, unsere Drucker halten genügend Exemplare für Sie bereit. Der Kalender und natürlich Gottes Segen mögen Sie alle im neuen Jahr begleiten. Ond jetzetle …« – mit einem Grinsen verfiel Anton in breitestes Schwäbisch – »esset und trinket, bis dass der Ranzen spannt!«

Die versammelten Gäste lachten, applaudierten und atmeten erleichtert aus – der offizielle Teil des Abends war hiermit erledigt.

Gleich würden sich bestimmt alle auf das kalte Büfett stürzen, dachte Mimi, doch dann sah sie zu ihrer Verwunderung, wie die allermeisten Gäste zuerst auf die Tische mit den Schafkalendern zugingen.

»Ausgerechnet Schafe«, bemerkte Bernadette, die sich zu Mimi gesellt hatte, und wies mit dem Kopf abfällig in Richtung der Kalender. »Mimi, warum hast du nicht zwölf verschiedene Blumen fotografieren können? Oder zwölf Bäume?«

»Bäume und Blumen? Wer weiß – vielleicht schmücken die einen unserer nächsten Kalender«, erwiderte Mimi lachend. »Ich weiß, dass du für Schafe nichts übrighast, aber schau nur, wie die Leute sich an den Fotos erfreuen!«

Von den Tischen schallte es zu ihnen herüber: »Der Herr ist mein Hirte! Wie schön, dass auch Bibelsprüche bei den Fotos stehen …«

»Guck mal, die vielen neugeborenen Lämmchen, da geht einem ja das Herz auf!«

»Wo gibt's die Kalender eigentlich zu kaufen? Ich möchte mindestens drei Stück verschenken.«

»Wer ist denn die hübsche Schäferin?«

»Das ist doch die Neue, die Französin, mit der Wolfram gerade auf der Winterweide ist!«

»Gratulation, liebe Frau Reventlow, da hatten Sie wirklich eine gute Idee«, hörte Mimi jemanden neben sich sagen. Es war Siegfried Hauser, einer ihrer ältesten Mitarbeiter.

»Und Sie haben den Kalender perfekt gedruckt«, erwiderte Mimi und prostete Siegfried Hauser zu. Er arbeitete schon seit über zwanzig Jahren in der Druckerei und konnte so ziemlich jede Maschine bedienen – und reparieren! –, die sie besaßen. Und auch er hatte sich nicht gescheut, die vielen Überstunden zu leisten.

Siegfried Hauser zeigte schmunzelnd auf das Blatt des Monats Juni. »Wolf und Schaf sollen beieinanderweiden – das ist ein wahrlich frommer Wunsch!«

Mimi hatte den Mund schon zu einer Erwiderung geöffnet, als an ihrer Stelle Lutz Staigerwald, der Kommandant des Soldatenlagers, der zu ihnen getreten war, antwortete: »Fragt sich nur, ob man die beiden immer auseinanderhalten kann. So mancher Wolf kommt nämlich im Schafspelz daher!« Seine stahlblauen Augen funkelten verschmitzt.

»Herr Staigerwald!« Wie bei all ihren bisherigen Begegnungen fühlte sich Mimi wieder ein wenig überwältigt angesichts des gut aussehenden Majors. Etwas steif reichte sie ihm die Hand, während Siegfried Hauser gen Büfett ging.

Der oberste Soldat schien Mimis Gehemmtheit nicht wahrzunehmen. »Ein wunderbares Fest haben Sie gestaltet, verehrte Frau Reventlow. Respekt, wie gut es Ihnen gelungen ist, die Menschen zusammenzubringen! In der heutigen Zeit ist es wichtiger denn je, dass wir alle gut zusammenarbeiten und uns gegenseitig beistehen.«

Mimi runzelte die Stirn. Täuschte sie sich, oder lag da eine leichte Besorgnis in der Stimme des Majors? Gab es Probleme zwischen dem Truppenübungsplatz und dem Ort? Von Bernadette wusste sie, dass es hin und wieder zu Reibereien kam. Oder war das eine Anspielung auf irgendeine politische Krise, von der sie wieder einmal nichts mitbekommen hatte? So wie damals, als Lutz Staigerwald Anton und ihr bei einem Abendessen erzählt hatte, welche Anstrengungen der Großmächte im letzten Jahr nötig gewesen seien, um einen kriegerischen Flächenbrand auf dem Balkan zu verhindern. Sie hatte damals betroffen geschwiegen. Ein Krieg auf dem Balkan? Davon wusste sie nichts. Aber Himmel noch mal – sie hatte schlicht keine Zeit zum Zeitunglesen!

Und heute wollte sie von solchen Dingen auch nichts hören, beschloss Mimi und entschied spontan, des Majors Bemerkung in Bezug auf das Private zu deuten. Denn es gab etwas, was ihr schon länger auf dem Herzen lag. »Apropos Beistand …«, sagte sie gedehnt.

»Kind, misch dich nicht ein!«, hatte sie auf einmal die Stimme ihres verstorbenen Onkels im Ohr. Sie einfach ignorierend, fuhr Mimi fort: »Bernadette würde jemand, der ihr ein wenig beisteht, auch guttun. Ich weiß, sie wirkt immer wie eine äußerst starke Frau, aber die Sache mit Wolfram im letzten Jahr hat sie sehr mitgenommen …« Schon spürte Mimi, wie ihr die Röte ins Gesicht schoss.

»Ich dachte, bei der geplanten Hochzeit sei es eh nur um eine Art Vernunftehe gegangen«, sagte der Major stirnrunzelnd. »Und die Auflösung der Verlobung ging doch von beiden aus, oder nicht?«

Hast du eine Ahnung, dachte Mimi. Als Wolfram Bernadette gestanden hatte, dass er sich unsterblich in Corinne verliebt habe und deswegen sein Hochzeitsversprechen auflösen wolle, war für die Schafbaronin eine

Welt zusammengebrochen. Doch das wusste nur sie, Mimi. In der Öffentlichkeit – und allem Anschein nach auch vor Lutz – hatte Bernadette ihre wahren Gefühle für sich behalten.

»Da haben Sie natürlich recht«, sagte sie so bestimmt wie möglich. »Aber was würden Sie davon halten, wenn wir einmal etwas gemeinsam unternähmen? Also, mein Geschäftspartner Anton, ich, Sie und Bernadette. Eine Schlittenfahrt über die Schwäbische Alb. Oder ein Abendessen zu viert … Ein bisschen Abwechslung wäre nicht nur für Bernadette schön, sondern für uns alle.« Mimi, du bist unverbesserlich!, dachte sie und musste fast über sich selbst grinsen.

Lutz Staigerwald schaute sie nachdenklich an. »Wie kommen Sie darauf, dass Bernadette Lust auf so etwas hätte? Ich hatte bisher immer den Eindruck, sie sieht in mir lediglich einen Geschäftspartner. Hat sie etwa diesbezüglich eine Äußerung von sich gegeben?« So sachlich er wohl klingen wollte, so hörte Mimi doch einen Hauch Hoffnung aus seiner Stimme heraus, mehr noch – aufkeimende Freude.

Sie zuckte lächelnd mit den Schultern. »Privat, geschäftlich – vermischt sich das nicht alles irgendwie?« Mehr sagte sie nicht, und sie verkniff sich auch einen vielsagenden Blick. Stattdessen ging sie davon. Verflixt, da organisierte der Mann ein Heereslager mit Tausenden von Soldaten, aber auf die Idee, die Frau, die er ganz offensichtlich nicht erst seit gestern verehrte, einmal auszuführen, kam er nicht?

*

Was Alexander wohl zu diesem Fest sagen würde?, fragte sich Anton, während er mit einer Bierflasche in der Hand einen kurzen Moment der Stille für sich allein genoss. Irgendwie konnte er sich seinen alten Freund hier nicht vorstellen. Auf Mimis Drängen hin hatten sie auch eine Einladung zu ihm nach Stuttgart geschickt. Doch schon im selben Augenblick hatte Anton gewusst, dass Alexander mit einer fadenscheinigen Ausrede absagen würde. Mimi und er waren dem »großen Künstler« wohl nicht mehr gut genug.

Aus den Augenwinkeln sah Anton, wie Adrian Neumann, ebenfalls mit einer Flasche Bier in der Hand, auf ihn zukam.

»Das trifft sich gut«, sagte er, als sein stiller Geldgeber bei ihm angelangt war. »Ich würde gern etwas mit dir besprechen.«

»Genau dasselbe wollte ich auch gerade sagen! Meinst du, die Festgesellschaft kann eine halbe Stunde auf uns verzichten?«

Anton nickte. »Drüben im Büro sind wir ungestört.« Kameradschaftlich einen Arm um die Schulter des anderen gelegt, gingen sie auf Mimis Haus zu. Doch vor der Haustür hielt Adrian zögerlich inne. »Ist es für Mimi in Ordnung, wenn wir einfach ihre Räume betreten?«

Anton winkte ab. »Hier befindet sich auch unser gemeinsames Büro.«

Nachdem er die Oberlichter eingeschaltet hatte, ging er zum Aktenschrank und holte einen Prospekt heraus. »Ich würde gern über eine Neuanschaffung mit dir reden. Es gibt ein neues Verfahren, mit dem man farbige Drucke herstellen kann. Eine Schweizer Firma hat sich die Technik vor ein paar Jahren schon patentieren lassen. Dieser sogenannte ›Photochromdruck‹ ist nicht ganz billig, aber ich denke, die Zukunft liegt in farbigen Drucken. Stell dir nur Mimis Kalender in sattem Grün und mit blauem Himmel vor! Ich würde mir von denen gern ein Angebot machen lassen, wenn du einverstanden bist.«

Adrian nickte und sagte grinsend: »Ihr seid die Chefs, wir nur die stillen Teilhaber. Gegen eine zukunftsträchtige Investition haben Josefine und ich nichts einzuwenden, auch wenn dies bedeutet, dass unser Gewinn dadurch erst einmal geschmälert wird.«

»Wenn du meinst…«, sagte Anton ein wenig verunsichert. Sosehr ihn Adrians Vertrauen schmeichelte – er wollte solche wichtigen Entscheidungen doch nicht gern allein treffen.

»Es gibt allerdings ein Problem, das wir besprechen sollten…« Adrian Neumann räusperte sich. »Das Ganze ist mir sehr unangenehm, und ich weiß auch nicht so recht, wie ich anfangen soll. Nun, kurz und gut: Ich glaube, mit euren Büchern stimmt etwas nicht.«

Anton hatte das Gefühl, als hätte ihm jemand links und rechts gleichzeitig einen Wangenstreich verpasst. »Willst du damit sagen, wir… wir betrügen euch?« Seine Stimme war nur noch ein Flüstern, während die Gedanken in seinem Kopf im Kreis rasten.

»Um Gottes willen, nein!«, rief Adrian entsetzt aus. »Verzeih mir, wenn ich mich missverständlich ausgedrückt habe. Vielleicht kann ich mich nachvollziehbar machen, wenn ich dir zeige, womit ich mich in den letzten Wochen vergnügt habe...« Mit einem spöttischen Grinsen zog er mehrere Zettel aus der Tasche und bat Anton, sich zu ihm an den Tisch zu setzen.

»Das hier sind eure Aufträge aus dem letzten Quartal. Und das hier« – er zeigte auf ein zweites Blatt – »sind eure Materialkosten.«

»Ja und?«, fragte Anton stirnrunzelnd. Er selbst hatte Herrn Frenzen um diese Kopien gebeten und sie dann an Adrian weitergereicht. »Wir haben doch nach Abzug aller Kosten nicht nur den Brandschaden wieder wettgemacht, sondern sogar schon ein kleines Plus erzielt.«

Der Berliner Radhändler nickte. »Angesichts dieser erfreulichen Entwicklung ist man schnell geneigt zu glauben, alles sei in bester Ordnung. Und wenn man nicht ganz genau hinschaut, fällt einem auch nichts auf – die Rechnungen und Lieferscheine in sich stimmen alle. Wenn tausend Drucke von irgendetwas bestellt wurden, wurden auch tausend Drucke abgerechnet. Davon abgesehen gibt es einige Preisnachlässe, wo Drucke nicht perfekt geraten sind. Nicht besonders erfreulich, aber auch nicht weiter besorgniserregend.«

»Gott sei Dank!«, entfuhr es Anton. »Du hast unseren Buchhalter Karlheinz Frenzen selbst kennengelernt – ich glaube, es gibt kaum einen ehrenwerteren Mann als ihn. Aber wo liegt dann das Problem?«, fügte er hinzu. »Ich verstehe noch nicht, worauf du hinauswillst.«

Adrian Neumann schaute Anton über den Tisch hinweg an. »Worauf ich hinauswill, ist die Tatsache, dass eure Kosten für die Materialbeschaffung und die Herstellungskosten nicht übereinstimmen. Auf einen einfachen Nenner gebracht heißt das, dass ihr tausend Blatt Papier einkauft, nur siebenhundert bedruckt werden, aber die tausend Blatt dennoch weg sind.« Er zog einen kleinen Block aus seiner Jackeninnentasche. »Halte mich nicht für verrückt, aber vor einiger Zeit gab es in der Fabrik eines Bekannten einen ähnlichen Fall. Der kam mir ins Gedächtnis, als ich trotz der augenscheinlich so korrekten Zahlen ein seltsames Gefühl hatte. Also habe ich mir tatsächlich die Mühe gemacht auszurechnen, wie viele Bogen Papier ihr für eure ausgeführten Aufträge tatsächlich verwendet habt.« Er tippte auf eine seitenlange Zahlenkolonne. »Das Ergebnis klafft eklatant mit eurer Materialwirtschaft auseinander.«

»Was heißt das? Dass die Materialkosten einen großen Teil unserer Gewinne wieder auffressen, haben Mimi und ich auch schon festgestellt. Aber was willst du daran ändern?«

Adrian Neumanns Blick war ernst, als er sagte: »Ich kann es nicht beweisen – das zu tun wird deine Aufgabe sein, mein Freund –, aber ich befürchte, irgendjemand bei euch im Betrieb arbeitet auf eigene Rechnung.«

Anton glaubte, nicht richtig zu hören. »Du meinst ... Bela Tibor? Oder doch Herr Frenzen?« Der überkorrekte Buchhalter oder der immer etwas schusselige, aber liebenswerte technische Leiter sollten sie übers Ohr hauen?

»Oder beide zusammen«, sagte Adrian Neumann nüchtern. »Jedenfalls kann es nur so sein, dass nebenher Druckaufträge laufen, von denen Mimi und du nichts wisst.«

Anton war fassungslos. »Du willst damit sagen,

jemand druckt auf unseren Maschinen irgendwelche Waren und stellt dann eigene Rechnungen dafür aus? Das wäre ja ein großer Betrug!« Er schüttelte den Kopf. »Das kann nicht sein, Adrian. Für Frenzen und Tibor lege ich beide Hände ins Feuer!«

Adrian sah ihn mitleidig an. »Dann ist es gut möglich, dass du dir mindestens eine Hand schon verbrannt hast.«

3. Kapitel

Es war der 6. Januar 1914 – Dreikönigstag –, und es schneite so heftig, dass man außer weißem Gewirbel kaum etwas vor dem Fenster sah. Mimi beschloss, ausnahmsweise den Gottesdienstbesuch ausfallen zu lassen und stattdessen ihre weihnachtliche Dekoration fortzuräumen. Viel zu tun gab es dabei nicht, denn aufgrund der hohen Arbeitsbelastung hatte sie dieses Mal nicht viel Zeit gehabt, es sich für die Adventszeit heimelig zu machen. Mit einem traurigen Lächeln sammelte sie die Tannenzweige ein, die sie auf allen Fensterbrettern ausgelegt hatte. Bei jeder Bewegung rieselten die Nadeln wie Schnee auf den Boden. Eilig trug Mimi die Tannenzweige hinaus auf die Terrasse. Vielleicht würden sich die Mutterschafe im Stall von Bernadette darüber freuen, auch wenn alles schon etwas vertrocknet war?, fragte sie sich. Doch um den Schafen das Nadelgrün zu bringen, hätte sie erst einmal nach vorn auf die Straße gelangen müssen. Ihre Haustür war so zugeschneit, dass sie ohne Schneeschippen nicht hinauskam. Dass Anton dies noch nicht gemacht hatte … wunderte sie sich nicht zum ersten Mal. Andererseits – was ging ihn ihre verschneite Tür an? Er hatte vor dem Eingang seiner eigenen kleinen Wohnung genug zu schippen. Selbst war die Frau!, beschloss Mimi, zog sich eine Jacke an und ergriff die Schneeschaufel.

Anton … Ein Schatten legte sich auf ihr frohes Gemüt, während sie den pappigen, schweren Schnee zur Seite räumte. Sie wusste nicht, warum – konnte es weder an Gesten noch irgendeiner Aussage festmachen –, aber irgendwie hatte sie das Gefühl, dass Anton ihr etwas verheimlichte. Ging es um das Gespräch, das er mit Adrian Neumann geführt hatte, als sie am Neujahrsempfang so lange weg gewesen waren? Oder bedrückte ihn etwas Privates? Wenn sie ihn fragte, antwortete er stets, dass alles in Ordnung sei und sie sich etwas einbilden würde.

Mimi runzelte die Stirn. Sie kannte Anton zu gut, um nicht zu wissen, dass da etwas im Busch war! Aber bitte, wenn er es vorzog zu schweigen … Sie waren schließlich nicht verheiratet, und er war ihr über das Geschäftliche hinaus keine Rechenschaft schuldig.

Nach einer halben Stunde war sie verschwitzt und durchgefroren zugleich. Ihre Arme zitterten, ihre Füße waren eiskalt. Aber immerhin war ein schmaler Weg von ihrem Haus bis zur Straße frei – das musste reichen. Zum Glück hatten es all ihre Neujahrsgäste noch vor den neuen Schneefällen nach Hause geschafft.

Nachdem sie sich umgezogen hatte, begann sie, die hölzernen Krippenfiguren wegzupacken, die ihr jugendlicher Freund Fritz Klein ihr aus Laichingen geschickt hatte. Sobald diese in ihrem Karton lagen, würde von Weihnachten nichts mehr zu sehen sein.

Schade eigentlich, dachte Mimi, während sie das kunstvoll geschnitzte Ochs- und Eselspaar in der Hand drehte. Jedes Jahr freute man sich so sehr auf Weihnachten, und jedes Mal war es so schnell wieder vorbei. Elf Monate würden vergehen, ehe die frohe Zeit des Advents erneut begann.

Der Lauf der Zeit, der immer wiederkehrende Rhythmus der Jahreszeiten, die Gewissheit, dass sich der Kreis jedes Jahr aufs Neue schließen würde – genau das spiegelte auch ein Kalender wider. Unwillkürlich wanderte ihr Blick hinüber zu der Wand, an der sie ihren Schafkalender aufgehängt hatte. Ihr allererstes selbst entworfenes Druckprodukt. Gedruckt auf ihren eigenen Pressen. Sie war so stolz darauf! Nach all den Wochen, in denen die Inspiration sie im Stich gelassen hatte, war ihr die Idee mit den Schafmotiven wortwörtlich zwischen Tür und Angel gekommen. Und ausgerechnet ihre Mutter, die zu dieser Zeit bei Mimi zu Besuch gewesen war, war nicht ganz unschuldig daran…

Beim Gedanken an ihre Mutter durchströmte Mimi ein Gefühl der Dankbarkeit. Amelie Reventlow war es auch gewesen, die ihr die Liebe zur Adventszeit vermittelt hatte. Mimi konnte sich noch gut daran erinnern, wie aufregend und spannend der Dezember für sie als Kind gewesen war. »Wann ist denn endlich Heiligabend?«, hatte sie die Mutter immer und immer wieder gefragt. Am Ende der ersten Adventswoche hatte Amelie, die an diesen Tagen immer besonders viel Wohltätiges zu tun und keine Zeit für allzu viele Kinderfragen hatte, Mimi an der Hand genommen und ins Kinderzimmer geführt. Mit einem Stück Kreide hatte die Mutter dann vierundzwanzig Striche an den Holzrahmen der Tür gemalt. »Das sind die vierundzwanzig Tage bis zum Heiligen Abend. Du darfst nun jeden Tag einen der Striche durchstreichen, sodass ein Kreuz entsteht. Schau, so wie ich es bei den ersten Tagen, die schon vorbei sind, mache.« Nachdem sie die ersten sieben Striche durchkreuzt hatte, hatte Amelie die Kreide ihrer Tochter gegeben. »Jeden Tag nur ein Strich, Kind! Wenn du am letzten Strich angekommen bist, ist Weihnachten.«

Mimi war selig gewesen. Und ihre Fragerei, wann denn endlich Weihnachten sei, hatte ein Ende gehabt.

Ihr persönlicher Adventskalender aus Kreide … Erst mit fünfzehn oder sechzehn hatte sie sich von dieser Tradition trennen können. Mimi lächelte, doch im nächsten Moment erstarb das Lächeln wieder. Sie runzelte die Stirn.

Ihr Blick wanderte zwischen dem Kalender an der Wand und ihrer verpackten Adventsdekoration hin und her. Advent … Kalender … Adventskalender …

Ihr Herz schlug auf einmal heftig. Hektisch sprang sie auf, nahm den Kalender von der Wand, strich darüber, als erhoffte sie sich dadurch eine Art Erleuchtung. Oder hatte sie diese gerade bereits gehabt?

O mein Gott. Sie lachte nervös auf.

Ein Adventskalender! Nicht nur ein Blatt, sondern einen, den man an die Wand hängen konnte wie einen normalen Kalender, mit vierundzwanzig Blättern Papier, liebevoll und detailreich mit weihnachtlichen Motiven bemalt! Und jeden Tag durften die Kinder ein Blatt abreißen und sich an etwas anderem erfreuen. An einem glänzenden Engel. An gemalten Krippenfiguren oder einem Weihnachtsbaum. Eine Knecht-Ruprecht-Abbildung am 6. Dezember. Oder… Schluss! Sie hatte so viele Ideen, dass vierundzwanzig Tage gar nicht reichen würden.

Ein gedruckter Adventskalender für die Adventszeit 1914. Mit dieser Idee würde sie Abertausende von Kindern glücklich machen.

Du liebes bisschen, wenn sie das Anton erzählte…

*

Morgen begann nach den Weihnachtsferien wieder der Betrieb in der Druckerei, und er hatte immer noch keinen Plan, dachte Anton verärgert, während er mit einem Lappen die Zündkerzen seines Mercedes Phaeton reinigte. Dabei grübelte er seit dem Gespräch mit Adrian Neumann über nichts anderes mehr als darüber, wie er den Betrüger in den eigenen Reihen überführen konnte.

Frustriert warf er den Lappen zu Boden und baute gerade die Zündkerzen wieder ein, als er Mimi über den verschneiten Hof schlittern sah.

Mimi… Noch so ein ungelöster Fall, zumindest was seine Gefühle ihr gegenüber anging. War sie nur seine Geschäftspartnerin? Oder war er womöglich doch in sie verliebt? Es gab Momente, da traf das eine zu. Und dann gab es auch die anderen Momente…

Als er nun ihre vor Aufregung roten Wangen sah und das Feuer in ihren Augen, dachte er: Sie ist so schön… Und so lebendig wie keine andere Frau!

»Anton, du glaubst nicht, was für eine Idee ich gerade

hatte! Sie ist einfach ...« Mimi fuchtelte hektisch mit beiden Händen in der Luft herum. »Grandios! Aber das kann ich dir nicht hier erzählen, dafür musst du mit ins Büro kommen!«

Er kannte auch keine andere Frau, die sich so sehr für etwas begeistern konnte. Grinsend wischte er sich beide Hände an einem frischen Tuch ab und folgte ihr ins Haus. »So, dann mal raus mit der Sprache«, sagte er, kaum dass sie in ihrem Büro am großen Besprechungstisch saßen.

»Kalender ...«, hauchte Mimi. »Jeder Mensch liebt Kalender. Und wenn es dann noch ein so schöner ist wie unser Schafkalender ...«

Anton runzelte die Stirn. »Du willst noch mal einen mit Fotos von Schafen auflegen?« War das nicht zu viel des Guten?

»Blödsinn!«, wischte sie seinen Einwand leicht verärgert beiseite. »Ich habe etwas ganz anderes vor.« Atemlos erzählte sie ihm von ihrer Idee mit den Adventskalendern. Ihre Wangen röteten sich bei jedem Satz mehr, ihre Augen glänzten fast fiebrig, sodass er einen Moment lang Sorge in sich aufkommen spürte. War es lediglich ihre Begeisterung, die hier ihren Ausdruck fand? Oder wurde Mimi etwa krank? In der letzten Woche hatte es einige Leute böse erwischt, eine Grippe, nicht ungefährlich, ging herum. Im nächsten Moment rief er sich selbst zur Raison. Langsam schnappte er wohl über vor lauter Fürsorge um Mimi.

»Das ist genial!«, rief er, schob abrupt seinen Stuhl nach hinten und stand auf. »Nicht nur Kinder, sondern auch Erwachsene werden diesen Adventskalender lieben. Ich bin ja nicht so kreativ wie du, aber was mir spontan dazu einfällt, ist ein Blatt, aus dem man einen Stern falten kann. Oder einen Papierflieger!« Damit würden sie reiche Leute werden, dachte er.

»Anton, das ist genial!«, sagte Mimi begeistert. »Ich freue mich so, dass dir meine Idee auch gefällt. Wenn ich ehrlich bin, sehe ich unseren Kalender schon in jedem Haus hängen.«

Er lachte. »Dir ist aber klar, dass wir damit gleich das nächste Riesenprojekt vor uns haben, oder? Wenn die Kalender ab November im Handel verfügbar sein sollen, müssen wir schnellstens loslegen. Vierundzwanzig schöne Tagesblätter müssen gestaltet werden, und wir brauchen dafür stabiles Papier, das auch Kinderhänden standhält. Und dann müssen wir auch noch unseren Vertrieb ausweiten. Am besten schauen wir uns gleich nach ein, zwei weiteren Handelsvertretern um, die ich persönlich schulen werde. Denn wenn wir diese Kalender in großem Stil vertreiben wollen, schaffe ich allein das nicht.«

Mimi nickte. »Dann übernehme ich den Brief an Alexander, einverstanden? Wenn ich ihn freundlich frage, malt er uns bestimmt die allerschönsten Kalenderblätter. Gegen Bezahlung natürlich!«

»Alexander?«, sagte Anton alarmiert. Seine gute Laune bekam schlagartig einen Dämpfer, wenn er an das letzte Treffen mit seinem alten Freund dachte. Er, der arme Webersohn aus Laichingen, nannte sich jetzt affektiert »Paon«, was auf Deutsch wohl Pfau hieß. Ein Künstlername, pfff! Ihm, Anton, gegenüber war er aggressiv und ablehnend gewesen. Dass er nun Inhaber einer Druckerei war, hatte Alex nur mit der abfälligen Bemerkung quittiert, er habe wohl lediglich ein Dorf gegen das andere ausgetauscht. Er hingegen habe sich zum Glück von seinem Heimatort Laichingen sowie allen Personen, die damit zu tun hatten, gelöst.

Gelöst – so konnte man das auch nennen, dachte Anton verächtlich, während Mimi ihn noch immer wartend anschaute. In seinen Augen hatte Alexander alles verraten, was ihnen einst heilig gewesen war: Freundschaft, Familie, Loyalität. Und dass es Mimi Reventlow war, der er seine »Karriere« als Maler zu verdanken hatte, hatte Alex auch vergessen und stattdessen eine abfällige Bemerkung über die Fotografin gemacht. An dieser Stelle war es ihm, Anton, zu bunt geworden. Barsch wies er seinen Freund zurecht, dass er so etwas nicht hören wolle. In diesem Moment hatte er gespürt, dass es zwischen ihnen nie mehr so sein würde wie früher...

»Anton?«, sagte Mimi stirnrunzelnd.

»Mir wäre es lieber, wenn wir dieses Projekt ohne Alexander verwirklichen«, sagte er so neutral wie möglich, aber auch ohne weitere Erklärungen. »Außerdem – wozu haben wir einen Illustrator eingestellt? Am besten fahren wir in den nächsten Tagen nach Ulm und sprechen mit Steffen Hilpert. Wenn du ihm genau sagst, was dir vorschwebt, kann er zeigen, was in ihm steckt.«

»Da hast du recht«, stimmte Mimi ihm zu seiner Erleichterung zu. »Dann lass uns gleich morgen früh mit Bela Tibor sprechen. Er kann uns sagen, ob wir bei den Entwürfen auf irgendetwas wie besondere Randzugaben oder Abstände achten müssen.«

Anton verdrehte innerlich die Augen. Vom Regen in die Traufe, nannte man das wohl, dachte er sarkastisch.

»Bela Tibor …«, begann er gedehnt. »Ehrlich gesagt sollte er von unserer neuen Geschäftsidee auch nichts erfahren. Es ist nämlich so …« Stockend und mit schwerem Herzen berichtete er schließlich von Adrians und seinem Verdacht. »Dass einer aus unseren Reihen betrügt, steht fest. Nach einigem Hin und Her denke ich inzwischen, dass es nicht Karlheinz Frenzen ist, sondern Tibor.«

Wie erwartet war Mimi fassungslos. »Das kann nicht sein! Nicht Bela Tibor …«, flüsterte sie.

»Mir fiel es anfangs auch schwer, das zu glauben. Aber je länger ich darüber nachdenke, desto mehr Kleinigkeiten fallen mir ein, die … die dazu passen. Hast du es beispielsweise nicht schon immer seltsam gefunden, dass Bela Tibor so vehement darauf besteht, allein mit den Lieferanten zu verhandeln?«

Mimi, deren Röte einer unnatürlichen Blässe gewichen war, schaute Anton stumm an.

»Und dann, im letzten Oktober … Ein Herr Maustobel, Inhaber einer Malerwerkstatt, kam auf den Hof. Ich wollte den Herrn begrüßen, doch Bela schickte mich nach wenigen Worten regelrecht davon. *Er allein* wollte Herrn Maustobel bedienen!« Anton schnaubte. »Keine Ahnung, welche Geschäfte am offiziellen Kassenbuch vorbei die beiden damals getätigt haben. Vielleicht hätte ich schon da hellhörig werden sollen. Aber mir ging es wie dir – der nette, etwa tollpatschige Tibor war über jeden Zweifel erhaben!«, endete er ironisch. So blauäugig würde er nie mehr im Leben sein, schwor er sich im selben Moment.

Mimi schüttelte den Kopf. »Ich fass es einfach nicht. Wieso hast du nicht gleich mit mir gesprochen, nachdem Adrian dir seinen Verdacht offenbart hat? Traust du mir nicht? Ich dachte, wir sind Partner hier in der Druckerei!«

Das hatte ja kommen müssen ... »Als ob ich dir nicht vertrauen würde!«, fuhr Anton auf. »Ich wollte lediglich, dass du unbefangen weiterarbeitest. Alles soll harmlos und normal wirken, sonst riecht Bela Lunte, noch bevor ich einen Plan habe, wie ich ihn auf frischer Tat ertappen kann.« Sanfter fügte er hinzu: »Und jetzt mach dir keine allzu großen Gedanken, wir schaffen das! Wer, wenn nicht wir?«

*

Wir schaffen das?, wiederholte Mimi stumm, als Anton wieder gegangen war. Als wäre die menschliche Enttäuschung nicht schlimm genug, war Tibor in der Druckerei quasi unentbehrlich! Er hatte nicht nur die ganze Technik unter sich, sondern auch den Wareneinkauf. Er plante jeden Tag, er führte die Drucklisten, er sorgte für Papiernachschub und so weiter. Wenn man es genau betrachtete, leitete er den ganzen Betrieb! Einen Glücksfall hatten Anton und sie ihn genannt und waren froh gewesen, den fähigen und fleißigen Bela zu haben. Wenn wirklich er ein betrügerischer Gauner war – wie und durch wen sollten sie ihn ersetzen?

Auf wackligen Beinen verließ Mimi ihr Büro, setzte sich in die gute Stube und starrte gedankenverloren vor sich hin. Ausgerechnet Tibor ... Der sie immer ein wenig an einen zerstreuten Herrn Professor erinnerte, der ihr eine absurde Idee nach der anderen präsentierte, den sie als Freund ansah. Konnte man denn heutzutage niemandem mehr trauen?

Sie wankte in die Küche, um sich einen Tee zu kochen. Doch als sie vor dem Herd stand, war allein die Vorstellung, jetzt ein Feuer zu machen und Wasser zu kochen, zu viel. Sie wollte einfach nur ins Bett und den Tag hinter sich lassen.

Normalerweise verspürte sie, wenn sie verzweifelt war, trotz allem ein tiefes Gottvertrauen, doch heute fühlte sie stattdessen nur ein Frösteln. Warum war ihr nur so kalt? War es der Schock? Oder war sie draußen zu lange mit dem Schnee beschäftigt gewesen?

Vor ein paar Stunden noch war sie so glücklich über ihre Idee mit den Adventskalendern! Und jetzt fühlte sie sich elend wie schon lange nicht mehr.

Mimi wankte in ihr Bett und zog sich die Decke über den Kopf.

*

Nach einer äußerst schlechten Nacht hatte Anton am nächsten Morgen einen Entschluss gefasst: Er würde allein nach Ulm fahren und mit Frenzen sprechen. Heute war der 7. Januar, also der erste Arbeitstag im neuen Jahr. An diesem Tag würde ihr Buchhalter sicher keinen Besuch von ihm erwarten – das Überraschungsmoment war somit auf seiner, Antons, Seite. Wenn er Frenzen mit seinem Verdacht konfrontierte, würde er seine Reaktion genau betrachten. Falls Frenzen außen vor war – wovon Anton im Augenblick ausging –, würde er sich auf Tibor fixieren. Aber auch wirklich erst dann. Denn beschuldigte er Tibor fälschlicherweise, wäre in der Druckerei die Hölle los. Die Leute würden sich von ihm abwenden, vielleicht sogar kündigen, und er würde es ihnen nicht verdenken können.

Ein Schritt nach dem anderen, das aber konsequent und ohne weiteres Zögern, dachte Anton und zog sich vor dem Spiegel den Kragen seines Hemdes glatt.

Er ging in die Druckerei, drehte eine Runde, begrüßte jeden der Männer und wünschte ihnen einen guten Start ins neue Arbeitsjahr. Dann betrat er das Büro, wo er Bela Tibor vertieft in die wöchentliche Druckliste vorfand.

»Ich fahre geschäftlich nach Ulm, werde dort auch übernachten«, sagte Anton anstelle einer Begrüßung.

»Aber sicher, gnädiger Herr, fahren Sie nur. Geben Sie acht auf sich, die Straßen sind bei dem Wetter gewiss nicht ganz ungefährlich«, antwortete der Druckereileiter und schaute gütig drein wie der Weihnachtsmann persönlich.

Warum war ihm nicht schon früher aufgefallen, dass Tibors überfreundliches Getue etwas Unnatürliches hatte?, fragte sich Anton. Laut sagte er: »Haben Sie Frau Reventlow heute schon gesehen?« Normalerweise schaute Mimi ebenfalls frühmorgens in der Druckerei vorbei, um allen einen guten Tag zu wünschen.

Der Druckereileiter schüttelte den Kopf. »Ich hoffe sehr, dass die gnädige Frau bei diesen winterlichen Verhältnissen im Haus bleibt und ihre schönen Fotografien sortiert.«

… und dich in Ruhe agieren lässt, fügte Anton stumm hinzu. Er nickte. »Gut, dann gehe ich noch kurz bei Mimi vorbei und sage ihr Bescheid, dass ich weg bin!«

Anton klopfte ein Mal, klopfte zwei Mal, klopfte ein drittes Mal. Im Haus rührte sich nichts. Was um alles in der Welt machte die Frau, dass sie nichts hörte? Anton ging leicht verärgert in seine Wohnung, um den Hausschlüssel zu holen, den er für den Notfall von Mimi bekommen hatte.

Sein Groll verflog, als er Mimi in ihrem Bett vorfand, schweißnass, fiebrig und mit geschlossenen Augen. Ihre Atmung ging schnell, und als er ihren Namen rief, reagierte sie nur mit einem schwachen Flattern ihrer Augenlider.

Er legte eine Hand auf ihre Stirn. Sie war kochend heiß.

»Mimi …«, flüsterte er erschrocken.

»Anton … Mir ist so elend …« Ihr Brustkorb hob und senkte sich schwer, als wäre jedes Wort ein Kampf für sie. Ihr Kopf kippte zur Seite weg, Anton wusste nicht, ob sie schlief oder ohnmächtig geworden war.

Vergessen war Ulm, vergessen war auch Bela Tibor, während er sich angstvoll fragte, ob er gleich zum Arzt laufen oder Mimi zuerst frische Kleidung anziehen sollte. Letzteres, beschloss er und trat an den Schrank, um Unterwäsche und Nachthemd herauszuholen.

Es war die Grippe. Diese ginge gerade in der ganzen Gegend herum, bemerkte der Arzt, der eine Stunde später an Mimis Krankenbett saß. Es konnte gut sein, dass sie sich beim Neujahrsfest angesteckt hatte. Aber die Fotografin sei ja Gott sei Dank von robuster Natur.

»Was kann ich tun?«, fragte Anton flehentlich, dessen Herz gerade für einen Schlag ausgesetzt hatte.

»Frau Reventlow braucht vor allem Ruhe und viel heißen Tee – Lindenblüte und Holunder wäre am besten. Machen Sie kalte Wadenwickel, bis das Fieber heruntergeht. Leichte Speisen sind dienlich, Gemüse- oder Hühnersuppe. Und lüften Sie den Raum mehrmals täglich. Was ganz wichtig ist: Sorgen Sie dafür, dass die Kranke viel trinkt! Die Gefahr einer Dehydrierung bei derartig hohem Fieber ist nicht zu unterschätzen.« Der Arzt packte sein Hörrohr und das Fieberthermometer ein und klappte die Tasche zu. »Sollte sich ihr Zustand verschlechtern, geben Sie mir sofort Bescheid.«

Anton nickte. Er würde für Mimi sterben, wenn es half.

4. Kapitel

Bernadette war mit der Buchhaltung beschäftigt, als es an ihrer Haustür klopfte. Sie hob erstaunt die Brauen. Wem war es heute, bei minus zehn Grad, so wichtig, bei ihr vorbeizuschauen?

Es war der Münsinger Bürgermeister, der ihr nach einem geknurrten »Guten Morgen« verkündete, dass ein paar ihrer Schafe auf einem der Nachbarhöfe in einer vereisten Schneewehe steckten und sich von selbst nicht befreien konnten. »Jetzt ist das neue Jahr gerade mal neun Tage alt, und schon geht der Ärger mit euren Schafen wieder los! Sag dem Wolfram, er soll seine Hirten besser schulen. Kümmert der Mann sich denn um gar nichts mehr?«, endete Oskar Baumann laut.

Das fragte sie sich auch manchmal, dachte Bernadette grimmig. Gepresst erwiderte sie: »Sind wahrscheinlich ein paar der französischen Schafe. Als Wolfram zur Winterweide aufbrach, waren sie nicht ganz gesund, deshalb musste er sie im Stall zurücklassen. Sie kennen den Schnee nicht, sind noch unerfahren.« Wenn Wolfram erfuhr, dass seine heiß geliebten französischen Merino d'Arles in Gefahr waren… Am liebsten hätte sie die Viecher verrecken lassen, nur um ihn zu ärgern. »Ich habe keine Ahnung, warum die blöden Viecher ständig aus dem Stall ausbrechen. Wahrscheinlich sind sie genauso dumm wie die französische Schlampe, die sie hergebracht hat!«

Corinne! Die Vorstellung, dass Wolfram mit seiner »großen Liebe« im gemütlichen Schäferkarren kuschelte, ließ Bernadette fast verrückt werden.

»Bernadette!«, sagte der Bürgermeister streng. »Euer Streit interessiert mich nicht. Und ich habe keine Lust, mir ständig Beschwerden über eure Schafe anzuhören. Regle das! Und du wirst ja wohl auch nicht wollen, dass die Tiere im Schnee umkommen.«

»Natürlich regle ich das, lieber Oskar, sofort! Du kennst mich doch«, sagte sie übertrieben pflichtschuldig.

War es nicht wieder einmal typisch?, dachte sie, nachdem der Bürgermeister fort war. Während Wolfram sich unten im Tal einen schönen Lenz machte, konnte sie schauen, dass sie hier oben auf der Schwäbischen Alb alles organisiert bekam.

Ihr Blick fiel auf ihren übervollen Schreibtisch. Eigentlich hatte sie den eisig kalten Tag nutzen wollen, um mit dem Jahresabschluss des Vorjahres zu beginnen. Bei einem Betrieb, der mehr als ein Dutzend Leute beschäftigte – Hirten, Knechte – und dazu Abertausende von Schafen und ausgedehnte Ländereien umfasste, würde sie etliche Tage, wenn nicht Wochen dafür brauchen. Stattdessen konnte sie jetzt erstmals zusehen, wie sie die Schafe zurück in den Stall brachte. Die Weide, auf der sie standen, lag ein gutes Stück entfernt.

Alle Wege waren zugeschneit. Außer Wolfram waren ihre vier besten Hirten auf der Winterweide, alle würden frühestens Ende März zurückkommen. Daheimgeblieben waren bloß die jungen, unerfahrenen Schäfer und Wolframs alter Vater.

Und wieder einmal war sie allein, schoss es Bernadette durch den Kopf, während sie ihren Mantel anzog. Wäre Corinne nicht aufgetaucht, wären Wolfram und sie längst glücklich verheiratet so wie alle Leute in ihrem Alter im Dorf. Aber dank der französischen Schlange, die sie so hinterlistig ausgebootet hatte, war sie weiterhin die einzige alte Jungfer. Ob beim Bäcker oder beim Metzger, ob in der Post oder in der Bank – sie spürte, wie hinter ihrem Rücken getuschelt und gelästert wurde. Kein Wunder, welche Frau wurde schon zwei Mal hintereinander vor dem Traualter stehen gelassen?

Ein Wehlaut kroch aus Bernadettes Kehle, es war eine Mischung aus einem Schluchzer und einem hasserfüllten Schrei. Sie presste die Lippen so fest aufeinander, dass es wehtat, dann marschierte sie los.

*

»Die nächsten vierundzwanzig Stunden sind entscheidend. Wenn dann das Fieber nicht sinkt … Machen Sie alles weiter wie bisher, junger Mann! Mehr können wir nicht tun. Der Rest ist Sache vom lieben Gott«, sagte der Arzt am Ende seines nächsten Besuchs, während er Anton zum Abschied die Hand schüttelte. Kurz darauf war er wieder fort.

Anton schaute ihm aufgelöst hinterher. Alles weiter

wie bisher?, dachte er, während er zurück ans Krankenbett ging. Seit Mittwoch wechselte er Mimis verschwitzte Kleidung und die Laken, flößte ihr Suppe oder Tee ein und betete. Bisher war weder Mimis Fieber gesunken, noch hatte sie sich auch nur ein bisschen erholt. Und heute war schon Freitag!

Sorgenvoll betupfte Anton Mimis Stirn mit einem feuchten Lappen, dann kühlte er mit einem zweiten Lappen ihre Beine, so wie er es jede Stunde tat.

Am Mittwoch hatte Mimi noch helle Momente gehabt und ihn mit krächzender Stimme um einen Schluck Wasser gebeten oder darum, dass er sie zur Toilette brachte. Wie hatte er sich gefreut, als sie ein paar klein geschnittene Apfelstücke aß! Doch dann, in der Nacht von Mittwoch auf Donnerstag, war sie in eine Art Delirium verfallen. Sie war nicht mehr ansprechbar, jammerte nur leise vor sich hin. Am schlimmsten jedoch waren die Augenblicke, wenn sie ganz still wurde und er erschrocken ein Ohr an ihre Brust hielt. Jedes Mal, wenn er ihre rasselnde Atmung vernahm, fielen ihm riesige Wackersteine vom Herzen. Noch lebte sie.

»Mimi, Mimi, bitte lass mich nicht allein«, murmelte er vor sich hin, während er ihre heiße Hand in der seinen hielt. Eine Antwort bekam er nicht. Mimi hatte die Augen geschlossen und dämmerte vor sich hin.

Als es kurze Zeit später an der Tür klopfte, lief Anton so schnell hin, als hinge sein Leben davon ab. War dem Arzt doch noch etwas eingefallen, womit sie Mimi helfen konnten?

*

»Anton, wie gut, dass ich dich treffe!«, sagte Bernadette atemlos. »In der Druckerei sagten sie mir, dass du hier bist. Ein paar unserer Schafe sind in Gefahr, und ich wollte dich bitten, dass du Wolframs Vater und mich mit deinem Automobil zu ihnen fährst. Dadurch würden wir kostbare Zeit sparen. Wärst du so lieb?« Unwillkürlich hielt sie den Atem an. Bei der Eiseskälte würde sie sich den langen Fußweg zu den blöden Viechern wirklich gern sparen.

»Schafe?« Anton schaute sie feindselig an. »Tut mir leid, aber ich kann Mimi wirklich nicht allein lassen!«

Bernadette stutzte. »Was ist mit ihr?«

»Sie hat die Grippe. Seit Mittwoch versuche ich, ihr Fieber zu senken, bisher vergeblich. Gerade war der Arzt da, er sagt, wir müssen beten…«

Hätten Antons Worte nicht gereicht, sie bis ins Mark zu erschrecken, so hätte dies seine Stimme getan, dunkel von Angst und Entmutigung. Anton – den Tränen nahe? Sofort wurde es Bernadette selbst auch ganz mulmig.

»Warum weiß ich nichts davon? Ich hätte dir doch geholfen!«, fuhr sie ihn an.

Er verzog das Gesicht. »Tut mir leid, irgendwie habe ich nicht daran gedacht, jemanden um Hilfe zu bitten. Und dann die Ansteckungsgefahr…«

»Ob ich mich dieser Gefahr aussetzen möchte oder nicht, entscheide immer noch ich«, sagte sie barsch. »Mimi ist meine beste Freundin, für sie tue ich alles!« Sie dachte kurz nach. »Pass auf, wir machen es so: Ich laufe zu Wolframs Eltern raus, gebe Bescheid wegen der Schafe. Von da an muss Wilhelm sich allein kümmern. In einer Stunde bin ich wieder hier, und dann pflegen wir Mimi gemeinsam.«

Anton nickte nur kläglich.

Ihren Schal gegen die Eiseskälte eng um ihr Gesicht geschlungen, kämpfte sich Bernadette durch die schlecht geräumten Straßen des Ortes, schlitterte hier, rutschte da aus. Hoffentlich war Wolframs Vater zu Hause, dachte sie, als sie schweißnass auf dem Hof ankam.

Das Glück war auf ihrer Seite, denn schon von Weitem sah sie Wilhelm Weiß mit einer Hacke den zugefrorenen Brunnen in der Mitte des Hofes frei pickeln.

Ohne unnötige Vorreden klärte sie ihn über die feststeckenden Schafe auf. »Und noch was!«, sagte sie, während er sich schon für die Rettung der Schafe fertigmachte. »Du braust doch in deiner Küche immer alle möglichen Heilmittel für die Schafe zusammen – hast du auch etwas gegen Fieber, das nicht sinken will?«

Er schaute sie an. »Ich nicht«, sagte er. »Aber Corinne hat für den Hof verschiedene Kräuterauszüge hergestellt, bevor sie mit Wolfram zur Winterweide ins Rheinhessische aufgebrochen ist.«

*

Anton konnte sich nicht daran erinnern, wann er das letzte Mal so dankbar gewesen war wie in dem Moment, als Bernadette zurückkehrte und das Regiment übernahm. Es war nicht so, als wäre ihm die Arbeit zu viel, Gott behüte! Es war seine verdammte Hilflosigkeit, die ihm die Kraft aus den Adern saugte.

Bernadette krempelte ihre Ärmel hoch und verkündete, Mimis Beine nun mit kühlendem Kampfer einzureiben. Eine besondere Teemischung hatte sie ebenfalls mitgebracht, Anton solle gleich mal Wasser kochen! Ihre Magd Heidi würde außerdem gegen Abend einen Topf Suppe vorbeibringen – nährende Rinderkraftbrühe mit viel Gemüse, das Mimi gewiss guttat. Dann kramte Bernadette in ihrer Tasche und hielt Anton eine dickwandige Flasche mit einer zähflüssigen dunkelbraunen Flüssigkeit hin.

»Die Medizin ist von Corinne, der Französin. Wolframs Vater sagt, sie kenne sich noch besser mit Heilkräutern aus als er. Von diesem Saft sollen wir Mimi drei Mal am Tag einen Löffel einflößen.« Bernadette biss sich auf die Unterlippe. »Du weißt ja, dass ich nichts für Corinne übrighabe. Aber dass sie eine gute Kräuterfrau ist, das glaub ich sofort! Bist du einverstanden, dass wir es mit diesem Mittel wagen?«

Der Inhalt der Flasche wurde sonst vermutlich einem kranken Schaf oder Pferd eingeflößt, dachte Anton argwöhnisch. Und davon sollte Mimi etwas nehmen? Andererseits – der Arzt war mit seinem Latein am Ende. Und er war es auch …

Er nickte dumpf. »Was bleibt uns anderes übrig?«

Mimis Fieber sank schon am selben Abend. Auch war sie einige Zeit wach und bat um eine Tasse Tee. War es Corinnes Zaubertrank oder der normale Verlauf der Krankheit – Anton wusste es nicht. Aber er wusste, dass er noch nie in seinem Leben so erleichtert gewesen war. Mimi war über den Berg. Die lebensbedrohliche Krise war vorbei, ihre Genesung war nur noch eine Frage der Zeit.

Das ganze Wochenende über teilten sich Anton und Bernadette die Pflege. Am Montagmorgen, während Bernadette an Mimis Bett saß und ihr Schluck für Schluck Tee einflößte, sagte Anton jedoch: »Wenn es für dich in Ordnung ist, würde ich auf einen Sprung in die Druckerei rübergehen.«

Die Schafbaronin winkte ihn davon. Er solle ruhig gehen!

Es war schon erstaunlich, wie sehr sich die Prioritäten verschoben, wenn ein geliebter Mensch auf einmal schwer krank war, dachte Anton, während er die Haustür hinter sich zuzog. Nichts von dem, was bis zu diesem Zeitpunkt wichtig gewesen war, zählte mehr. Weder geschäftliche Dinge noch private Vergnügungen – nur noch der geliebte kranke Mensch war wichtig.

Dennoch war es höchste Zeit, dass er in der Druckerei nach dem rechten sah! Seit er Bela Tibor verkündet hatte, dass Mimi krank sei und er nun doch nicht nach Ulm fahre, hatte er sich nicht mehr blicken lassen – er hatte Mimi keine fünf Minuten allein lassen wollen. Aber nun musste sich das wieder ändern.

Anton nahm aus den Augenwinkeln einen Wagen wahr, der am hinteren Eingang des Lagers geparkt hatte. Kundschaft? Eine Auslieferung?

»Morgen, Männer!«, rief er über den Lärm der Druckerpressen hinweg in den Raum hinein, und die Arbeiter nickten oder grüßten zurück.

Wenn er jetzt noch von Bela Tibor hörte, dass alles gut

lief, konnte er für heute bald wieder zu Mimi hinüber, dachte Anton und ging in Richtung Tibors Büro.

Bela Tibor war nicht allein. Vor seinem vollgestopften Schreibtisch stand ein Herr, den Anton nicht kannte. Tibor hingegen schien den Mann umso besser zu kennen.

»... hier sind die Einladungen zu Ihrem alljährlichen Maskenball!« Von Anton durch einen schmalen Türspalt beobachtet, tippte der Druckereileiter auf einen hohen Papierstapel. »Und das sind die Einladungen für die zwei Fastnachtfeiern Ihrer Lokale. Und der kleine Stapel da sind Ihre neuen Visitenkarten, Hochglanz wie beim letzten Mal. Wie immer erledigen wir das auf dem kleinen Dienstweg, somit wird es dreißig Prozent günstiger, sehr verehrter Herr Schwendi. Unsere Chefs müssen ja nicht alles wissen ...« Er lachte komplizenhaft, und Herr Schwendi stimmte in das Lachen ein.

Das gibt's doch nicht!, dachte Anton. Auf frischer Tat ertappt. Und das ganz ohne Plan.

Er stieß die Tür auf, trat ein und sagte: »Das Lachen wird Ihnen gleich vergehen, Sie elender Ganove! Wie hundsgemein ist es, mein Vertrauen derart zu missbrauchen!« Es hätte nicht viel gefehlt, und Anton hätte vor den beiden Männern auf den Boden gespuckt.

»Herr Schaufler ... Es ist nicht so, wie Sie meinen ...« Eilig raffte Tibor irgendwelche Unterlagen zusammen, dann sprang er auf. »Es handelt sich hier um Fehldrucke und ...«

»Sparen Sie sich Ihre Lügen und Ausreden«, unterbrach Anton ihn. »Sie und Ihr Kunde sind hiermit beide des gemeinschaftlichen Betrugs überführt. Alles Weitere klären die zuständigen Instanzen!« Bevor auch nur einer der beiden Männer den Mund öffnen konnte, trat Anton wieder nach draußen, nicht ohne zuvor den Schlüssel von innen abzuziehen und ihn von außen wieder ins Schloss zu stecken. Mit zitternder Hand und mit vor Wut und Aufregung heftig klopfendem Herzen sperrte er das Büro ab. Hier konnte erst mal keiner abhauen!

Er wies einen der verdatterten Drucker dennoch an, das Büro zu bewachen, dann stapfte er los.

Ein Betrug dieses Ausmaßes sei ein Fall für die Staatsanwaltschaft, beschied der von Anton herbeigerufene Ortsbüttel. Unter den entsetzten Augen der gesamten Drucker legte er Bela Tibor Handschellen an und führte ihn ab. Der betrügerische Kunde blieb vorerst auf freiem Fuß und fuhr eiligst davon. Seine Personalien waren aufgenommen worden, sein Fall würde gesondert betrachtet werden.

»Und nun?«, fragte einer der Männer, als Bela Tibor fort war, und sprach damit die Frage aus, die Anton auch umtrieb.

»Nun geht ihr erst mal alle heim. Wir machen heute in einer Woche weiter. Bis dahin habe ich alles geregelt«, sagte er mit mehr Zuversicht, als er verspürte.

Er wartete, bis alle Maschinen abgestellt worden waren und die Männer ihre Sachen geholt hatten. Als er das Licht in der Druckerei löschte, fühlte es sich irgendwie ungut und endgültig an.

5. Kapitel

Stuttgart, Januar 1914

Pute in Aspik. Wachteleier in Senfsoße. Frische Salate aus dem Gewächshaus. Ein Geigentrio. Und viel Champagner.

Frau Geheimrat Ottenbruch hatte sich nicht lumpen lassen. Andere Damen der Gesellschaft luden ein ins Theater oder veranstalteten kleine Matineen – beides fand Estelle Ottenbruch abgeschmackt und langweilig. Und so war sie vor langer Zeit dazu übergegangen, an jedem dritten Samstag eines Monats ihren Salon zu einer Kunstausstellung umzuwandeln. Die schneeweiß gekalkten Wände wurden zur Ausstellungsfläche, und glücklich konnte sich der Künstler schätzen, dessen Werke dort zu bewundern waren. Denn zu Estelle, die ursprünglich aus New York City stammte und deren schwäbisch-amerikanischer Akzent Männer wie Frauen zugleich verzauberte, strömten die Menschen wie Fliegen zum Licht. Wo Estelle war, war Kultur! War Stil! War der Flair der großen weiten Welt – dessen waren sich die Stuttgarter in ihrem engen Talkessel sicher.

Und genauso überzeugt waren sie von Estelles untrüglich gutem Geschmack, der auch an diesem dritten Samstag des Januars 1914 in Form einer geradezu herausragenden Sammlung an Gemälden sowie ihres charismatischen jugendlichen Schöpfers wieder unter Beweis gestellt wurde.

»Diese Eleganz und Detailverliebtheit! Und diese Farben…« Ein Seufzer der Bewunderung folgte, eine fleischige Frauenhand legte sich auf Paons rechten Arm. »Und wie Sie die allumfassende Mutterliebe dargestellt haben – einfach grandios! Mutterliebe – da haben Sie sich wahrlich eines großen Themas angenommen.«

Allumfassende Mutterliebe – dass er nicht lachte! Die Frau vor ihm wusste doch wahrscheinlich gar nicht, zu welch unglaublichen Opfern ein liebendes Mutterherz imstande war, dachte Paon. Er lächelte dünn, während er wie die dralle Endfünfzigerin auf sein Gemälde starrte. Es zeigte die lebensgroße Abbildung einer Frau, die ein Kind auf dem Arm hielt, dem sie einen Keks reichte. Beide saßen auf einem komfortablen Sessel, vor ihnen auf dem Tisch waren ein Teeservice drapiert und eine Etagere, gefüllt mit Keksen, Erdbeeren und Pralinen. Mutter und Tochter waren beide in Blautönen gekleidet – Blau war noch immer seine Lieblingsfarbe. Während die Mutter ein edles Seidenkleid mit schwerem Faltenwurf trug, hatte er das kleine Mädchen in einem blau-weiß getupften Kleid gemalt. Seltsam, erst jetzt fiel ihm auf, dass er dem Kind die Gesichtszüge seiner Schwester Erika gegeben hatte. Marianne, Erika, und seit Oktober letzten Jahres hatte er eine dritte Schwester – Monika hieß sie.

Wie es seiner Mutter wohl ging? Kam sie zurecht? Hatte sie genug Brennholz, um das Haus für sich und die Mädchen warm zu halten? Der Januar war ein harter Monat auf der Schwäbischen Alb. Und Eveline Schubert hasste den Winter! Sie war ein Sonnenkind, lebte im Sommer auf und ging in der Kälte fast zugrunde, dachte Paon, während ihm der Schweiß von der Stirn rann. Angesichts der winterlichen Temperaturen draußen hatte ihre Gastgeberin alle Kamine anheizen lassen, und so war es in den Salons nicht warm, sondern heiß.

Seine Mutter... Erdbeeren und Pralinen konnte sie den Mädchen nicht anbieten, doch dank der regelmäßigen Geldbeträge, die er seit einiger Zeit nach Hause schickte, war der Tisch im Hause Schubert nun reichlich gedeckt. Aber oh, wie gut erinnerte er sich an die Zeiten, als der Hunger bei ihnen Stammgast gewesen war! Lieber war seine Mutter selbst hungrig ins Bett gegangen, als ihre Kinder hungern zu lassen. Wie oft war ihm fast das Herz gebrochen, als er sah, wie sie mit einem gezwungenen Lächeln und um einen leichten Tonfall bemüht ihren Anteil am Essen unter ihren Kindern aufteilte. Mutterliebe hatte für Paon nur einen Namen, und der hieß Eveline. Noch während ihm dieser Gedanke durch den Kopf ging, spürte er, wie er von einer riesigen Woge schlechten Gewissens erfasst wurde. So sentimental er manchmal an daheim dachte – zu einem Besuch in Laichingen konnte er sich nicht überwinden. Irgendeine unüberwindliche Mauer hatte sich zwischen ihm und seinem Heimatort aufgerichtet.

Die Dame, von Paons mangelnder Resonanz nicht

entmutigt, startete einen neuen Versuch, mit dem Künstler ins Gespräch zu kommen. »Wissen Sie schon, was Sie nach dem Ende Ihrer Ausbildung vorhaben? Ihr Kunstunterricht endet im September, habe ich vorhin mitbekommen. Ein Talent wie Sie wird dann wahrscheinlich hinauswollen in die große weite Welt – Paris, New York, Sidney ...«

»Wie recht Sie haben, gnädige Frau Justizrat! Niemand weiß, was die Zukunft bringt. Deshalb wäre mein Rat für alle Stuttgarter Kunstliebhaber, sich jetzt noch rasch ein Paon-Gemälde zu sichern«, ertönte Mylos Stimme direkt hinter ihnen. »Sie haben sich für ›Mutterliebe in Blau‹ entschieden? Eine sehr gute Wahl! Wenn Sie mir noch kurz Ihre Adresse notieren, lasse ich die Papiere für das Gemälde für Sie fertig machen. Es wird gleich morgen geliefert.«

Das Lächeln der Frau Justizrat, die bisher lediglich nett mit Paon geplaudert, einen Kauf jedoch noch nicht einmal in Erwägung gezogen hatte, schwand dahin, und sie schaute sich nach einer Fluchtmöglichkeit um. Bevor sie ihre Flucht antreten konnte, gab Mylo Paon unauffällig einen kleinen Schubs, woraufhin dieser die Frau in einer Mischung aus Bescheidenheit und Liebenswürdigkeit anlächelte. »Es ist mir eine Ehre, dieses Bild im Besitz einer wahren Kunstkennerin, wie Sie eine sind, zu wissen. Darf ich vielleicht eine kleine persönliche Widmung für Sie auf der Rückseite der Leinwand hinterlassen?«

Die Frau Justizrat, selten über den Klee gelobt und noch nie als wahre Kunstkennerin bezeichnet, stutzte kurz, hatte dann aber an der Ernsthaftigkeit des jungen Künstlers keine Zweifel. »Mein Vorname ist Estelle, aber schreiben Sie: Für Elle!«, sagte sie und errötete wie ein junges Mädchen.

»Solche hohen Preise wie dieses Mal haben wir noch nie erzielt!«, sagte Mylo, als sie Stunden später auf dem Heimweg waren. Er legte einen Arm um Paons Schulter. »Deine Idee, eine Reihe von Gemälden zum Thema Mutterliebe zu malen, war hervorragend, das muss ich dir wirklich lassen. Vielleicht sollten wir in Zukunft anstelle von Landschaftsbildern mehr auf solche gefühlvollen Themen setzen.«

Paon verzog den Mund, als hätte er Zahnweh. »Landschaftsbilder oder gefällige Porträts – manchmal glaube ich, dass den Leuten völlig egal ist, was ich male! Eine Auseinandersetzung mit meinen Gemälden hat doch gar nicht stattgefunden, keiner der anwesenden Gäste hat sich für meine neue Spachteltechnik interessiert. Und dass ich jedem Bild eine Ovalstruktur zugrunde gelegt habe, ist auch niemandem aufgefallen. Die einzige Sorge, die die Damen hatten, war, ein Gemälde zu bekommen, das farblich zu ihrer Saloneinrichtung passt.« Noch während er sprach, ärgerte er sich über sich selbst. Gleich würde er wieder eine Rüge von Mylo kassieren nach dem Motto: Dann hättest du den Kunden deine Bilder halt besser erklären müssen!

Doch zu seinem Erstaunen sagte Mylo leichthin: »Ach Paon … Du musst das alles ein wenig entspannter sehen. Diese Leute haben zwar Geld, aber nicht immer Kunstverstand. Betrachte doch besser die positiven Seiten: Ich kenne keinen einzigen Kunstschüler, der es innerhalb von nur zwei Jahren so weit gebracht hat wie du. Dein Name ist in der Kunstszene bekannt, du bist erfolgreich und verdienst in jungen Jahren schon gutes Geld – das können nur die wenigsten Menschen von sich behaupten. Dafür solltest du dankbar sein.«

Und warum beschlich ihn dann nach solchen Abenden stets ein seltsames Gefühl des Versagens?, fragte sich Paon. Statt ob des vielen Lobes stolz zu sein, fühlte er sich regelrecht jämmerlich.

»Estelle Ottenbruch hat übrigens auch noch beste Verbindungen nach Amerika. Wer weiß? Vielleicht stellst du demnächst in New York aus?« Mylo lachte aufgekratzt. »Wenn es so weit kommt, werden wir die Stadt erobern!«

New York? Paons Herz rutschte sogleich eine Etage tiefer. Wenn es ihm schon so schwerfiel, sich in den Stuttgarter Salons wohlzufühlen, vermochte er sich erst gar nicht vorzustellen, wie es ihm in New York gehen würde!

»Übrigens ... ich muss nächste Woche nach Berlin, ein Kunde von mir erwägt einen Anbau an sein Stadtpalais. Eine knifflige Angelegenheit, der Platz ist sehr begrenzt, ich werde quasi zaubern müssen.«

»Aber nächste Woche finden doch die Halbjahresprüfungen statt!«, sagte Paon entsetzt. Vor jeder Prüfung schwor Mylo ihn nochmals eingehend auf die Dinge ein, auf die es unbedingt zu achten galt. Doch diesmal sollte er allein zurechtkommen?

»Die Schule weiß schon Bescheid. Direktor Hahnemann hat für die Bewertung und Benotung eurer Werke jemanden von auswärts engagiert. Den Direktor eines Berliner Museums, er ist wohl sowieso in der Stadt.«

Ein Berliner Direktor? Der war doch sicher Kunstwerke in einer ganz anderen Qualität gewohnt – bestimmt konnte er sich für ihre Arbeiten gar nicht begeistern. Paon stellte den Kragen seines Mantels auf. Doch es war eher ein inneres Frösteln, das ihn befallen hatte. Ohne Mylo fühlte er sich stets ein wenig… verloren.

Als könnte er Gedanken lesen, drückte Mylo sanft Paons Hand und sagte: »Ich komme ja bald wieder.«

Zehn Minuten später waren sie vor Mylos Haus angekommen. Paon wollte schon den Weg zu seinem Domizil im Gartenhaus einschlagen, als Mylo ihn festhielt. »Es ist so kalt, und es liegt weiterer Schnee in der Luft. Magst du nicht für die nächste Zeit zu mir ins Haus ziehen? Ich habe ein Schlafzimmer hergerichtet, es liegt direkt neben meinem. Wir könnten abends vor dem Schlafengehen eine heiße Schokolade zusammen trinken…«

Paon dachte kurz nach. Konnte er das annehmen? Es war eh schon großartig von Mylo, dass dieser ihm sein Gästehaus im Garten zur Verfügung stellte. Nach dem hektischen Haushalt der Familie Leucate im Stuttgarter Vorort Cannstatt, bei der er anfangs gewohnt hatte und wo es wie in einem Taubenschlag zugegangen war, erschien Paon das Gartenhaus wie eine Oase der Ruhe. Dort kam er zu sich, und zum ersten Mal in seinem Leben hatte er ein Zimmer ganz für sich allein. Allerdings war es tatsächlich schon seit Tagen sehr kalt in dem Außengebäude, das von Mylo ursprünglich nur als Sommer-Gästehaus gedacht gewesen war. Er in Mylos

Villa? Der Gedanke ließ Paon unwillkürlich schmunzeln. Er würde wie ein Millionär leben – wenn das sein alter Freund Anton sehen könnte!

»Gern«, sagte er. »Ich hole nur rasch meine Sachen.«

6. Kapitel

Mimis Knochen schmerzten, als hätte sie einen Marathonlauf hinter sich. Ihre Beine fühlten sich an wie Blei, und als sie versuchte, die Arme ein wenig anzuheben, wollte ihr das nicht gelingen. Stattdessen öffnete und schloss sie ihre Hände zu Fäusten, dann holte sie tief Luft. Sogleich erfüllte der scharfe Geruch von Kampfer ihre Lunge. Noch während sie sich aus dem Schlaf ins Wache hinüberkämpfte, spürte sie einen sanften Händedruck. Bernadette? Oft, wenn sie in den letzten Tagen die Augen aufgeschlagen hatte, hatte die Freundin an ihrem Bett gesessen.

»Mimi, liebe Mimi…«

Anton war bei ihr. Mimi atmete unmerklich aus. Gut. Blinzelnd öffnete sie die Augen, suchte ein wenig unsicher seinen Blick. »Welcher Tag ist heute?«, krächzte sie.

»Samstag«, sagte Anton, dann half er ihr, sich weiter im Bett aufzurichten.

»Hast du Durst?« Fragend hielt er ihr eine Tasse hin. Der aufsteigende Duft nach Kamille und Melisse kitzelte in Mimis Nase. Sie trank erst einen Schluck, dann einen zweiten und danach die ganze Tasse leer. Die lauwarme Flüssigkeit rann angenehm befeuchtend ihre Kehle hinab. Noch während sie trank, ertönte zu ihrer Verwunderung ein leises Magenknurren. Wann immer Anton oder Bernadette ihr etwas zu essen angeboten hatten, hatte sie nur mit Mühe etwas hinunterbekommen. Jetzt aber … verspürte sie auf einmal richtig Hunger!

»Gibt's auch was zu essen?«, fragte sie mit einem schwachen Grinsen.

Anton grinste zurück. »Wie wäre es mit einem Teller Rinderkraftbrühe, gnädige Frau?« Noch während er sprach, sprang er auf und verschwand in Richtung Küche.

Noch immer erschöpft, aber wesentlich klarer als in all den Tagen zuvor, legte sich Mimi wieder zurück. Ihr Blick wanderte aus dem Fenster. Draußen dämmerte es, und leichter Schnee fiel. Den Winter hatte sie also leider nicht verschlafen, dachte sie, ehe sie ihren Blick über den kleinen Tisch am Kopfende des Bettes schweifen ließ, der zugestellt war mit allen möglichen Utensilien: eine Waschschüssel, ein Stapel Taschentücher, ein Teller mit Obst, eine Flasche mit einem dunkelroten Saft. Kleine Medizinfläschchen standen zudem darauf, ein Tiegel mit der Aufschrift »Kampfer« und eine dickwandige Flasche, in der noch braune Schlieren von irgendeiner Flüssigkeit klebten. Ein dumpfes Gefühl von Angst und Hilflosigkeit klumpte sich in ihrem Magen zusammen.

Sie war krank gewesen. Sehr krank, und das nicht nur ein, zwei Tage. Wenn sie den Kalender an der Wand richtig deutete, lag sie seit fast zwei Wochen flach. Bevor sie wusste, wie ihr geschah, rann eine Träne über Mimis Wange. Das dumpfe Gefühl, dem Tod von der Schippe gesprungen zu sein, umklammerte sie und wollte sie nicht wieder loslassen. Sie putzte ihre Nase mit einem der Taschentücher, dann fuhr sie sich übers Haar. Es fühlte sich schrecklich an, verklebt und fettig. Überhaupt – roch sie nicht fürchterlich? Wenn sie wirklich seit fast zwei Wochen im Bett lag ... Probeweise hob sie einen Arm ein wenig und schnupperte in Richtung Achsel. Doch der Kampfer übertünchte alle sonstigen Gerüche.

Anton kam mit der Suppe zurück, in der kleine Stücke Fleisch, Kartoffeln und Gemüse schwammen. Anton hob an, sie zu füttern, doch Mimi nahm ihm den Teller und den Löffel ab. Als ob sie sich beim Essen helfen lassen würde!

Die Suppe schmeckte würzig, doch schon nach ein paar Löffeln ließ sie diesen wieder sinken. Antons enttäuschten Blick ignorierend, sagte sie: »Weißt du, wonach mir noch viel mehr der Sinn stünde? Ein heißes Bad!«

»Kein Problem! Als hätte ich es geahnt, stehen ein paar Töpfe mit heißem Wasser auf dem Herd. Ich fülle den Zuber, setze neues Wasser auf, und wenn dein Bad fertig ist, rufe ich dich.« Schon sprang Anton erneut auf.

Noch nie in ihrem Leben hatte Mimi ein Wannenbad mehr genossen! Das warme Wasser löste die Verspannungen in ihren Muskeln. Der sanfte Duft nach Lavendel vertrieb den des Kampfers. Eine ganze Weile blieb sie einfach nur liegen und genoss das gute Gefühl, vom lauwarmen Wasser ein wenig getragen zu werden. Bevor das Wasser zu kalt wurde, griff sie nach dem Seifenstück, das Anton ihr bereitgelegt hatte, und wusch ihre Haare. Zu guter Letzt rubbelte sie sich von oben bis unten mit einem Schwamm ab. Weg mit allem kranken Übel!

Als sie aus der Wanne stieg, fühlte sich Mimi wie neugeboren. Einen zufriedenen Seufzer ausstoßend und dick in ihr Handtuch eingemummelt, ging sie zurück ins Schlafzimmer und stellte überrascht fest, dass jemand das Bett frisch bezogen hatte. Anton? Oder war Bernadette da gewesen? Die frische Bettwäsche duftete, als wäre sie in der Sommersonne getrocknet. Heute würde sie zum ersten Mal seit langer Zeit gut und ruhig schlafen, dachte Mimi, dann zog sie sich lächelnd ein frisches Nachthemd an und kämmte ihre Haare. Statt sie zu einem Knoten oder einem Zopf zusammenzunehmen, ließ sie ihre braune Mähne bis zur Hüfte hinabfallen. Außer Anton und ihr war ja niemand da.

Als sie ins Esszimmer kam, hatte Anton einen kleinen Imbiss aus Wurst, Käse und Brot hergerichtet. Auch eine Kanne Tee stand bereit. Im Kamin brannte ein Feuer, es war wohlig warm. Seit fast zwei Wochen kümmerte er sich schon um sie? Auf einmal war ihr die Vorstellung, dass er ihren verschwitzten Körper gewaschen hatte, sehr unangenehm. Am besten fragte sie ihn gar nicht nach Einzelheiten.

Sie aßen und tranken zusammen, unterhielten sich ein wenig. Stammelnd bedankte sich Mimi schließlich bei Anton für die gute Pflege, die er ihr hatte angedeihen lassen. »Als hättest du in der Druckerei nicht schon genug zu tun, betätigst du dich auch noch als mein Pfleger …« Verlegen schüttelte sie den Kopf. Sie konnte sich nicht daran erinnern, jemals jemandem so zur Last gefallen zu sein.

Anton winkte ab. »Bernadette war ja auch da. Außerdem – du hättest dasselbe für mich getan.«

Für einen langen Moment schwiegen sie beide. Anton schnitt noch zwei Scheiben Brot ab, reichte eine an Mimi weiter, doch sie verneinte dankend. »Seid ihr eigentlich mit dem Adventskalender ein Stück weitergekommen?« Jetzt, wo ihr Kopf langsam wieder zu arbeiten begann, wurde sie ganz unruhig bei der Vorstellung, wie viel Zeit sie durch ihre Krankheit verloren hatten.

Anton nickte. »Steffen Hilpert hat schon erste Entwürfe, ich habe ihm gesagt, du würdest dich bei ihm melden, sobald du wieder auf den Füßen bist. Schließlich ist es dein Projekt!«

»Das ist gut«, sagte Mimi leise. »Sobald es mir noch ein bisschen besser geht, fahre ich nach Ulm.«

Anton schaute sie an. »Mimi, es gibt noch etwas … Ich weiß gar nicht, wie ich es dir sagen soll …« Er seufzte tief auf. »Adrian hatte mit seiner Vermutung, dass einer unserer Leuten uns betrügt, leider recht. Es ist Bela Tibor, ich habe ihn auf frischer Tat ertappt.« In kurzen Worten schilderte er den Vorfall, der sich Anfang der Woche zugetragen hatte. »Es war tatsächlich unser Druckereileiter, der uns die ganze Zeit betrogen hat!«, endete er.

In Mimis Ohren begann es zu summen, und sie hatte

Angst, wieder in die halbe Ohnmacht zu fallen, in der sie sich die letzten Tage über befunden hatte. »Bela Tibor… Ich bin fassungslos«, flüsterte sie. Sie hatte dem Mann zu hundert Prozent vertraut! Nie im Leben hätte sie ihm das zugetraut. »Und nun? Wie um alles in der Welt sollen wir ohne ihn zurechtkommen?«

Anton runzelte unwirsch die Stirn. »Ganz einfach – indem wir uns neu aufstellen! Ich bin schon dabei, das eine oder andere umzuorganisieren. Und wenn du erst wieder bei Kräften bist, wird sowieso alles gut, das verspreche ich dir. Adrian und Josefine wissen Bescheid. Sie sind froh, dass nun alles aufgeklärt ist. Und die Kunden habe ich darüber in Kenntnis gesetzt, dass sich die Auslieferung ihrer Bestellungen etwas verzögert. Sehr begeistert waren sie nicht, aber es hat niemand einen Auftrag storniert.«

Mimi spürte, wie sie sich ein wenig entspannte. Dass Anton schon erste Schritte ergriffen hatte, hätte sie sich denken können.

Anton schenkte ihr Tee nach. »Und jetzt genug vom Geschäft – viel wichtiger ist, dass du wieder gesund wirst!«

Auf einmal hatte Mimi einen Kloß im Hals. Nur mit Mühe konnte sie ihre Tränen zurückhalten. War es wegen Antons liebevoller Worte? War es die tiefe Enttäuschung über den Verrat? Bevor sie etwas dagegen tun konnte, schossen ihr doch die Tränen in die Augen. »Kannst du mich mal in den Arm nehmen?«, schluchzte sie.

Anton ließ sich nicht zwei Mal bitten. Er hielt Mimi so fest, dass es ihr fast den Atem verschlug. Doch die Kraft seiner Umarmung war genau das, was sie brauchte, und sie schmiegte sich noch enger an ihn. Mit geschlossenen Augen ließ sie es geschehen, dass er sie sanft hin und her wiegte.

»Mach dir keine Sorgen«, flüsterte er in ihr Haar. »Solange wir zwei zusammenhalten, kann uns nichts passieren.«

Mimi drückte ihre Nase so fest an ihn, dass sie kaum noch Luft bekam. Ja, alles würde wieder gut werden.

Zum ersten Mal seit langer Zeit schlief Mimi, ohne ein Nachthemd durchzuschwitzen. Doch als sie am nächsten Morgen aufstehen wollte, wurde ihr schwarz vor Augen. Sie setzte sich auf die Bettkante und trank die inzwischen kalte Tasse Tee, die Anton ihr kurz vor seinem Aufbruch noch auf den Nachttisch gestellt hatte. Doch das Gefühl von Schwäche blieb, und so beschloss sie, wohl oder übel einen weiteren Tag im Bett zu bleiben. Seufzend schloss Mimi die Augen. Vielleicht half es, wenn sie noch ein wenig schlief? Doch da war Bela Tibors Verrat, Antons rührende Fürsorge – zu vieles ging ihr durch den Sinn. Und so setzte sie sich ruckartig wieder auf. Schwäche hin oder her – es war an der Zeit, dass sie sich ein paar Gedanken darüber machte, wie es weitergehen konnte.

Gegen elf kam Bernadette vorbei. Als sie Mimi mit Stift und Notizbuch im Bett sitzen sah, lachte sie erleichtert auf. »Dir geht's besser, Gott sei Dank!«

»So gut, wie du dich um mich gekümmert hast, *muss* es mir ja besser gehen. Danke für alles, Bernadette.«

Schon wieder hatte Mimi einen Kloß im Hals. Wie gesegnet war sie, solche guten Freunde zu haben...

Bernadette schaute sie ernst an. »Ich sag's nur ungern, aber ich glaube, es war wirklich Corinnes Medizin, die dir geholfen hat.« Sie zeigte vage auf eins der Fläschchen auf Mimis Nachttisch.

Mimi hob erstaunt die Brauen. Das hatte sie nicht gewusst.

Grinsend zog die Schafbaronin eine kleine Blechdose aus ihrer Handtasche. »Lust auf eine Tasse Kaffee?«

Mimi strahlte. »Und ob! Ich ziehe nur rasch vom Bett auf die Chaiselongue im Wohnzimmer um.«

»Mir ist vorhin eine Idee gekommen«, sagte sie, als Bernadette mit dem Kaffee ins Wohnzimmer trat. »Bevor ich sie Anton erzähle, würde ich gern deine Meinung dazu hören. Du leitest schließlich auch einen großen Betrieb...«

»Schieß los!«, sagte Bernadette, während der Kaffeeduft sich angenehm im Raum verbreitete.

»Du hast sicher mitbekommen, was bei uns los war mit Bela Tibor und so...«, hob Mimi an.

Bernadette lachte auf. »Das ging im Ort herum wie ein Lauffeuer. Alle sind total schockiert, der Mann kam uns immer so harmlos vor!«

Mimi nickte grimmig. »Das war wohl seine Masche. Ich frage mich die ganze Zeit, ob ich nicht etwas hätte merken können.« Sie schaute die Freundin erwartungsvoll an. »Was meinst du – ob ich es wohl schaffen würde, Bela Tibor als Druckereileiter zu ersetzen? Oder entspringt der Gedanke noch meinem Fieberwahn?«

Bernadette hob erstaunt die Brauen. »Du willst die Druckerei leiten? Ich hätte eher angenommen, dass ihr Siegfried Hauser mit dieser Aufgabe betraut. Er ist seit Ewigkeiten in der Druckerei und kennt wahrscheinlich alle Abläufe fast genauso gut wie Bela.«

»An Hauser habe ich auch schon gedacht«, sagte Mimi. »Und ihm vertraue ich auch, sehr sogar! Allerdings möchte ich nicht noch mal alles komplett aus der Hand geben, und ich schätze, Anton geht es sicher ähnlich. Viel helfen kann er mir allerdings nicht – er ist mit dem Vertrieb vollauf beschäftigt.« Als von Bernadette nichts kam, fuhr Mimi fort: »Ungefähr weiß ich inzwischen, wie die Abläufe in der Druckerei funktionieren, und Erfahrung bei der Organisation von Großaufträgen habe ich ja schon. Wenn ich für einen Katalog fotografiere, muss ich mir auch stets gut überlegen, in welcher Reihenfolge ich was aufnehme, damit alles einen Sinn ergibt und ich meine Aufbauten nicht zigmal unnötigerweise wechseln muss. Wenn Siegfried Hauser bereit wäre, als meine rechte Hand zu fungieren, würde ich mir die Aufgabe also zutrauen.« Sie zuckte mit den Schultern. »Oder ist das alles größenwahnsinnig?«

Bernadette lachte. »So würde ich es nicht nennen. Allerdings …« Sie schaute Mimi nachdenklich an. »Solch einen großen Betrieb mit vielen Angestellten zu führen ist kein Zuckerschlecken, das erlebe ich täglich. Der eine ist unpünktlich, der nächste schlampig, der übernächste hält große Reden und stachelt die anderen zu Unfug an. Als Frau musst du da doppelt hart sein, wenn du ernst genommen werden willst!«

Mimi grübelte den ganzen Tag weiter. Traute sie sich die neue Aufgabe zu? Sie hatte sich als Frau doch schon immer besonders durchsetzen müssen, oder etwa nicht? Doch bisher war sie nur für sich allein verantwortlich gewesen – jetzt jedoch würde das Wohl der Drucker und ihrer Familien von ihrem Erfolg oder Misserfolg abhängen.

Als Anton am Abend vorbeikam, trug sie ihm ihren Vorschlag halb stotternd, halb zuversichtlich vor.

»Wer soll's denn sonst machen?«, erwiderte Anton lakonisch. »Siegfried Hauser ist ein sehr guter Mann, aber ich glaube, *allein* würde er sich die Leitung nicht zutrauen. Und aus dem Ärmel können wir einen neuen Druckereileiter leider auch nicht schütteln. So gesehen bleibst ja nur du übrig!«

Mimi lachte perplex auf. »Aha.« Einen Moment lang wusste sie nicht, ob sie sich angesichts Antons Äußerung freuen oder ärgern sollte.

Anton grinste sie an. »Ich kenne dich doch – wenn du dich in etwas hineinkniest, dann gelingt es dir auch. Deshalb lass es uns einfach wagen! Und falls du wider Erwarten doch das Gefühl hast, der Aufgabe nicht gewachsen zu sein oder keine Freude daran zu haben, können wir immer noch eine Anzeige im *Ulmer Tagblatt* aufgeben.« Er hielt ihr seine rechte Hand hin.

»Auf gute Zusammenarbeit, Frau Druckereileiterin!«

Lachend und kopfschüttelnd zugleich schlug Mimi ein. Himmel hilf – worauf ließ sie sich nun wieder ein?

7. Kapitel

Münsingen auf der Schwäbischen Alb,
Ende März 1914

»So lange der Winter auf der Schwäbischen Alb auch jedes Jahr verweilt – spätestens Ende März packt er dann doch seinen weißen Mantel und trollt sich. Und bald sprießen hier junges Gras und duftende Kräuter, das wird den Schafen schmecken.« Mit einer ausholenden Geste zeigte Wolfram Weiß auf die vor ihnen liegende Albhochfläche, während sich die zweitausend Leiber starke Schafherde, mit denen sie die Wintermonate im frost- und schneearmen Rheinhessen verbracht hatten, auf der Ebene ausbreitete. Gierig rupften die Tiere das alte Gras, das wahrscheinlich erst vor ein paar Tagen unter der weggeschmolzenen Schneedecke zum Vorschein gekommen war.

In Südfrankreich blühten jetzt schon die Mandelbäume, dachte Corinne versonnen, während sie den Kopf ihres Hundes, der sich neben sie gesellt hatte, streichelte. Und die Mimosen und der Ginster leuchteten goldgelb um die Wette. Hier oben auf der Schwäbischen Alb jedoch war immer noch alles grau. Und so kalt! Sie seufzte leise auf.

»Die Wintermonate sind immer die schwierigsten für uns Schäfer. Wenn andere Leute sich übers Schlittenfahren und über Schneeballschlachten freuen, müssen wir ums Überleben unserer Herden kämpfen. Ich kann kaum glauben, dass wir diesen Winter nicht ein einziges Tier verloren haben – auch dank dir! Du verstehst Schafe wie niemand sonst.« Wolfram warf Corinne einen stolzen Blick zu.

Sie schüttelte verlegen den Kopf. Sie hatte doch wahrlich nichts Besonderes gemacht, lediglich hier einen faulen Huf ausgeschnitten, da eine Tinktur aufgetragen oder auch mal ein Lämmchen, mit dem keiner gerechnet hatte, mit der Flasche gefüttert.

»Schau, man sieht schon den Kirchturm von Münsingen. Ach, wie ist es schön, nach Hause zu kommen ...«

Corinne warf ihm einen liebevollen Blick zu. Die Intensität, mit der Wolfram seine Heimat liebte, kannte sie auch. Wann immer Raffa und sie mit ihren wesentlich kleineren Herden aus den Alpen zurück in die Camargue gekommen waren, hatte sie dasselbe Hochgefühl verspürt. Die Freude, wenn das Meer in Sichtweite kam! Der Duft der Salzseen in der Nase! Sie konnte sich noch genau daran erinnern, wie ihr Herz in solchen Momenten schneller schlug. Ob sie das hier auf der Schwäbischen Alb auch einmal empfinden würde? Im Augenblick war ihr eher etwas unwohl bei dem Gedanken, dass sie heute noch Münsingen erreichen würden. Wahrscheinlich tanzte Bernadette, Wolframs Geschäftspartnerin, noch am selben Tag an, um sich über dieses oder jenes auszulassen. Ihr, Corinne, würde sie hinter Wolframs Rücken giftige Blicke zuwerfen und sie wo immer möglich im Ort schlechtmachen! Wenn sie ehrlich war, hatte sie vor der Frau ein wenig Angst.

Als könnte er ihre düsteren Gedanken lesen, legte Wolfram Corinne beschützend einen Arm um die Schulter. »Sosehr ich mich auch freue, den Hof und meine Eltern wiederzusehen, so ist das Schönste daran doch, dass ich es gemeinsam mit dir erleben darf. Du und ich – wir gehören zusammen, für immer!« Er drückte sie fest an sich.

»Nach den Monaten unserer Zweisamkeit wird es mir schwerfallen, dich wieder mit anderen zu teilen«, sagte sie halb spielerisch, halb ernst gemeint.

Wolfram schaute sie ernst an. »Darauf wird es hinauslaufen. Die nächste Zeit wird sehr arbeitsintensiv. Auf den Weiden müssen jene Zäune und Gatter repariert werden, die durch die Schneemassen Schaden genommen haben. Dann kommt die Lammzeit, dann die Schafschur … Und neben alldem wollen wir auch noch unsere Zucht vorantreiben! Was das zeitlich bedeutet, brauche ich dir nicht zu sagen. Aber ganz gleich, wie vollgepackt die Arbeitstage auch sein mögen – eins verspreche ich dir: Du wirst für mich immer an erster Stelle stehen. Und später im Jahr sollten wir langsam ans Heiraten denken …« Sein Blick war fast ein wenig ängstlich, als er sagte: »Nicht wahr, du nimmst mich doch?«

Corinne zuckte betont beiläufig mit den Schultern, woraufhin er ihr einen spielerischen Knuff verpasste.

Sie lachten. Corinnes Hund Achille bellte. Und sie lachten noch mehr.

Was hatte sie nur getan, um ein solches Glück zu verdienen?, fragte sich Corinne nicht zum ersten Mal.

»*Je t'aime*«, sagte sie rau.

Münsingen und seine Menschen mochten ihr noch fremd sein, aber ihr Zuhause hatte sie dennoch längst gefunden – in Wolfram, der Liebe ihres Lebens. Sie schmiegte sich noch enger an ihn. Mit ihm waren ihr die letzten Monate im kleinen Schäferkarren wie das Paradies vorgekommen. Er war ihr Feuer, wenn sie fröstelte. Seine Liebe machte sie satt, wenn sie Hunger verspürte.

Und dieser Bernadette würde sie einfach aus dem Weg gehen!, beschloss Corinne grimmig und bestimmt zugleich.

*

Verflixt, so ein Tag in der Druckerei war wirklich lang und anstrengend, dachte Mimi, als sie ihre Schuhe auszog und sich die vom langen Stehen und vielen Herumrennen geschwollenen Füße massierte. Sie hatte so großen Hunger, dass ihr Magen knurrte. Und kalt war ihr auch. Eigentlich hatte sie vorgehabt, am Nachmittag kurz ins Haus zu gehen, um ein Feuer im Ofen zu machen, damit sie es am Abend kuschelig warm hatte. Doch dann reichte die Zeit dafür nicht. Die wichtigen Dinge zuerst – und das war ein satter Bauch! Auf dicken Socken ging sie in die Küche, um sich Tee zu kochen und zwei Butterbrote zu schmieren.

Was für ein Glück, dass Zacharias Bäumler und der Wedekind mit der neuen Druckmaschine so gut zurechtkamen!, sinnierte sie, während sie darauf wartete, dass das Wasser zu kochen begann. Überhaupt klappte es mit den Männern und ihr erstaunlich gut. Anfänglich waren die Drucker zwar ein wenig verunsichert gewesen ob der Tatsache, dass sie ihre Anweisungen fortan von einer Frau bekommen sollten. Aber als sie gesehen hatten, mit wie viel Eifer Mimi sich in die ganzen Arbeitsabläufe eindachte und wie hart sie täglich für den Erfolg arbeitete, hatten sie ihren unterschwelligen Widerstand schnell aufgegeben.

Auch mit Steffen Hilpert, dem jungen Gebrauchsgrafiker, den sie im letzten Jahr eingestellt hatten und der neben Karlheinz Frenzen die Ulmer Dependance der Druckerei betrieb, klappte die Zusammenarbeit gut. Nun, da Mimi mit der Organisation des Druckereibetriebs beschäftigt war, hatte er nicht nur den kreativen Bereich bei den Druckwaren der Kunden unter sich, sondern auch die künstlerische Ausgestaltung des Adventskalenders übernommen. Wie gern hätte sie ihr Lieblingsprojekt selbst weiterbetreut, dachte Mimi bedauernd, während sie eine Handvoll getrocknete Pfefferminzblätter in die Teekanne gab. Genauso gern wie sie wieder einmal fotografiert hätte. Aber auf allen Hochzeiten konnte sie nun einmal nicht tanzen. Sie sollte vielmehr froh sein, dass alles so gut lief.

Mimi war gerade dabei, zwei Brotscheiben abzuschneiden, als es an der Haustür klopfte. Anton? Hatte er nicht gesagt, dass er in Reutlingen übernachten wollte?

Seit die Straßen wieder frei waren, war er jeden Tag mit dem Automobil in der Gegend rund um Ulm, Reutlingen und Stuttgart auf Kundenbesuch und schaute nur abends auf eine Stunde bei ihr vorbei.

Sehr gut, dachte Mimi schmunzelnd, heute konnte sie ihm berichten, dass sie am Tag gleich drei große Druckaufträge völlig ohne Ausschussware bewältigt hatten! Und dass die ersten Versuche mit der Mehrfarbendruckmaschine, die sie sich nach langem Überlegen für die Adventskalenderproduktion angeschafft hatten, ebenfalls vielversprechend ausgefallen waren.

Lächelnd riss sie die Haustür auf – und ihr entfuhr ein Freudenschrei. »Corinne! Seit wann seid ihr zurück? Ich habe gar nichts mitbekommen. Ach, wie ich mich freue, dich zu sehen!« Die beiden Frauen umarmten sich und gaben sich nach französischer Manier drei Küsschen.

»Hast du Hunger? Ich bereite mir gerade eine kleine Brotzeit zu, und Tee gibt es auch.«

»Ich will nicht stören«, erwiderte Corinne und folgte Mimi ins Haus. »Wir sind heute Nachmittag heimgekommen. Beim Kaffee hat Wolframs Vater dann erzählt, dass du sehr krank warst. Da wollte ich schauen, wie es dir geht.«

Mimi winkte ab. »Schnee von gestern. Dank deiner Medizin bin ich wieder genesen.« Sie ergriff Corinnes rechte Hand. »Danke!«

»Meine Medizin?« Corinne runzelte die Stirn. »Ich verstehe nicht …«

»Eine große braune Flasche. Wolframs Vater hat sie Bernadette gegeben. Es war wohl ein Kräuterauszug, den du hergestellt hast, bevor du zur Winterweide aufgebrochen bist. Das Mittel war doch von dir?«

Corinne nickte. »Ich glaube schon. Und Bernadette hat dir wirklich meine Medizin gebracht?«

»Ja«, sagte Mimi lachend. »Aber genug davon. Erzähl mal – wie war es auf der Winterweide?«

»Kalt!« Corinne tat so, als würde ein Schauer sie durchlaufen. »Nie hätte ich gedacht, dass deutsche Winter so grau und frostig sein können.«

»Da sprichst du ein wahres Wort.« Mimi lachte, dann ging sie in die Küche und stellte Tee und Essen auf ein Tablett.

»Und du bist nun wirklich die Leiterin der Druckerei?«, fragte Corinne, nachdem Mimi Tee eingeschenkt hatte. »Was du dir alles zutraust …« Sie schüttelte staunend den Kopf.

»Das sagt ja die Richtige! Wer hat denn letztes Jahr eine ganze Schafherde von Südfrankreich auf die Schwäbische Alb gebracht?«

Die beiden Frauen lachten. Es war schön, Corinne wieder hier zu haben, dachte Mimi.

»Und wie geht es Anton?« Genießerisch atmete Corinne den Pfefferminzduft ein, der aus ihrer Teetasse emporstieg.

Mimi winkte lachend ab. »Anton ist in seinem Element. Er fährt täglich viele Kilometer mit seinem Automobil, besucht Kunden und unsere Lieferanten … Wenn wir was zu bereden haben, muss das warten, bis er abends nach Hause kommt. Und wenn er erst auf großer Handelsreise im ganzen Kaiserreich unterwegs ist, fallen auch diese kurzen Treffen weg. Spätestens dann muss ich den kompletten Betrieb allein stemmen.« Mimi spürte, wie ein Rumoren ihre Magengegend erfüllte.

»Und das wird dir auch bestens gelingen«, sagte Corinne bestimmt.

Mimi lächelte. Die Hirtin war nicht nur eine schöne Frau, sondern außerdem sehr feinfühlig. Kein Wunder, dass Wolfram sich Hals über Kopf in sie verliebt hatte.

»Schau, wie schön die letzten Sonnenstrahlen des Tages durch die Scheiben fallen.« Mimi ließ ihre Hand über den Esstisch gleiten. Vor ein paar Minuten hatte das Holz noch golden geglänzt, nun schien es fast kupferfarben. »Das wäre perfektes Licht zum Fotografieren. Nicht zu grell, aber dennoch hell genug«, sagte sie gedankenverloren. Wann hatte sie eigentlich das letzte Mal ihre Kamera aus dem Schrank geholt?

»Ich kann immer noch nicht glauben, dass du ausgerechnet unsere Schafe und mich für deinen Kalender fotografiert hast«, sagte Corinne lachend. »Einerseits ist mir das peinlich, aber andererseits macht es mich auch stolz.« Ihre Wangen röteten sich. Sie beugte sich über den Tisch, nahm Mimis Hand und drückte sie. »Welche Motive hast du denn derzeit vor der Linse?«

Mimi hob seufzend die Brauen. »Ob du es glaubst oder nicht – die letzten schönen Aufnahmen, die ich gemacht hatte, waren die von den Schafen und dir. Im Moment komme ich einfach nicht mehr zum Fotografieren.« Verzagt trank sie einen Schluck Tee. »Dabei hätte ich wirklich oft Lust, den einen oder anderen Menschen abzulichten. Die Bäckersfrau hier im Ort beispielsweise hat so ein interessantes, unergründliches Gesicht. Und Bernadette will ich auch schon längst mal vor die Linse bekommen. Aber ich habe ja nicht einmal ein Atelier, in dem ich Porträtaufnahmen machen könnte!« Oje, allein bei der Erwähnung von Bernadettes Namen erlosch das Licht in Corinnes Augen ... Eilig sprach Mimi weiter. »Davon abgesehen will ich auch nicht mit dem Münsinger Fotografen in eine Konkurrenzsituation geraten. Dass ich im letzten Jahr vom Soldatenlager den Auftrag bekommen habe, neue Postkarten mit soldatischen Motiven zu fotografieren und herzustellen, wird ihm nicht gefallen haben.«

»Kein Atelier, keine Zeit und eine Konkurrenzsituation – Mimi, was redest du da?« sagte Corinne stirnrunzelnd. »Das Fotografieren ist doch dein Leben, deine Leidenschaft. Du ohne deine Kamera?« Corinne ließ Mimi los und machte eine theatralische Handbewegung. »Das ist ja gerade so, als würde man mir meine Schafe nehmen – ich würde eingehen wie eine Blume, die kein Wasser bekommt.« Sie lächelte Mimi liebevoll an, dann stand sie auf. »So, nun muss ich gehen. Wolfram wartet auf mich. *Au revoir, ma chérie!*«

»Das Fotografieren ist dein Leben, deine Leidenschaft!« Noch lange nachdem Corinne gegangen war, klangen ihre Worte in Mimi nach. Ja verdammt, das Fotografieren fehlte ihr! Mit ruppigen Bewegungen spülte sie die Tassen und Teller ab. Vielleicht sogar mehr, als sie zugeben wollte. Das Arrangieren von Requisiten, das Gespräch mit den Kunden, das Einfühlen in den Menschen vor ihrer Linse. Manchmal, an besonders guten Tagen, hatte sie geglaubt, geradezu einen Blick in die Seele eines Menschen zu erhaschen.

Aber ihr Leben sah nun einmal völlig anders aus. Und daran gewöhnte sie sich besser heute als morgen.

Ein paar Tage später wurde der erste Andruck des Adventskalenders gedruckt. Alle waren sich einig, dass die detailverliebten Abbildungen von Tannenbäumen, dem Nikolaus, dem Engelschor und weiteren weihnachtlichen Motiven nicht nur Kinderaugen, sondern auch die der Erwachsenen erfreuen würden. Und alle glaubten fest an die große Chance, die dieses neue Produkt für die Druckerei bedeutete.

Dass die kleine Dependance in Ulm für den Vertrieb nicht ausreichen würde, war Anton und Mimi ziemlich schnell klar. Wenn sie die Kalender im ganzen Kaiserreich vertreiben wollten, benötigten sie fähige Verkäufer, die durch die Lande zogen und Geschäften, Warenhäusern, aber auch Großhandelsverlagen ihre Kalender anboten. Und so war es in den kommenden Wochen Antons vorrangige Aufgabe, einen soliden Vertrieb aufzubauen, denn schließlich sollten die Adventskalender schon in der nächsten Adventszeit Kinderaugen zum Leuchten bringen.

»Eins dürft ihr nie vergessen …« Wie ein Feldmarschall seine Kompagnie abschritt, so marschierte Anton im Eingangsbereich der Druckerei vor seinen drei neuen Handelsreisenden auf und ab. Es war Ende April, in wenigen Tagen sollten sie auf ihre erste Reise gehen.

»Ihr seid Repräsentanten der Lithografischen Anstalt Münsingen. Euer Auftreten vor der werten Kundschaft ist quasi ein Spiegelbild unserer Druckerei!« Anton zeigte mit einer weit ausholenden Handbewegung in Richtung der Druckmaschinen.

Gernot Müller, Martin Hauser und Paul Trinkwalder

waren im selben Alter wie Anton, und alle drei lauschten mit einer Inbrunst Antons Worten, als hinge nicht nur ihr – sondern das Leben aller – davon ab. Was irgendwie auch stimmte. Nun, da Anton und Mimi sich dafür entschieden hatten, ihre Vertriebsleute aus den eigenen Reihen zu rekrutieren, lastete quasi die ganze Verantwortung auf den jugendlichen Schultern der drei Druckersöhne. Wenn es ihnen gelang, die Adventskalender gut zu verkaufen, hatte die Druckerei eine goldene Zukunft vor sich. Würden sie jedoch versagen – nicht auszudenken! Dass es dazu tunlichst nicht kam, dafür sorgte Anton, indem er die drei jungen Männer einer ausgiebigen Verkaufsschulung unterzog. Dass er sich quasi alles, was er übers Verkaufen wusste, selbst beigebracht hatte, machte seinen Vortrag sogar besonders überzeugend.

»Sorgt also stets dafür, dass eure Kleidung sauber und gepflegt ist. Wascht euch mehrmals am Tag die Hände, seht zu, dass ihr keinen Dreck unter den Fingernägeln habt, und schaut, dass eure Schuhe sauber sind.«

Die drei jungen Männer nickten aufgeregt.

»Dieselbe Sorgfalt müsst ihr auch euren Mustertaschen angedeihen lassen. Wagt es nicht, der Kundschaft einen verstaubten Adventskalender vorzulegen oder einen mit Eselsohren! Sollten eure Musterteile aus welchem Grund auch immer in Mitleidenschaft gezogen werden, dann ordert neue – wir schicken sie euch sogleich per Kurier zu.«

Die drei waren mächtig beeindruckt, ihre Schultern strafften sich sogleich, sie schienen allesamt um ein paar Zentimeter zu wachsen.

»Wie ihr euch vor dem Kunden präsentiert und dabei unseren Kalender anpreist, haben wir in den letzten zwei Wochen ja schon hinreichend geübt. Über die einzigartigen Besonderheiten unseres Kalenders, aber auch über Lieferzeiten und Preisstaffeln wisst ihr ebenfalls bestens Bescheid. Das heißt, ihr seid gut gerüstet für die große Aufgabe, die vor euch steht. Ich erwarte glänzende Abschlüsse von euch, mehr noch – wir alle setzen auf euch, Männer!«

Baute er damit nicht zu viel Druck auf?, fragte sich Mimi, die Antons Vortrag bisher schweigend zugehört hatte. Vor allem Martin Hauser sah aus, als wäre ihm gerade zum x-ten Mal das Herz in die Hose gerutscht.

Anton schaute in die Runde. »Gibt es noch Fragen?«

Gernot Müller räusperte sich. »Diese Zugfahrten – kommt es eigentlich auch mal vor, dass man den falschen Zug erwischt? Oder kein Billett ergattert?«

Anton und Mimi tauschten einen unauffälligen Blick. Dass sie bei solchen organisatorischen Themen alles von Grund auf erklären mussten, hatten sie eingeplant – die Münsinger Jungen waren bisher nur selten aus ihrem Ort herausgekommen.

»Herr Schaufler wird euch bis zum Bahnhof nach Ulm begleiten, er geht ja ebenfalls auf Handelsreise. Bevor ihr euch in alle Himmelsrichtungen zerstreut, wird er euch vor Ort alles erklären. Weder der Kauf eines Billetts noch die Auswahl des richtigen Bahngleises sind ein Hexenwerk«, sagte Mimi in fast mütterlichem Ton.

Anton klatschte in die Hände. »Männer – seid ihr bereit?«

»Ja!«, ertönte es aus drei Kehlen gleichzeitig.

Frankfurt, Freiburg, Würzburg – in diese Städte schickte Anton die jungen, hoch motivierten Handelsvertreter. Von diesen Städten ausgehend, hatte er für jeden eine eigene Reiseroute erarbeitet. Er selbst wollte im süddeutschen Raum bleiben, sodass er zwischendurch immer mal wieder in der Druckerei vorbeischauen konnte. Er hatte zwar volles Vertrauen in Mimi und darauf, dass sie den Laden im Griff hatte, wollte aber dennoch nicht die ganze Verantwortung auf sie abwälzen. Und so waren seine ersten Stationen, während der Mai sein grünes Blättergewand über die Landschaft ausbreitete und Zuversicht und Lebensfreude versprühte, Stuttgart, Reutlingen, Ulm und Augsburg.

»Guten Tag, mein Name ist Anton Schaufler, ich bin Inhaber der Lithografischen Anstalt Münsingen. Haben Sie vielleicht ein paar Minuten Zeit für mich? Ich würde Ihnen gern unser neuestes Druckprodukt vorstellen – es handelt sich dabei um eine Originalproduktion, die es sonst nirgendwo gibt!«, sagte Anton und versprühte dabei seinen ganzen Charme. Was ihm nicht schwerfiel, denn Verkaufsgespräche waren sein Metier, nichts machte ihm mehr Spaß. Und wenn seine potenzielle Kundin dazu noch so außergewöhnlich hübsch war … Mit ihren dunkelbraunen glänzenden Haaren, ihrer aufrechten Haltung und ihrem selbstbewussten Auftreten erinnerte sein Gegenüber ihn fast ein wenig an Mimi. Anton spürte, wie sogleich ein kleiner Stich durch sein Herz fuhr. Mimi …

Anna Rechberger, mit gerade einmal achtundzwanzig Jahren Witwe und Inhaberin des Augsburger Kaufhauses Rechberger geworden, musterte Anton mit unverhohlenem Interesse. »Wie Sie sehen, sind wir ein sehr altes Traditionshaus«, sagte sie und zeigte in Richtung des dunkelbraun vertäfelten Verkaufsraumes, dessen leicht angestaubtes Warensortiment wirkte, als stammte es noch aus dem letzten Jahrhundert. »Umso mehr ist mir daran gelegen, frischen Wind hineinzubringen. Sollte Ihr Produkt dazu geeignet sein …«

Anton lächelte. »Dessen bin ich mir sicher, gnädige Frau!« Er zeigte auf einen kleinen Tisch in der Nähe eines Schaufensters. »Darf ich Ihnen hier meinen Schatz präsentieren?«

Die junge Witwe winkte ab. »Kommen Sie in mein Büro, dort sind wir ungestört.«

Anton hob unmerklich die Brauen. Ungestört waren sie hier auch, denn Kunden erblickte er so gut wie keine. Doch er konnte sich dem Wunsch seiner Kundin nur schwer entziehen, und so folgte er ihr.

»Manche Abbildungen sind für kleine Bastelarbeiten geeignet. Schauen Sie, diesen Engel hier am zehnten Dezember können Kinder beispielsweise ausschneiden. Und hier …« – er blätterte ein paar Kalenderblätter weiter –, »dieser Stern kann ausgeschnitten und gefaltet werden – dann ergibt er einen hübschen Adventsschmuck. Und hier, am sechsten Dezember – Knecht Ruprecht! Schauen Sie nur, wie filigran alles von unserem Grafiker gezeichnet wurde, die Locken unter der Mütze, der buschige Bart- «

»Und die Rute! Oh, was habe ich mich als Kind vor der Rute gegraust«, unterbrach Anna Rechberger ihn lachend. »Ich war nämlich ganz und gar kein braves Kind. Und brav bin ich auch heute noch nicht…«, ergänzte sie und blinzelte ihm dabei verschwörerisch zu.

Das glaube ich dir sofort, dachte Anton, während er überlegte, wie er ihre Avancen abwehren konnte, ohne die Frau zu verärgern. »Lieben Sie Adventskalender auch so sehr wie ich?«, fragte er ein wenig unbeholfen.

»O ja! Und ob Sie es glauben oder nicht – ich werde mir selbst auch einen in die gute Stube hängen«, sagte die Kaufhauschefin euphorisch. »Das wird *der* Verkaufsschlager im kommenden Weihnachtsgeschäft! Was meinen Sie, lieber Herr Schaufler, es ist Mittagszeit – sollen wir uns bei einem Glas Wein über Stückzahlen, Preise und andere Modalitäten unterhalten? Wer weiß, vielleicht dauert unsere Besprechung sogar bis in die Abendstunden…« Sie legte ihm kurz eine Hand auf den Arm, eine kleine Geste nur, in der dennoch die Aufforderung zu mehr enthalten war.

Einen Moment lang zögerte Anton. Es wäre so leicht…

Doch dann riss er sich zusammen und sagte mit Bedauern in der Stimme: »Nichts würde ich lieber tun, als Sie zum Essen einzuladen, liebe Frau Rechberger. Aber mein Terminkalender verlangt leider, dass ich weitermuss…« Für ihn gab es nur die eine. Auch wenn sie in ihm nur einen Geschäftspartner sah.

8. Kapitel

Nach aufregenden und anstrengenden Wochen auf der Reise kamen Anton und die drei Handelsvertreter in der letzten Juniwoche wieder in Münsingen an und wurden begeistert empfangen. Ihre Auftragsbücher waren zum Bersten voll. Bestellungen für mehr als zwanzigtausend Adventskalender – diese Zahl übertraf selbst die kühnsten Erwartungen! Und so ließen es sich Anton und Mimi nicht nehmen, bei einem Glas Sekt mit ihrer Belegschaft anzustoßen – nun blühte ihnen allen eine rosige Zukunft.

Auch mit ihren Freunden wollten Anton und Mimi die Rückkehr und den Erfolg feiern. Während Mimi Bernadette Bescheid sagte, dass sie sich am Abend im Fuchsen treffen würden, schickte Anton einen der Lehrbuben zum Truppenübungsplatz, um Lutz Staigerwald zu informieren. Postwendend kam eine Antwort zurück – der Generalmajor, inzwischen ein guter Freund von Anton, war leider unabkömmlich in der Kaserne. Um dennoch mit ihnen zusammen sein zu können, lud er sie auf die Rasenfläche vor dem Offizierskasino ein, wo der Wirt, der das Kasino betrieb, ein paar Tische und Bänke aufgestellt hatte.

Eigentlich war es egal, wo sie ihren Erfolg feierten – Hauptsache, sie konnten ihre Freude mit den beiden Freunden teilen. Und so fuhren sie am frühen Abend des 30. Juni mit ihren neu angeschafften Fahrrädern der noch hoch am Himmel stehenden Sonne und dem Truppenübungsplatz entgegen. Bernadette, die lieber ritt, als Rad zu fahren, überholte sie in so schnellem Galopp, dass Staub und Fliegen durch die Luft wirbelten.

»Es gibt Bestellungen für über zwanzigtausend Adventskalender – habe ich das richtig gehört?« Bernadette lachte halb erstaunt, halb amüsiert. »Unglaublich, wofür sich die Menschen begeistern …«

Anton, der es sich nicht nehmen ließ, aus der guten Flasche Wein, die er bestellt hatte, eigenhändig vier Gläser einzuschenken, statt dies dem uniformierten Kellner zu überlassen, grinste. So viel Tamtam um die Vorweihnachtszeit? Damit konnte die nüchterne Schafbaronin wohl nichts anfangen.

»Wir sind immer noch ganz aus dem Häuschen«, sagte Mimi hingegen strahlend. »Auch die allgemeine Auftragslage ist gut, unser Grafiker Steffen Hilpert versteht sein Geschäft, die Kunden sind ganz glücklich mit seinen Entwürfen.«

Wie schön sie war, wenn sie sich an etwas erfreute! Als würde sie von innen heraus glühen, dachte Anton, und seine Hand zitterte ein wenig über dem vierten Glas.

»Was bin ich froh!«, sagte Bernadette. »Nicht auszudenken, wenn ihr hier bei uns in Münsingen nicht glücklich geworden wärt.«

Anton erhob sein Glas. »Auf eine glänzende Zukunft!« Er warf Mimi einen Seitenblick zu, den diese jedoch nicht auffing.

Das Essen kam, sie speisten und unterhielten sich. Lutz entschuldigte sich zwei Mal – dringende Angelegenheiten –, und jedes Mal, wenn er an den Tisch zurückkam, war seine Miene sorgenvoller.

»... seit Corinne unseren Helfern während der Heuernte für das Pausenbrot nicht nur Brot und Speck, sondern auch von ihrem Ziegenkäse und Obst hergerichtet hat, bestehen auch die Hirten plötzlich auf einer Portion Käse. Ich sage euch – diese Frau und ihre französischen Methoden sind schuld daran, wenn bei uns der Schlendrian noch vollends Einzug hält.«

Anton und Mimi tauschten einen Blick. Was war dagegen einzuwenden, dass Corinne die Arbeiter der Schäferei gut mit Speis und Trank versorgte? Allem Anschein nach hatte Bernadette es noch immer nicht verwunden, dass Wolfram Weiß sich für Corinne und gegen sie entschieden hatte. Die Frage war, ob ihr das je gelingen würde, dachte Anton, während Bernadette weiter über die französische Hirtin herzog.

Lutz, der wieder zu ihnen gestoßen war und die letzten Sätze mit angehört hatte, sagte sanft: »Bernadette, vielleicht solltest du Corinne langsam nicht mehr als Feindin, sondern ein wenig friedvoller betrachten. Gerade in unserer Zeit wäre innerer Frieden so wichtig ...«

Bernadette hob die Brauen, als wollte sie damit ausdrücken: Von dir lass ich mir gar nichts sagen! Dann drehte sie sich beleidigt zur Seite.

Schade, dachte Anton, dass Bernadette nicht auf Lutz hörte, wo er doch so sehr um ihr Wohl bemüht war. Wann immer sie etwas zu viert unternahmen, sorgte er für Schatten, wenn es Bernadette zu heiß war. Er legte ihr einen Schal um den Hals, wenn der Wind scharf blies. Er achtete darauf, dass ihr Glas nie leer wurde. Und immer schaute er sie mit einem liebevollen, fast verklärten Blick an. Inzwischen glaubte Anton auch, dass Mimi recht hatte und Lutz in die Schafbaronin verliebt war. Aber genau wie er, Anton, Mimi seine wahren Gefühle nicht zeigte, schien auch Lutz eine gewisse Distanz zu Bernadette wahren zu wollen – zumindest jetzt.

Und daran sollte er selbst sich ein Beispiel nehmen, rief Anton sich zur Ordnung. Mimi und er waren die allerbesten Geschäftspartner, und er wollte ihre Beziehung nicht durch das Eingeständnis seiner Liebe aufs Spiel setzen. Mimi war die Frau seines Lebens, das wusste er. Und irgendwann würde auch sie das erkennen, so hoffte er zumindest inständig. Er konnte warten, wenn es sein musste, noch Jahre!

Abrupt riss er sich aus seinen Gedanken und sagte zu Lutz: »Du machst heute einen sehr besorgten Eindruck. Ist alles in Ordnung?«

Lutz Staigerwald seufzte tief auf. »Die Zeiten sind unruhig, Anton. Hast du mitbekommen, dass es in Sarajewo vor zwei Tagen ein Attentat gegeben hat, bei dem der österreichische Thronfolger und seine Frau ermordet wurden?«

Anton nickte. »Die Zeitung hatte darüber berichtet.«

»Es ist gut möglich, dass es deswegen eine kleine Strafaktion geben wird, ob militärischer oder diplomatischer Art, kann ich nicht einschätzen. Aber Serbien muss wissen, dass Österreich-Ungarn, aber auch das deutsche Kaiserreich solche Schandtaten nicht dulden.«

»Und was hat das mit euch hier zu tun?«, fragte Anton mit einer weit ausholenden Handbewegung, während die beiden Frauen aufmerksam lauschten. »Dafür wird der Kaiser in Berlin doch nicht gerade eure jungen Rekruten benötigen?«

Lutz Staigerwald schwieg.

Anton runzelte die Stirn. »Oder – ist etwa noch mehr im Busch? Befürchtest du, es könnte sich ... mehr daraus entwickeln?« Er schluckte. Was für ein abstruses Gespräch ... Zu seiner Erleichterung schüttelte Lutz Staigerwald den Kopf.

»Ein größerer Konflikt wie ein Krieg? Das kann ich mir nicht vorstellen. Kaiser Franz Joseph wird sicher vor Gram gebeugt sein – immerhin wurde sein Sohn ermordet. Aber trotz aller Entrüstung und Rachegedanken ist er mit seinen fünfundachtzig Jahren alles andere als ein Hitzkopf. In Österreich, aber auch in Berlin wird gern mal ein Kabinettskrieg geführt, doch das heißt noch lange nicht, dass richtig losgeschlagen wird. Und angesichts der Waffen, die uns heute zur Verfügung stehen, ist das auch besser so!« Der Generalmajor rang sich ein Lächeln ab.

Anton, Mimi und Bernadette stöhnten auf.

»Ich habe immer noch leichtes Kopfweh von den lauten Schlägen, die heute den ganzen Tag über bis ins Dorf zu hören waren – da müsst ihr ja monströse Waffen getestet haben«, bemerkte Mimi. »Ehrlich gesagt wäre es mir recht, wenn wir das Thema wechseln, es macht mir Angst. Selbst wenn Österreich sich mit Serbien anlegen sollte, was ginge uns das an? Unter König Wilhelm hat sich Württemberg zu einer Hochburg für Kunst und Kultur entwickelt – denkt nur an die neue Oper in Stuttgart, ans Theater oder die Kunstschule, deren Ruf weit über die Stadtgrenze hinaus bekannt ist – wir stehen für all das Schöne, aber nicht für den Krieg!«

Lutz Staigerwald lächelte dünn.

Seltsam, dachte Anton, seltsam. Konnte es sein, dass der Major längst viel mehr wusste, als er ihnen gegenüber sagen durfte?

Wie immer trafen sich Anton und Mimi auch in den Tagen nach dem Attentat zu ihrer täglichen Besprechung in ihrem Büro. Nachdem sie die aktuellen Druckaufträge und Auslieferungen durchgegangen waren, räusperte sich Anton.

»Halte mich bitte nicht für verrückt, aber Lutz' Gerede von einem Krieg hat mich ein wenig nervös gemacht. Was, wenn Lutz unrecht hat und es doch zu einer größeren Krise kommt?«, sagte er, während sich draußen vor dem Fenster dunkle Wolken zusammentürmten. So früh am Morgen ein Gewitter? Hoffentlich zog es weiter und verdarb den Bauern, die mitten bei der Heuernte waren, nicht ihr Tagwerk!

»Das wäre zwar tragisch, aber was hätte es mit uns zu tun?«, fragte Mimi, während sie einen Ordner zurück ins Regal stellte.

Anton zuckte mit den Schultern. »Keine Ahnung. Es ist nur so ein Gefühl.« Er schaute sie mit zusammengekniffenen Augen an, sich seiner Sache selbst nicht sicher. Dennoch fuhr er fort: »Was, wenn plötzlich alle verrücktspielen? Wenn aus einer ›kleinen militärischen Strafaktion‹ doch mehr wird? Ein Krieg? Könnte es dann nicht sein, dass von heute auf morgen einiges nicht mehr funktioniert oder zumindest anders läuft?«

Mimi runzelte die Stirn. »Ich verstehe immer noch nicht, worauf du hinauswillst. Als ob wir etwas am Lauf der Dinge ändern könnten.«

Anton seufzte. »Mir wäre einfach wohler, wenn wir für irgendwelche problematischen Situationen gerüstet wären. Was hältst du davon, wenn wir mehr Papier und Farbe nachordern? Wenn es wirklich zu einer Krise kommt, könnte es doch gut sein, dass keine Züge mehr fahren oder Fabriken für das Militär produzieren müssen. Ohne Papiernachschub wären wir jedoch aufgeschmissen! Wir sind nur eine kleine Druckerei auf der Schwäbischen Alb, wir würden dann als Allerletzte bedient. Und das wiederum hätte schlimme Auswirkungen auf unsere Adventskalender.« Nun, da er aussprach, was ihm in den vergangenen unruhigen Nächten durch den Kopf gegangen war, wurde das ungute Gefühl in seiner Magengegend noch stärker.

Mimis Stirnrunzeln vertiefte sich. »Aber unser Lager ist noch randvoll! Wo sollten wir denn weiteres Material lagern?«

Anton verzog das Gesicht. Auch darüber hatte er in den vergangenen Tagen gegrübelt. »Wir könnten Bernadette fragen, ob sie uns eine ihrer Scheunen vermietet.«

Für einen langen Moment schwieg Mimi. »Du machst

mir Angst«, sagte sie schließlich rau. »In Ordnung, ich spreche mit Bernadette. Aber … Wenn es wirklich Krieg gibt, wer soll dann noch unseren Adventskalender kaufen?«

Eine Woche nach dem Attentat versicherte der deutsche Kaiser Wilhelm II. dem österreichischen Kaiser Franz Joseph, dass Deutschland dem Bruderstaat in gewohnter Bundestreue zur Seite stehen würde – auch für den Fall, dass Österreich gegen Serbien in den Krieg zog.

Zwei Tage später trat in Wien der Ministerrat zusammen und stellte den Serben ein Ultimatum mit umfangreichen Forderungen – allesamt so formuliert, dass man fast schon davon ausgehen konnte, Serbien würde die Forderungen nie akzeptieren. Telegramme wurden hin und her geschickt, Depeschen, Briefe.

Doch tatsächlich: Serbien unterwarf sich in fast allen Punkten. Ein kurzes Aufatmen folgte in Wien und Berlin, und es schien, als würde Lutz Staigerwald mit seiner Prognose einer überschaubaren Strafaktion von Österreich gegen Serbien recht behalten.

Mimi war erleichtert. Seit dem beunruhigenden Gespräch mit Lutz Staigerwald las sie jeden Zeitungsartikel über die europäische Krise, dessen sie habhaft wurde. Dass der württembergische Ministerpräsident Karl von Weizsäcker ebenfalls nicht an einen Krieg glaubte, stimmte sie zuversichtlich. Einer wie er musste es doch wissen, oder? Nun würden sie bald Tonnen von Papier haben, das nach Schaf roch!, frotzelte sie Anton gegenüber.

Doch Mimis Erleichterung währte nur kurz.

Denn ausgerechnet bei der alles entscheidenden Forderung gab Serbien nicht nach: Es verbat sich die Einmischung Wiens an der Aufklärung des Attentats.

Die militärischen und politischen Strategen in den Wiener und Berliner Schaltzentralen der Macht wurden von einem erregten Nervenkitzel erfasst. Serbien unterwarf sich nicht? In diesem Fall gab es nur eine Antwort: Krieg!

Serbien brauchte nicht lange, um eine Gegenantwort zu formulieren. Es versicherte sich der Unterstützung Russlands, die Mobilmachung begann. Nur wenige Tage später begann auch Frankreich, schon immer an der Seite Russlands, seine Truppen zu mobilisieren.

Russland auf der einen Seite – über Serbien sprach zu diesem Zeitpunkt schon fast niemand mehr –, Frankreich auf der anderen: Die Militärstrategen in Berlin schien diese Konstellation nicht weiter zu beunruhigen. Zu einem Zweifrontenkrieg würde es nie kommen! Denn bis Russland seine Truppen einsatzbereit gemacht hatte und gegen Deutschland in den Krieg würde ziehen können, vergingen mindestens acht Wochen – Zeit genug, um Frankreich in einem effektiven Feldzug niederzuschlagen. Als Sieger dieser kriegerischen Auseinandersetzung würde Deutschland dann alle Soldaten direkt nach Russland schicken können.

Die Grenzen von Elsass-Lothringen, die seit dem letzten Krieg stark gesichert worden waren, würde man nicht einfach überrennen können. Und zuerst einmal würde man außerdem das politisch neutrale Belgien durchqueren oder sogar belagern müssen, aber beides erschien den Militärstrategen als ein Kinderspiel.

Keine Armee war schließlich so gut gedrillt, so effektiv und schlagkräftig wie die deutsche!

Doch in jedem Spiel gab es eine Unbekannte. In diesem Fall hieß sie Großbritannien. Weder in Berlin noch in Wien rechnete man damit, dass England auch nur das geringste Interesse an irgendwelchen kontinentalen Scharmützeln haben würde – mehr noch, in Berlin ging man vielmehr selbstbewusst davon aus, dass England den Durchmarsch der Deutschen durch das neutrale Belgien einfach hinnehmen würde. Aber was, wenn Englands Sicht auf die Dinge doch eine andere war?, fragte sich Mimi besorgt bei der morgendlichen Zeitungslektüre.

Und tatsächlich trat England am 4. August 1914 der sogenannten »Triple Entete« bei – dem Bündnis aus Russland, Frankreich und England.

»Wundert mich nicht«, grummelte Anton, als Mimi ihn auf den Artikel hinwies, in dem über die neue Entwicklung berichtet wurde. »Durch einen erfolgreichen Feldzug gegen Frankreich könnte Deutschland zur stärksten Wirtschaftsmacht Europas werden. Das wollen die Engländer natürlich mit aller Macht unterbinden.«

»Geld und Macht. Ehre und Stolz. Worum geht es in dieser Angelegenheit überhaupt?«, fragte Mimi verzweifelt und ratlos zugleich.

Weder Anton noch die Tageszeitung konnten ihr eine Antwort darauf geben.

Ohne dass sich die Mehrheit der Menschen darüber bewusst war, hatte der Krieg begonnen.

9. Kapitel

Bernadette war gerade dabei, ans Soldatenlager Rechnungen über die Lieferung von Lammfleisch zu schreiben, als sie durch das offene Fenster ihres Büros aufgeregte Männerstimmen hörte. Sie runzelte die Stirn. Das war doch das laute Organ von Michel, einem ihrer Hirten! Und auch die Stimmen von Hans, Bernhard und Axel erkannte sie. Seltsam, sollten die nicht alle mit ihren Herden rund um Münsingen unterwegs sein?

Im nächsten Moment klopfte es an ihrer Tür. Noch bevor sie jemanden hereinbitten konnte, stürmten die Hirten herein und begannen fast gleichzeitig, auf Bernadette einzureden.

»Frau Furtwängler!«

»Haben Sie schon gehört, Frau Furtwängler?«

»Jetzt gilt's!«

»Wir müssen dringend mit Ihnen sprechen!«

Bernadette hob gebieterisch die Hand. »Was fällt euch ein, hier mitten am Tag so hereinzustürmen? Wer ist bei den Herden?«

Der Hirte Bernhard hob abfällig die Brauen, als wollte er sagen: Wen interessiert das?

»Unsere Söhne und Väter sind draußen auf dem Feld. Aber fortan wird sich jemand anders um die Schafe kümmern müssen«, sagte Hans.

»Wir haben nämlich unseren Gestellungsbefehl bekommen, Chefin. Jetzt wird's ernst! Übermorgen geht es los, dann zeigen wir den Russen, was eine Harke ist«, fügte Axel hinzu.

Einen Moment lang war Bernadette wie vor den Kopf geschlagen. Gestellungsbefehle? »Aber ... aber ...«, stotterte sie, während sie krampfhaft versuchte, ihre wie eine erschrockene Schafherde durchgehenden Gedanken wieder einzufangen.

Natürlich hatte sie mitbekommen, dass Deutschland gegen Russland und Frankreich in den Krieg ziehen wollte. Aber dass man dafür ihre Hirten brauchen würde, wäre ihr im Traum nicht eingefallen! Was ging es sie an, dass Österreich und Serbien in irgendeinem Streit lagen und sich nun auch noch alle möglichen anderen Länder einmischten? Hatten die Männer nichts anderes zu tun?

»Gib mir den Brief mal zu lesen«, sagte sie unwirsch zu dem jüngsten Hirten, Axel, der sein Dokument aufgeregt in den Händen knetete. Ob in diesen Gestellungsbefehlen auch stand, wie lange die Männer weg sein würden? Eilig überflog sie die dürftige Nachricht, in der lediglich mitgeteilt wurde, in welcher Kompanie und in welchem Bataillon sich die Männer wann und wo in Stuttgart einzufinden hatten.

»Das Heu ist zum größten Teil eingebracht ... gelammt wird in nächster Zeit auch nicht, so weit, so gut«, murmelte sie vor sich hin. Den dritten Heuschnitt würden zur Not auch die Alten im Dorf erledigen können. Sie schaute die Hirten an. »Aber wer soll die Schafe hüten? Ich kann doch nicht eure vier Herden komplett auf Wolfram und die Französin verteilen!«

»Das ist Ihr Problem«, sagte Bernhard arrogant.

»Sag mal, wie redest du denn mit mir?« Es hätte nicht viel gefehlt, und Bernadette hätte dem Hirten eine Ohrfeige verpasst. »Ich bin immer noch deine Chefin!«

»Ab jetzt ist Kaiser unser Chef! Sie haben uns vorerst gar nichts mehr zu sagen.« Noch während er sprach, gab er seinen Kollegen ein Zeichen zum Aufbruch. »Kommt, Jungs.«

»Auf dich mit deiner dummdreisten Art freut sich der Kaiser bestimmt schon jetzt!«, schrie Bernadette ihm hinterher. Ausgerechnet dieser Bernhard, der nicht der Hellste war, spuckte solche Töne? Bernadettes Herz klopfte so heftig, dass es fast wehtat. Sie legte eine Hand auf ihre Brust und schloss für einen Moment die Augen. Tief durchatmen. Ruhig werden. Alles andere wäre jetzt falsch.

Als Bernadette sich wieder einigermaßen im Griff hatte, nahm sie Papier und Feder. Von wegen »sie hätte nichts mehr zu sagen« – und ob sie was zu sagen hatte!

Lieber Oskar, schrieb sie mit ungewohnt verkrampfter Hand. Doch gleich nach diesen Worten hielt sie inne. War der Münsinger Bürgermeister überhaupt der richtige Ansprechpartner? Oder sollte sie den Brief besser an Lutz als obersten Kommandeur des Soldatenlagers richten?, fragte sie sich, beschloss dann aber, doch erst einmal den Bürgermeister anzuschreiben. *Hiermit möchte ich dich darum bitten, dafür zu sorgen, dass meine Hirten…* Sie nannte alle Vor- und Zunamen. Oskar Baumann wollte immer alles gern schriftlich – bitte schön, diesen Gefallen tat sie ihm gern.… *nicht in den Krieg ziehen müssen. Die Männer sind bei ihrer Arbeit unabkömmlich. Das Hüten von Schafen benötigt lange Erfahrung, leider kann ich dafür nicht irgendwen einstellen. Die Väter der Hirten sind alte Männer, sie sind nicht mehr in der Lage, die großen Herden zu betreuen. Von daher wäre es wirklich sinnvoll, wenn die Männer hier in Münsingen blieben!*

Bernadette Furtwängler.

Sie faltete den Brief zusammen, dann stand sie auf. Am besten brachte sie das Schreiben gleich zu Oskar. Und falls sie noch ein Formular oder Dokument ausfüllen musste, war dies auch kein Problem.

*

So ein herrlicher, friedlicher Augustmorgen, und das in dieser schwierigen Zeit, dachte Anton bedrückt, als er über den Hof in Richtung Druckerei ging. Noch lag eine angenehme Frische in der Luft, doch im Laufe des Tages würde die Sonne wieder erbarmungslos auf sie alle herabbrennen. Am besten schickte er nachher gleich einen der Lehrbuben los, um Bier zu besorgen, damit die Drucker zwischendurch ihre Kehlen befeuchten konnten, dachte Anton.

Er hatte das Tor zur Druckerei noch nicht ganz geöffnet, als zwei der Männer auf ihn zukamen.

»Herr Schaufler, so wie es aussieht, müssen Sie ab morgen leider ohne uns zurechtkommen. Jetzt haben der Zacharias und ich auch unseren Gestellungsbefehl bekommen«, sagte Konrad Wiedekind, und seine Wangen leuchteten vor Aufregung.

Damit würden ihnen schon zehn Männer fehlen. Ausgerechnet jetzt!, dachte Anton ärgerlich. Er hatte so viele Geschäftstermine und Reisen vor sich, die Adventskalender mussten gedruckt und ausgeliefert werden – wie sollte er das alles mit der halben Belegschaft umsetzen?

»Da kann man wohl nichts machen«, sagte er seufzend.

»Haben Sie eigentlich auch schon Ihren Gestellungsbefehl bekommen?«, fragte Zacharias Bäumler, einer von Antons besten Druckern und Vater eines gelähmten Sohnes.

»Ich?« Anton runzelte die Stirn. »Nein. Ich bin einst leider als wehruntauglich eingestuft worden.«

Die beiden Drucker schauten ihn fast mitleidig an.

War er etwa kein ganzer Mann, nur weil er dem Vaterland keinen Wehrdienst leisten konnte? Anton runzelte die Stirn. Würden ihn fortan alle auf diese Art anschauen?

Er war schon fast in Bela Tibors altem Büro, das er zu seinem eigenen gemacht hatte, angelangt, als er es sich anders überlegte, wieder nach draußen ging und sich aufs Rad schwang.

Er musste dringend mit Lutz sprechen! Vielleicht hatte der Generalmajor schon eine Ahnung, wie lange der ganze Spuk dauern würde. Und vielleicht hatte der Freund auch eine Idee, wie er trotz bescheinigter Wehruntauglichkeit…

Antons Gedankengang brach ab, als er der unnatürlichen Unruhe gewahr wurde, die das Dorf erfasst hatte. Überall standen Leute in kleinen Gruppen zusammen und diskutierten. Die einen schienen sorgenvoll, andere eher verärgert zu sein. Kein Wunder, wo die Bauern Anfang August noch nicht mal die ganze Getreideernte eingebracht hatten! Anton grüßte den Inhaber der Limonadenfabrik, nickte dem Metzger und der Wirtin vom Gasthof Fuchsen zu. Wahrscheinlich waren sie auch alle dabei, zu planen und zu organisieren, wie sie ihre Arbeit in der nächsten Zeit mit der Hälfte der Männer bewerkstelligen konnten.

Hatte Anton im Dorf eine ungewohnte Unruhe verspürt, so erwartete ihn auf dem Truppenübungsplatz eine Mischung aus einem Ameisenhaufen und Taubenschlag. Die Straßen waren verstopft mit marschierenden Soldaten, Pferden und Wagen, auf die Kanonen und andere militärische Ausrüstung geladen waren. Wahrscheinlich hatte Lutz gar keine Zeit für ihn, dachte Anton, während er am Schlagbaum vom Eingangstor wartete.

Lutz Staigerwald befand sich in seinem Büro und hatte tatsächlich nicht viel Zeit. Kurz und knapp formulierte Anton deshalb seine Frage.

»Du erwartest jetzt aber nicht, dass ich dir auf den Tag genau sage, wann eure Männer zurückkommen?«, sagte Lutz Staigerwald über seinen Schreibtisch hinweg belustigt.

Anton verzog das Gesicht zu einer Grimasse. »Ganz unrecht wäre mir das nicht.«

Der Generalmajor seufzte auf. »Vielleicht helfen dir ja schon ein paar nüchterne Informationen weiter. Also, die meisten württembergischen Einheiten werden nach Frankreich geschickt, das heißt, sie sind dann gerade mal ein paar hundert Kilometer entfernt. Ich darf dir natürlich keine Details preisgeben, aber du kannst davon ausgehen, dass die gesamte Vorgehensweise bis ins letzte Detail geplant wurde. Ich bezweifle, dass Frankreich unserem deutschen Organisationstalent etwas entgegenzusetzen hat. Von daher gehe ich nicht von einem länger andauernden Waffengang aus, sondern eher von einem glatten Durchmarsch.« Er zuckte gelassen mit den Schultern.

So wie Lutz über die Angelegenheit sprach, hörte sich alles doch nicht so schlimm an, dachte Anton erleichtert.

»Zu welcher Einheit gehörst eigentlich du?«, fragte der Generalmajor ihn im nächsten Moment.

Anton verzog den Mund. »Ich wurde damals leider nicht genommen. Der Militärarzt hörte ein ›heftiges Rasseln‹ in meiner Lunge, er sprach sogar von leichter Tuberkulose. Dabei war ich gesund! Wie es zu dieser Fehlentscheidung kommen konnte, ist mir bis heute schleierhaft. Bis jetzt hat mir meine Lunge nicht zu schaffen gemacht«, fuhr er missmutig fort. »Mein Traum war es, zur Marine zu gehen …«

Lutz grinste. »Welcher junge Bursche will nicht zur Marine? Wahrscheinlich wärst du eher zum Pionier-Bataillon gekommen.« Er straffte seine Schultern, und das goldene Eichenlaub, das seinen Dienstgrad anzeigte, funkelte in der einfallenden Sonne. »Aber egal, dem Vaterland kannst du natürlich auch im zivilen Sektor dienen«, fügte er eilig an, als er Antons grimmigen Blick sah.

Dieser trat von einem Bein aufs andere. »Lutz, ich hätte da mal eine Frage…«

*

»Bernadette – gut, dass du kommst! Das spart mir einen Weg zu dir.« Geschäftig kramte Oskar Baumann in seinen Akten. »Setz dich doch.«

»Falls sich wieder jemand darüber beschwert hat, dass einer meiner Hirten mit seiner Herde ein Stück vom Weg abkam, kannst du dir die Worte sparen. Ich habe dir etwas mitgebracht, hier, eine schriftliche Stellungnahme!«, sagte Bernadette anstelle einer Begrüßung. »Meine Hirten haben ihre Gestellungsbefehle bekommen – kannst du dafür sorgen, dass sie erst einmal zurückgestellt werden?«

Der Bürgermeister lachte laut auf. »Glaubst du, ich hätte keine anderen Probleme? Mein Gestellungsbefehl ist auch gekommen. Mit meinen achtunddreißig Jahren gehöre ich noch zum Landsturm, wir Alten müssen genauso einrücken wie die einsatzbereiten Regimenter. Und da sind wir schon bei dir angelangt…« Er setzte sich und musterte sie eingehend. »Bernadette, kannst du dir vorstellen, meine Geschäfte kommissarisch zu übernehmen, solange ich weg bin?«

Bernadette lachte entgeistert auf. *»Ich?«*

Der Bürgermeister zuckte mit den Schultern. »Ja, glaubst du, die Stuttgarter Regierung schickt mir jemanden? Die gehen davon aus, dass solche verwaltungstechnischen Feinheiten vor Ort geregelt werden. Wenn ich dich also zur Ersatzbürgermeisterin bestimme, dann ist es so. Punkt!«

»Aber ...« Die Schafbaronin runzelte die Stirn. »Ich verstehe nicht, wie du ausgerechnet auf mich kommst. Du weißt doch, wie die Leute in Münsingen zu mir stehen. Die einen halten mich für arrogant, für die anderen bin ich die dumme, verlassene Braut – und da soll ich auf einmal die Frau Bürgermeisterin spielen?«

»Du brauchst nichts zu spielen«, sagte Oskar Baumann rau. »Du verfügst über eine natürliche Autorität, wie sie nur wenige Menschen haben. Glaube mir, die Leute werden dich akzeptieren und auf dich hören.«

Auf einmal hatte Bernadette das Gefühl, etwas würde ihr die Kehle zuschnüren, und unwillkürlich fasste sie sich an den Hals. Wurde sie eigentlich jemals gefragt, ob sie das, was anstand, überhaupt wollte und sich zutraute? Die Schäferei, viel zu wenige Arbeitskräfte, dazu die Aufgaben einer Bürgermeisterin – wie sollte sie das schaffen?

»Bernadette, in einer solchen Situation müssen auch die Frauen ihren Mann stehen. Jedem von uns werden bestimmte Aufgaben im Leben gestellt. Bei dem einen fallen sie kleiner aus, beim anderen eben etwas größer.«

Bernadette nickte nachdenklich. Kneifen war noch nie ihr Ding gewesen ...

Der Bürgermeister, der ihr Schweigen für Zustimmung hielt, fuhr fort: »Wir müssen alle unser Bestes geben, das sind wir unserem geliebten Vaterland einfach schuldig. Lutz Staigerwald glaubt übrigens auch, dass du die Richtige für diese Aufgabe bist, ich habe mich gestern Abend mit ihm unterhalten. Von daher …« Er holte tief Luft, als wollte er seinen Worten noch mehr Gewicht verleihen, »werde ich heute am frühen Abend eine Versammlung im Dorf abhalten und deine Benennung als Übergangsbürgermeisterin bekannt geben.«

*

Die Nachricht über die von Oskar Baumann angekündigte Versammlung hatte sich wie ein Lauffeuer im Ort verbreitet. Am Abend war der Marktplatz so voll, dass mancher wegen der Enge ins Schwitzen kam.

Der Bürgermeister und Bernadette standen auf einem improvisierten Podest. Ohne Umschweife informierte er die Bürger darüber, dass während seiner Abwesenheit Bernadette die Geschicke des Dorfes leiten würde.

Nicht nur Mimi, die zusammen mit Anton gekommen war, war überrascht – vielmehr ging ein kollektives Raunen durch die Menge. Doch genauso schnell flachte das Erstaunen wieder ab – man musste die Schafbaronin nicht unbedingt mögen, aber vielleicht war sie dennoch genau die richtige Person für diese Pflicht. Entsprechend still wurde es, als Bernadette, die steif wie ein Stock neben dem Bürgermeister stand, das Wort ergriff:

»Liebe Münsinger Bürger, keiner von uns hat mit diesem Krieg gerechnet, er bringt wahrscheinlich unser aller Pläne für den Rest des Jahres ordentlich durcheinander. Aber in Zeiten wie diesen müssen wir Opfer bringen! Und in der Art, wie ein Volk diese Opfer bringt, zeigt sich, aus welchem Holz es geschnitzt ist. Mein Opfer – meine Zeit und meine Kraft – ist vergleichsweise klein. Ihr jedoch müsst das Wichtigste hergeben, was ihr im Leben habt – eure Männer und eure Söhne! In der nächsten Zeit werden wir Frauen allein die Bürde des Alltags im Ort tragen. Seid stolz darauf, dass ihr dieses Opfer bringen dürft, liebe Münsinger Frauen!«

»Wir sollen stolz sein? Die hat gut reden, sie muss ja keinen Liebsten hergeben. Bernadettes Bett war ja schon immer kalt«, flüsterte eine Frau Mimi ins Ohr.

Mimi schwieg betroffen. Wie Bernadettes Augen glühten! Und wie patriotisch sie daherredete – so kannte sie die Freundin gar nicht.

»Ich verspreche euch, mein Bestes zu geben, unseren Ort durch die bewegten Zeiten zu steuern wie ein Schiff durch ein Unwetter auf hoher See«, sprach die Schafbaronin weiter. »Wann immer ihr eine Sorge habt, wann immer ihr Hilfe braucht – kommt zu mir! Gemeinsam werden wir nichts ungetan lassen, um unseren heroischen Anteil an diesem Krieg zu leisten. Es lebe das Kaiserreich! Es lebe der deutsche Kaiser!«

Während die Menge mehr oder weniger enthusiastisch applaudierte, warf Mimi einen Blick zu Anton. Wie angetan er von Bernadettes Rede war! Anhaltend spendete er ihr Applaus. Überhaupt – seit er aus dem Soldatenlager zurück war, wirkte er seltsam aufgekratzt. Als sie ihn gefragt hatte, was los sei, war er ihrem Blick ausgewichen. Sie hatte nicht gewagt nachzuhaken. Wenn der Generalmajor Anton brisante Vertraulichkeiten mitgeteilt hatte, wollte sie davon nichts wissen – die ganze Situation machte ihr so schon genug Angst!

»Ich bin so froh, dass du von diesem Krieg verschont bleibst«, flüsterte sie Anton jetzt ins Ohr.

»Wer sagt denn das?« Er schaute sie herausfordernd und eine Spur trotzig an. »Ich habe mich heute freiwillig gemeldet. Einen Dienst an der Waffe kann ich zwar nicht verrichten, aber Lutz meint, dass er mich als Sanitäter einsetzen kann. Mein Schnellkurs für den Sanitätsdienst beginnt schon morgen! Lutz sagt, ein effizientes sanitätsdienstliches System kann unter Umständen kriegsentscheidend sein!« Seine Miene war äußerst zufrieden, als er anfügte: »Ich rechne damit, dass ich spätestens in zwei Wochen wegkomme.«

*

Wie die vielen Menschen ihr zugehört – ja, regelrecht an ihren Lippen gehangen – hatten, dachte Bernadette auf dem Heimweg. Und für sie alle sollte sie nun verantwortlich sein? Hatte sie die richtigen Worte gefunden?, fragte sie sich zweiflerisch, während ihr Hof in Sicht kam. Worte des Zuspruchs, des Trosts, aber auch Worte des Muts? Die Stimmung war ihr gegenüber zumindest nicht feindlich gewesen, und als sich die Versammlung auflöste, hatte sie in den Gesichtern der Leute so etwas wie Akzeptanz und Entschlossenheit gesehen. Ein Anfang, befand sic. Dennoch – sie und Bürgermeisterin von Münsingen! Hätte ihr das jemand vor ein paar Wochen erzählt, hätte sie ihn für verrückt erklärt. Kopfschüttelnd schloss sie die Haustür auf.

Heute jedoch musste sie überlegen, wie sie ihre rekrutierten Hirten ersetzen konnte. Wer von ihren vormaligen Hirten, die längst auf dem Altenteil waren, war noch fit genug, die harte Arbeit zu verrichten? Und wer war überhaupt willig?, fragte sie sich, während ihr Blick sehnsüchtig in Richtung Schlafzimmer ging. Sich jetzt hinlegen, die Augen schließen, einmal an nichts denken – wie schön wäre das nach all den Anstrengungen des Tages. Doch stattdessen würde sie in der Gluthitze des Augustabends noch einmal ihr Pferd satteln und losreiten müssen, von Hof zu Hof, als Bittstellerin, und hoffen, dass sie auch dabei die richtigen Worte fand.

Sie hatte noch nicht zu Ende gedacht, als es an ihrer Tür klopfte. Ging es also schon los! Bernadette verzog das Gesicht zu einer tragikomischen Grimasse.

Doch es war kein Münsinger Bürger auf der Suche nach Hilfe. Es war Wolfram. Weder er noch Corinne waren bei der Versammlung gewesen, kein Wunder – beide hatten große Schafherden zu hüten.

»Was willst du?« Ohne sich weiter um ihn zu kümmern, ging sie in die Küche. Noch immer war ihr Umgang kühl, noch immer beschränkte er sich auf das geschäftlich absolute Minimum.

»Ich muss mit dir reden.«

»Na dann los!«, sagte sie, während sie Wasser auf den Herd stellte. Wenn ihr schon keine Pause vergönnt war, dann wenigstens eine Tasse Kaffee.

»Ich will mich freiwillig für den Krieg melden.«

Bernadette fuhr so heftig herum, dass ihr die Kaffeedose fast aus der Hand fiel. »Was? Bist du dafür nicht schon viel zu alt?«

Er runzelte die Stirn. »Stimmt. Mit meinen dreiundvierzig Jahren könnte ich mich raushalten. Aber soll ich etwa auf der Wacholderheide gemütlich meine Brotzeit genießen, während unsere jungen Hirten allein dafür sorgen, dass der Feind nicht bei uns einmarschiert? Ich könnte unseren Männern doch später gar nicht mehr in die Augen schauen, die würden jeden Respekt vor mir verlieren.«

Bernadette sah ihn eindringlich an. »So schnell wird hier niemand einmarschieren. Überdramatisierst du das nicht ein wenig?« War ihm womöglich schon langweilig mit seiner Französin?, dachte sie im Stillen. Suchte er das Abenteuer?

»Bernadette«, erwiderte Wolfram gequält. »Ich bin vielleicht nicht mehr der Jüngste, aber auch ich möchte meinen Part fürs Vaterland leisten. Ich will nicht, dass es heißt, ich sei ein Drückeberger.«

Sie kniff die Augen zusammen. »Warum erzählst du mir das eigentlich alles? Solltest du das nicht viel eher mit deinem Liebchen besprechen?«

Er schaute verlegen zur Seite, holte tief Luft und sagte: »Darum geht es ja. So ein Krieg … Man weiß ja nie, was da alles passiert.« Sein Blick suchte jetzt den ihren, und fast flehentlich sagte er: »Falls ich nicht mehr zurückkomme – kümmerst du dich dann um Corinne?«

Bernadette lachte so schrill auf, dass es ihr selbst in den Ohren wehtat. »Verlangst du da nicht ein bisschen viel von mir?« Was für eine bodenlose Frechheit, schäumte sie innerlich. »Außerdem – was soll schon passieren? Ihr jagt dem Feind einen Schrecken ein, und in zwei, drei Wochen bist du wieder da!«

10. Kapitel

»Stellt euch mal ein bisschen enger zusammen! Ja, so ist es gut.« Ein Auge zusammengekniffen, nahm Mimi durch ihre Kamera die drei Rekruten ins Visier. Kein Staubkorn war auf ihren Uniformen zu sehen, keine Haarsträhne lugte unter ihren Kappen hervor, ihre Stiefel waren auf Hochglanz poliert. War es nicht fürchterlich unangenehm, in dieser brütenden Augusthitze so schwere Stiefel zu tragen?, fragte Mimi sich, die selbst barfuß lief. Doch den jungen Männern schienen weder der dicke Wollstoff noch die schweren Stiefel etwas auszumachen, sie wirkten einfach nur stolz, die Uniform ihres Grenadierregimentes tragen zu dürfen – mehr noch, sie konnten es kaum erwarten, endlich wegzukommen!

Alle Männer waren verrückt geworden, dachte Mimi wütend, während sie unter ihrem Dunkeltuch eine Glasplatte wechselte. Und am verrücktesten war Anton, der von nichts anderem mehr redete als davon, wie er als Sanitäter heroische Dienste leisten wollte. Auf ihre bissige Frage hin, warum er seine »heroischen Dienste« nicht in der Druckerei leisten könne, hatte er sie nur verständnislos angeschaut und gemeint, dass er sich nicht mehr im Spiegel würde anschauen können, wenn er jetzt kniff. Und dass ein Mann tun müsse, was ein Mann tun muss.

Was für dummes Männergerede! Von Kneifen konnte in diesem Fall doch wirklich keine Rede sein.

»Paul, leg mal einen Arm um Martin! Und Gernot, tritt bitte kurz aus dem Bild, ich will jetzt nur die beiden anderen.«

Die Männer taten, wie ihnen geheißen. Und schon ertönte das Klick.

»Wir sind Ihnen so dankbar, dass Sie diese Fotografien machen«, sagte Gernot Müller, nachdem sie zum Ende gekommen waren.

»An einem Andenken an diesen großen Tag ist uns sehr gelegen«, fügte sein Kollege Paul an.

»Schon in Ordnung«, sagte Mimi. »Ich werde die Fotografien in den nächsten Tagen entwickeln. Sobald sie fertig sind, gebe ich sie euren Müttern, sodass ihr sie bei eurer Rückkehr bewundern könnt.« Nicht zum ersten Mal an diesem Tag wurde Mimi von einem Gefühl der Unwirklichkeit überfallen.

Wenn ihr vor ein paar Wochen jemand erzählt hätte, dass sie einmal in ihrem Wohnzimmer stehen und Soldaten fotografieren würde, hätte sie denjenigen für verrückt erklärt. Wenn sie je wieder die Zeit zum Fotografieren fand, wollte sie schöne Frauenporträts machen, Kinderbilder und vielleicht die eine oder andere idyllische Landschaftsaufnahme. Soldaten hatte sie weiß Gott nicht im Sinn gehabt!

Aber nun war es genau so.

Die ganze Sache war Antons Idee gewesen, wessen sonst. »Der Münsinger Fotograf hat es derzeit scheinbar so im Kreuz, dass er nicht arbeiten kann. Doch die Männer wünschen sich ein paar Erinnerungsfotos für sich, aber vor allem für die Daheimgebliebenen. Kannst du nicht ein paar Porträts von den Soldaten machen?«, hatte er sie letzte Woche gefragt. »Dein Wohnzimmer ist so hell und sonnig, das könntest du doch eine Zeit lang als Atelier zweckentfremden.«

»Ich soll Männer in Uniform vor meinen Wohnzimmergardinen fotografieren?« Mimi hatte ungläubig aufgelacht. Dass die Kerle allmählich den Verstand verloren angesichts des nahenden Einsatzes, hatte sie ja schon mitbekommen. Aber dass dies solch skurrile Blüten trieb …

Anton jedoch hatte nur mit den Schultern gezuckt. »Wenn du willst, fahre ich nach Laichingen und hole die Leinwände deines Onkels. Ein Wald oder eine Berglandschaft würden sich natürlich für Soldatenfotos viel besser eignen als deine Spitzengardinen.«

Er meinte es tatsächlich ernst, mehr noch, es war ihm wichtig, hatte Mimi erkannt. Nachdenklich war sie daraufhin durch ihr Wohnzimmer gegangen. Wenn sie die Kommode zur Seite schob und an der Wand eine Art Bühne aufbaute, hätte sie fast ähnliche Lichtverhältnisse wie in ihrem Laichinger Atelier. »Ich glaube, du hast recht, es ist höchste Zeit, dass ich die Leinwände bei mir habe. Aber du brauchst nicht zu fahren, ich lasse sie mir schicken«, hatte sie zu Anton gesagt und noch am selben Tag dem Maler, der Onkel Josefs Haus gekauft hatte, eine entsprechende Nachricht geschickt.

Inzwischen glaubte sie, mindestens die Hälfte der männlichen Dorfbewohner vor der Linse gehabt zu haben. Ganz aktuell waren es ihre drei jungen Handelsvertreter, die zu ihrem Leidwesen ebenfalls eingezogen wurden. Wenn sie weg waren, würde ihr kompletter Vertrieb brachliegen. Und was, wenn einer nicht zurückkam? Paul Trinkwalder war so ein zarter Mann, der keiner Fliege was zuleide tun konnte! Was sollte so einer als Soldat ausrichten?

Mimi stieß einen leisen Wehlaut aus.

»Machen Sie sich keine Sorgen, uns wird schon nichts passieren«, sagte Paul Trinkwalder, als könnte er ihre Gedanken lesen.

»Wissen Sie, was prima wäre?«, sagte hingegen Gernot Müller. »Wenn Sie mit nach Stuttgart kämen und den Zusammenschluss aller württembergischen Soldaten im Bild festhalten!«

Mimi lachte traurig auf. »Ich werde Herrn Schaufler tatsächlich nach Stuttgart begleiten. Aber eins mache ich gewiss nicht, nämlich das *glorreiche Spektakel*, wie ihr in den Krieg zieht, zu fotografieren«, sagte sie so scherzhaft und ironisch wie möglich, während sie gegen einen See an Tränen ankämpfte.

»... und mach dir keine Gedanken, wenn nicht alles so läuft wie bisher. Mit der Hälfte der Mannschaft wirst du auch nur die Hälfte der Druckaufträge erfüllen können – wobei die Frage ist, was an Aufträgen überhaupt noch reinkommt, jetzt, wo unser Grafiker Steffen Hilpert und ich ausfallen. Aber am wichtigsten ist sowieso, dass du die Adventskalender gedruckt bekommst. Gott sei Dank haben wir genug Papier gehortet«, sagte Anton, während er Mimis Hand hielt, damit sie sich im Trubel nicht verloren.

Mimi hörte nur mit halbem Ohr hin, während Anton unentwegt Instruktionen gab für die Zeit, in der er weg war. Das Gefühl der Unwirklichkeit, das sie in ihrem Fotoatelier verspürt hatte, hatte sich hier in Stuttgart noch einmal deutlich potenziert. In welchen Albtraum war sie nur geraten? Vor ein paar Wochen noch hatte man hier, auf dem Stuttgarter Marktplatz, in den feinen Cafés Kuchen gegessen und Champagner getrunken, und die größte Sorge war jene gewesen, ob es beim Metzger um die Ecke einen anständigen Tafelspitz fürs Abendessen gab. Heute waren die Menschen trunken von der Lust auf einen schnellen Sieg über den Feind.

Tausende Soldaten marschierten begleitet von ihren Liebsten vom Stuttgarter Marktplatz, wo sich die Regimenter gesammelt hatten, in Richtung Bahnhof. Hie und da sah man verzagte Gesichter, Tränen wurden vergossen, doch die Marschmusik übertönte die Traurigkeit. Fahnen wurden geschwenkt, Lieder gesungen, freche Sprüche geklopft. »Jeder Schuss zehn Russ!« oder »Jeder Stoß ein Franzos!«, schrie ein junger Bursche mit fanatischem Blick direkt neben Mimi so ekstatisch, dass kleine Spuckefetzen durch die Luft flogen. War er ein Student? Ein Arbeiter? Oder ein Bürgersohn aus wohlhabendem Haus? Mimi wischte sich angewidert das Revers ab, das von seiner feuchten Aussprache getroffen worden war.

»... und wenn du Probleme mit der Rotationsschnellpresse hast, denk dran, der alte Lutz kennt sich mit der

Maschine auch ziemlich gut aus. Sicher nicht so gut wie Zacharias« – Anton zeigte auf den Mitarbeiter, der ein paar Meter vor ihnen lief –, »aber für ein paar kleinere Reparaturen müsste es reichen.«

Mimi nickte dumpf. Wie konnte Anton jetzt an die blöde Rotationsschnellpresse denken?, fragte sie sich, während die Menge den Soldaten ein lautes »Hurra!« zurief. Mit jedem Meter, den sie sich dem Bahnhof näherten, schien die Stimmung sich weiter aufzuladen wie die Atmosphäre kurz vor einem Gewitter.

Kinder schauten mit glänzenden Augen auf das wogende Meer an Uniformen, Frauen verteilten Äpfel und Schmalzgebäck oder winkten den Soldaten weniger spendabel, dafür umso eleganter mit einem blütenweißen Taschentuch zu. Was für eine Begeisterung, dachte Mimi. Gerade so, als zöge ein noch nie da gewesener Zirkus mit unvergleichlichen Attraktionen durchs Land! Begeisterung für diesen Krieg? Oben auf der Schwäbischen Alb spürte man davon nur wenig.

»Und du weißt ja, Mimi, wenn es etwas zu bereden gibt und ich mich gerade nicht melden kann, dann besprich dich am besten mit Josefine! Ihr zwei Frauen bekommt das schon hin«, dröhnte Anton neben ihr weiter.

Der Bahnhof kam in Sicht und damit die Zeit des Abschieds. Mimi blieb so abrupt stehen, dass Anton fast auf sie auflief. »Anton, ich habe Angst! Versprich mir, dass du wiederkommst!«, rief sie über den Lärm der Marschmusik und den Jubel hinweg.

»Lauft weiter, Herrschaftszeiten, ihr haltet ja den ganzen Betrieb auf!«, schrie ein Mann in Offiziersuniform.

Anton und Mimi sprangen, sich noch immer an der Hand haltend, eilig zur Seite.

»Pass bloß gut auf dich auf! Ich warte auf dich«, flüsterte sie und spürte, wie sich ihr Herz verkrampfte.

Er legte beide Arme um ihre Schultern und zog sie so nah an sich heran, dass sie seinen Atem auf ihrem Gesicht spüren konnte. »Mach dir um mich keine Sorgen, Mimi. Als Sanitäter werde ich hoffentlich vielen unserer Männer helfen können. Aber ich selbst komme wahrscheinlich kaum in Gefahr. Die paar Wochen kriegen wir schon rum! Wir werden wieder zu Hause sein, noch ehe das Laub von den Bäumen fällt, hat der Kaiser gesagt. Und wenn ich zurück bin, bekommen wir unsere Kalender schon noch rechtzeitig vor Weihnachten zu den Kunden.«

Wenn dem so war, warum hatte sie dann so ein dumpfes, beklemmendes Gefühl im Brustkorb?, fragte sich Mimi.

Und gleich darauf war sie allein.

*

»Jetzt sind die ganzen jungen Männer aus dem Dorf fort«, sagte Wolfram, während er im Türrahmen der Käserei stand, die Corinne bald nach ihrer Ankunft im letzten Herbst auf dem Hof eingerichtet hatte. Es war nur ein kleiner Raum, mit einem kleinen Fenster, durch das wenig Licht fiel. Dadurch und dank der dicken Mauern war es kühl genug für die Herstellung von Käse. »Gut, dass die Alten so hilfsbereit einspringen, sonst wären wir verloren! Und in den Herbstferien können die Söhne unserer Hirten ebenfalls helfen. Ich bin wirklich froh, dass es Bernadette gelungen ist, die Leute zur Mithilfe zu bewegen.«

Corinne, die gerade dabei war, frischen Ziegenkäse herzustellen, schaute von ihrer Werkbank auf. »Wir werden gut auf die alten Herren aufpassen müssen. Nicht dass uns einer in dieser sengenden Hitze umfällt. Du kennst doch eure Weidegebiete wie deine Westentasche, am besten teilen wir die alten Hirten dort ein, wo es Schatten gibt. Mir hingegen macht die Hitze auf dem offenen Feld nichts aus, ich bin aus Südfrankreich noch ganz andere Temperaturen gewohnt, und an deiner Seite spüre ich eh weder Wind noch Wetter. Ach, ich bin so froh, dass du nicht in diesen Krieg ziehen musst!«, sagte sie aus tiefstem Herzen und presste die Ziegenkäsemasse, die sie in ein Mulltuch gegeben hatte, fest zusammen, damit die letzten Molkereste abfließen konnten. Am Vorabend hatte sie frischen Thymian gesammelt – dass er auf der Schwäbischen Alb ebenfalls wuchs, war ihr eine große Freude –, damit würde sie den Käse als Nächstes würzen.

Corinne war so in ihre Arbeit vertieft, dass es einen Moment dauerte, bis sie merkte, dass Wolfram sie unverwandt anschaute.

»Was ist?«, sagte sie stirnrunzelnd.

Er holte tief Luft, als wollte er sich für das, was er zu sagen hatte, stärken. »Ich habe mich freiwillig gemeldet. Ich möchte unser Vaterland gegen den Feind verteidigen.«

»Du hast… was?« Corinne wurde es so schwindlig, dass sie sich an der Werkbank festhalten musste. Sie hatten sich doch gerade erst kennengelernt... Und jetzt sollten sie sich schon wieder trennen? »Wolfram! Gegen welchen Feind willst du kämpfen? Gegen meine Freunde Raffa und Ebru? Gegen den Marquis, bei dem du deine wertvollen Merino-d'Arles-Schafe gekauft hast? Dieses ganze Gerede von Krieg und Feinden ist doch verrückt!«

Er schüttelte dumpf den Kopf. »Wir Kriegsfreiwilligen kommen an die Ostfront, wir kämpfen gegen Russland, und das ist auch richtig so! Sollen wir etwa das Land, das mich und meine Vorfahren über Jahrhunderte hinweg so gut versorgt und genährt hat, den Russen überlassen?« Er machte einen Wink hinaus in Richtung der sanften Hügellandschaft. »Bitte versteh doch, ich kann einfach nicht anders«, sagte er gequält, als von Corinne nichts kam. »Schau den Anton Schaufler an – auch er hat sich freiwillig gemeldet, dies ist einfach unsere männliche Pflicht. Ich bin beim Landsturm, unser Bataillon fährt übermorgen gen Osten.«

»Aber... wie soll das alles gehen?«, fragte Corinne verzweifelt. Unwillkürlich legte sie eine Hand auf ihren Bauch.

»Ich weiß, dass ich viel von dir erwarte, Corinne, aber würdest du einen Feigling an deiner Seite haben wollen? Meine Eltern sind ja auch noch da. Vater weiß Bescheid, mit Bernadette habe ich auch schon gesprochen – gemeinsam werdet ihr den Betrieb weiterführen. Und spätestens bis zum Winter bin ich ja wieder da. Dann ziehen du und ich ins Rheinhessische auf die Winterweide!«

Und wenn nicht?, dachte sie und spürte, wie sich in

ihrer Magengegend ein riesiger Klumpen Angst bildete. Alle hatte er vor ihr informiert …

»Corinne, da wäre noch etwas.«

Gegen Tränen ankämpfend, schaute sie zu, wie Wolfram umständlich ein kleines viereckiges Päckchen aus seiner Hosentasche nestelte. Er öffnete es, nahm einen Ring heraus und ging vor ihr auf die Knie. »Ich hätte das gern alles schöner und romantischer gestaltet, aber – willst du mich heiraten? Gleich morgen? Wenn ich zurückkomme, möchte ich, dass meine Ehefrau auf mich wartet.«

Und dein Kind, dachte Corinne dumpf. Sie hatte seit Anfang Juli keine Blutung mehr gehabt. Würde er bleiben, wenn sie ihm sagte, dass er wahrscheinlich Vater wurde? Die Versuchung, es ihm zu erzählen, war groß. Doch sie schwieg. Was hatte er gesagt? »Ein Mann muss tun, was ein Mann tun muss.« Noch immer schrillten die pathetischen Worte in ihren Ohren.

Natürlich sagte sie Ja. Ihre Hand zitterte, als Wolfram ihr den schmalen Silberring überstreifte. Sie weinten und lachten beide – so hatten sie sich das wahrlich nicht vorgestellt! In Ulm gäbe es extra eine Stelle für Nottrauungen – so nannte man diese Hochzeiten wohl –, dort würde man ohne große Formalitäten mithilfe einer Aufgebotsbefreiung vor einem Standesbeamten getraut, erklärte Wolfram ihr. Und dass sie am nächsten Tag vormittags um elf dran wären.

Corinne trotzte sich ein tapferes Lächeln ab.

Es war eine kleine Gruppe, die nach Ulm fuhr: Wolframs Eltern, ein alter Hirte, der Wolframs Trauzeuge war, Mimi – sie war Corinnes Trauzeugin und sollte alles fotografisch festhalten – und das Hochzeitspaar selbst. Zur Verwunderung aller trug Wolfram seinen Hirtenstab bei sich.

Corinne war noch nie eine Frau gewesen, die von einer romantischen Hochzeit geträumt hatte. Eigentlich hatte sie, bevor sie Wolfram kennenlernte, gar nicht ans Heiraten gedacht, und wenn, dann nur äußerst oberflächlich. Einmal, daran erinnerte sie sich noch, hatte sie zu ihrer Freundin Marguerite gesagt: »Wenn ich mal heirate, möchte ich keine Rosen, sondern ein Sträußchen wilder Kräuter tragen!« Weitere Gedanken hatte sie sich zu dem Thema nicht gemacht. Dass es jedoch so traurig werden würde, hätte sie sich in den wildesten Träumen nicht ausmalen können.

Es war ein weiterer herrlicher Augusttag. Die Sonne schien, der Himmel war veilchenblau, eine leichte Brise wehte und erzählte davon, dass der Sommer nicht mehr ewig dauern würde. Kurz gesagt – es war der perfekte Tag, um ihn mit einer Herde Schafe umhüllt vom Duft des wilden Oregano auf der Albhochfläche zu verbringen, sich ein Butterbrot mit den Hütehunden zu teilen und dankbar zu sein für das, was der liebe Gott einem schenkte.

Stattdessen standen Corinne und Wolfram mit ihren Trauzeugen in einem tristen Amtsgebäudeflur, in einer langen Schlange weiterer Brautpaare. Alle Männer trugen Uniformen, die Frauen hatten sich, der Eile des Moments geschuldet, so gut es ging, herausgeputzt. Hatten sich Blumensträußchen ans Revers geheftet, trugen geliehene Hüte oder eine neue Schleife im Haar.

Corinne hatte das Kleid angezogen, das sie sich kurz vor ihrer Ankunft im Schwäbischen auf einem Krämermarkt gekauft hatte, und hielt einen Strauß Kräuter in der Hand – so wie sie es sich einst vorgestellt hatte. Um ihre Schultern lag eins der hauchdünnen bunten Wolltücher, die ihre Mutter so kunstvoll gewebt hatte.

Maman, so bist du wenigstens ein bisschen bei mir, dachte sie traurig, während sie die dünne, abgestandene Luft im Flur vor dem Zimmer des Standesbeamten einatmete. Vorfreude mischte sich in dieser Luft mit düsteren Vorahnungen zu einer unseligen Mixtur, und Corinne wusste, dass diese wie ein schlechtes Parfüm für immer im Gewebe ihrer Wollstola haften bleiben würde.

Unsicher suchte sie den Blick ihres Bräutigams, doch Wolfram schaute, auf seinen Hirtenstab gelehnt, angespannt nach vorn, um ja nicht den Moment zu verpassen, in dem sie ins Trauzimmer gerufen wurden. Corinnes Blick schweifte weiter und verfing sich in dem von Mimi, die ihr aufmunternd zulächelte.

Die Rede des Standesbeamten war nüchtern und kurz und zog an Corinne vorbei wie Morgennebel. Keine zehn Minuten später standen sie wieder vor dem Amtsgebäude.

»Herzlichen Glückwunsch!« Mimi, deren Kamera im Trauzimmer mehrmals »klick« gemacht hatte, drückte Corinne eng an sich.

Auch Wolframs Eltern und sein Trauzeuge gratulierten.

Es blieb keine Zeit für ein Essen oder auch nur ein

Glas Sekt zur Feier des Tages – Wolframs Regiment musste sich am Ulmer Bahnhof einfinden. Und so hasteten sie dorthin – das Brautpaar Hand in Hand, sich so nah und sich doch gleichzeitig in Gedanken entfernend, die Trauzeugen in geziemendem Abstand hinterher.

Und dann war er gekommen, der Moment des Abschieds. Sie sprachen nicht viel, schauten sich nur in die Augen.

»Pass auf dich auf«, sagte Corinne schließlich tränenerstickt. »Ich brauche dich.« *Wir* brauchen dich, korrigierte sie sich in Gedanken.

Wolfram reichte ihr seinen Hirtenstab. »Mein Hochzeitsgeschenk. Möge er dich stützen und immer an mich erinnern.«

Deshalb hatte er ihn mit hierhergeschleppt, dachte Corinne. Der Stab war bei der täglichen Arbeit mit den Schafen unentbehrlich. Er war der verlängerte Arm eines Hirten, er war das Greifwerkzeug, mit dem man ein Schaf zu sich herzog, er war die Stütze, auf die man sich in den vielen Stunden des Hütens lehnte.

Einen Moment lang zögerte Corinne. Diesen Hirtenstab hatte Wolfram als junger Bursche von seinem Vater bekommen, der ihn an vielen langen Winterabenden kunstvoll mit Schnitzereien verziert hatte. Der Stab war wie ein Teil von ihm, er war das Kostbarste, was er besaß. Behalte ihn! Ich will ihn nicht, ich will dich!, wollte sie ihrem Mann zurufen. Doch sie sah seinen fragenden Blick und nahm mit zitternder Hand Wolframs Hirtenstab entgegen. Das Gefühl, dass er vielleicht alles war, was sie von ihrem Mann übrig behielt, ließ sich für den Rest des Tages nicht mehr abschütteln.

11. Kapitel

Stuttgart, Pforzheim, Karlsruhe. Die nächsten Tage verbrachte Anton vor allem in Zügen und auf Bahnsteigen, zusammen mit Tausenden anderer Soldaten.

Die Männer waren unterschiedlich gestimmt: Einige schienen die Gegebenheiten still zu erdulden, andere gaben sich freudig und kampflustig, wieder andere waren von Heimweh geplagt und wehleidig. Doch die allermeisten schienen sich auf ein großes Abenteuer zu freuen. Einmal weg von zu Hause. Weg vom öden Alltag! Dazu eine fesche Uniform und die Bewunderung der Leute ... Und etwas Gutes zu essen gab es bestimmt auch für die Soldaten.

Es war eng, es war laut, und es war unsäglich heiß. Anton hatte das Gefühl, dass seine Uniform, nachdem er sie einmal durchgeschwitzt hatte, gar nicht mehr trocknete.

Immer wieder musste seine Kompanie an einem Bahnhof aussteigen, die Bahnsteige wechseln, einen anderen Zug nehmen. Anderen Truppen, Kompanien und Bataillons schien es ähnlich zu ergehen, denn manchmal sah Anton auf der Strecke Gesichter, die er zuvor schon gesehen hatte. Auf dem Bahnhof in Pforzheim traf Anton sogar alte Bekannte wieder – Matthias Braunschweig, Jakob Stempfle und Karli Badstubner. Alle drei waren mit ihm vor eineinhalb Jahren zur Musterung in Ulm gewesen. Im Anschluss an die Musterung hatten sie dann zu viert eine Nacht durchzecht. Während er, Anton, seine Enttäuschung über die Ausmusterung mit Bier und Schnaps zu betäuben versucht hatte, hatten Matthias, Jakob und Karli den Beginn ihres Wehrdienstes gefeiert. Gutmütig hatte Anton die Hänseleien der drei ertragen, die nicht bösartig gemeint waren, sondern eher mitleidig. Denn während sie sich bald stolze Soldaten des Pionier-Bataillon Nr. 14 hatten nennen dürfen, musste Anton in die elterliche Gaststätte heimkehren.

Dass er nun dennoch am Krieg teilnahm, brachte ihm einen anerkennenden Blick der drei Soldaten ein. Als sich dann auch noch herausstellte, dass er als Sanitäter ausgerechnet ihrem Pionier-Bataillon zugeteilt worden war, war die Freude noch größer. Sie vier würden fortan zusammenhalten wie Pech und Schwefel, schworen sie sich. Der Zusammenhalt tat gut und verlieh Sicherheit inmitten der ganzen Hektik, in der man kaum den Überblick behalten konnte. Als sie einmal sogar einen halben Tag lang zurück Richtung Heimat fuhren, hoffte Anton gar, dass der Krieg womöglich in letzter Minute abgeblasen worden war. Doch der nächste Zug brachte sie wieder in Richtung Feindesland, und der winzige Hoffnungsschimmer erlosch. Anton, der die Gegend von seinen Handelsreisen kannte, schätzte, dass sie in all den Tagen höchstens dreihundert Kilometer zurücklegten. Einerseits fand er es tröstlich zu wissen, dass er gar nicht so weit von zu Hause weg war, andererseits beschlich ihn ob dieser Tatsache gleich in mehrerlei Hinsicht ein ungutes Gefühl. Wenn dort, wo sie waren, Krieg herrschte, dann war er auch nicht weit von Münsingen und Mimi entfernt! Und wenn die Armee schon eine kleine Ewigkeit für diese Strecke, die er in Friedenszeiten bei guter Planung an einem oder höchstens zwei Tagen zurücklegte, benötigte – was sagte das über die Organisation des Ganzen aus? Doch er behielt seine Gedanken für sich, es gab schon genug wilde Spekulationen, die Tag für Tag wie Pilze in feuchtem Klima emporschossen.

An einem kleinen Bahnhof zwischen Karlsruhe und Saarbrücken endete die Zugfahrt. Die Soldaten wurden angewiesen, ihre Marschausrüstung zu schultern, und los ging es. Endlich erfuhren sie, wo das Pionier-Bataillon Nr. 14, das in zwei Feld-Bataillone zu je drei Kompanien und einen Scheinwerfer-Zug aufgeteilt worden war, hinsollte – es war das Aufmarschgebiet der 5. Armee in Lothringen. Nach den langen, unbequemen Tagen im Zug war das Marschieren für Anton eine willkommene Abwechslung, auch wenn jedes Dorf wie das andere aussah. Die Leute, die sie trafen, winkten ihnen freundlich zu, und auch das Quartiermachen am Abend war kein Problem – alle wussten, dass die Soldaten noch vor Tagesanbruch weiterziehen würden. Im Lothringischen bekam Anton von einer alten Bäuerin, die am Straßenrand Hasenfutter schnitt, einen Apfel geschenkt, eine andere Frau gab ihm sogar einen halben Laib Brot und eine Wurst.

Die Stimmung änderte sich – und zwar nicht nur bei der Bevölkerung, sondern auch bei ihnen selbst –, als sie deutschen Boden verließen, unter Einsatz von Waffengewalt einen kleineren gesicherten Grenzposten überrannten und nach Frankreich einmarschierten.

Nun waren sie im Feindesgebiet. Nun konnte sie jederzeit eine feindlich gesinnte Kugel treffen, hier konnten sie geschlossen in einen Hinterhalt geraten und sterben. Die Waffen geschultert, marschierten sie weiter, misstrauische Blicke in jedes Fenster werfend, dessen Gardine sich vermeintlich bewegte. Feindesland?, fragte sich Anton und fand die Situation mehr als surreal. Er kannte die Leute doch gar nicht! Vor ein paar Wochen noch hätte man von »lothringischen Nachbarn« gesprochen – nun auf einmal waren sie Feinde?

»Kannst aufhören, es wird zum Abmarsch geblasen«, ertönte Jakob Stempfles Stimme hinter Anton.

»Abmarsch? Wohin?«, fragte Anton und klappte seinen Spaten, mit dem er seit dem frühen Morgen zugange war, zusammen. Noch gab es für Sanitätskräfte wenig bis gar nichts zu tun, und so machte sich Anton auf andere Art nützlich. Wobei er den Nutzen seiner Tätigkeiten immer mehr infrage stellte …

Seit Tagen waren die Pioniere nun damit beschäftigt, marode französische Straßen zu befestigen und Pontonbrücken über die Mosel zu bauen, damit die nachstoßenden Truppen des deutschen Heeres perfekte Bedingungen vorfanden. Irgendwelche kriegerischen Handlungen hatten sie noch nicht erlebt, aufgehalten wurden sie auf ihrem Weg bisher auch nicht. Lediglich in einer Nacht hatten sie in weiter Entfernung seltsame Blitze gesehen, begleitet von Kanonendröhnen. Vielleicht wurde alles gar nicht so schlimm?

»Man munkelt, dass die Kavallerie und Artillerie nun doch Belgien durchquert und in Richtung Nordfrankreich marschiert, um Paris in einem großen Bogen zu erobern.«

»Scheinbar haben die Generäle in den Schaltzentralen festgestellt, dass es unmöglich ist, von hier aus in Richtung Paris zu marschieren. Dies wäre zwar der direkte Weg, aber die Franzosen haben ihre Grenzen viel zu gut gesichert«, sagte Jakob, während sie, schweißnass von der harten körperlichen Arbeit, zum Lager marschierten.

Anton lachte leise auf. »Und wofür haben wir dann die Brücken gebaut? Wofür haben wir im Schweiße unseres Angesichts tagelang brüchige Wegränder mit riesigen Wackersteinen befestigt, wenn das Heer nun doch einen ganz anderen Weg einschlägt?«

»Ich schätze mal, dass irgendein nach uns kommendes Bataillon die Pontonbrücken wieder abbauen wird, sie werden ja nun doch nicht benötigt.« Jakob Stempfle legte Anton kameradschaftlich einen Arm um die Schulter. »Sieh es positiv – wenn hier keine Panzer über die Brücken fahren, sterben auch keine Menschen!«

Die beiden Männer lachten.

»... haben wir heute die Nachricht erhalten, dass vorgestern das Unfassbare geschehen ist – die belgische Armee hat sich uns in den Weg gestellt. Mehr noch, sie hat zwanzig unserer Pioniere in einen Hinterhalt gelockt und in einem feigen Akt ermordet.« Leutnant Richard Albrecht schaute mit düsterem Blick von seinem Pferd herab auf die abmarschbereite Truppe.

Gemurmel ertönte, Unruhe machte sich breit. Anton hob die Brauen. Die kleine belgische Armee wagte es, sich gegen die Deutschen zu stellen? Belgien war doch neutral, oder nicht? Sie, die Deutschen, befanden sich doch nur im Krieg mit Frankreich! Und warum waren ausgerechnet Pioniere getötet worden? Hieß es nicht, die Pioniere hielten sich immer im Hintergrund?

»Natürlich werden wir diesen Vorfall mit äußerster Härte vergelten. Damit ihr wisst, was auf dem Durchmarsch durch Belgien auf euch zukommt, kläre ich euch über das Wesen des Belgiers auf. Hört gut zu, Männer: Der Belgier an sich ist ein heimtückischer, niederträchtiger Mensch, es gilt also, höchst wachsam zu sein, auch wenn ihr der scheinbar harmlosen Zivilbevölkerung begegnet! Ganz gleich, ob ein Bauer am Straßenrand seine Waren feilbietet oder Weibsbilder euch mit kleinen Geschenken locken wollen – in jedem steckt ein potenzieller Meuchelmörder, hinter jeder harmlosen Szene kann sich ein Hinterhalt verbergen! Die Parole für *alle* Einheiten auf dem Vorstoß lautet deshalb: Kein Pardon auf unserem Durchmarsch durch Belgien! Ob Dorf oder Stadt – wer sich uns in den Weg stellt und widersetzt, wird abgeknallt wie ein Feldhase! Wer sich weigert, von uns konfiszierte Lebensmittel herauszugeben, dessen Hof wird abgefackelt. Habt ihr mich verstanden, Männer? Wie Maulwürfe werden wir uns unseren Weg bahnen und noch das kleinste störende Element dabei aus dem Weg schaffen!«

Ein vielstimmiges Ja ertönte.

Anton und Jakob tauschten einen beklommenen Blick. »Das kann ja heiter werden«, murmelte Anton. Wenn der Leutnant recht hatte, würde zum ersten Mal Arbeit auf das Sanitätspersonal, die Ärzte und die Krankenträger zukommen …

Scheinbar war Leutnant Richard Albrecht nicht der Einzige, der vor dem Durchmarsch durch Belgien vor seinen Männern eine Blut- und Schweißrede hielt.

Denn als Antons Feld-Pionierkompanie belgischen Boden erreichte, hatten vor ihnen durchziehende Dragonerregimente, Kavalleriekorps und andere Heerestruppen bereits verbrannte Erde hinterlassen.

Wann immer sie in die Nähe eines Dorfes kamen, roch Anton die Rauchschwaden, noch bevor er die schrecklichen Geschehnisse zu Gesicht bekam. Und es war eine seltsame Mixtur, die ihm unangenehm in der Nase kitzelte. Da war der Geruch nach verbrannten Holzbalken, nach brennendem Benzin, aber auch der ekelerregend süßliche Geruch von verbrannten Tierkadavern. Dass der Geruch von verbranntem Fleisch auch anderen Ursprungs sein konnte, daran wollte Anton nicht denken.

Brücken waren weggesprengt worden, Autos und Pferdefuhrwerke in Brand gesetzt, Mauern wurden mit bloßen Händen niedergerissen, Häuser geplündert, Einwohner, die nicht geflüchtet waren oder deren Versteck nicht gut genug war, mitten auf der Straße erschossen.

Leichen lagen am Wegesrand, Männer – waffenlos und mit weit aufgerissenen Augen. Frauen mit hochgerutschten Röcken, die Hände flehend nach vorn gestreckt. Auch ein paar tote Kinder sah Anton, ein kleines Mädchen hielt noch seine Puppe im Arm. Hunde saßen zwischen den Toten und heulten wie Wölfe. Am liebsten hätte Anton sich die Ohren zugehalten, so schauerlich war das Geräusch. In den Ställen schrien ungemolkene Kühe, deren Euter zum Bersten mit Milch voll waren.

Mit jedem Dorf, das sie durchquerten, wurde Antons Schritt schwerer, sein Blick stumpfer, bis er schließlich alles nur noch wie durch einen zähen Nebel wahrnahm. Das hilflose Geschrei aufgescheuchter Dorfbewohner, die um ihr Leben bettelten. Das rohe Lachen mordlüsterner Soldaten. Die Gewehrsalven, aus Spaß abgefeuert auf Straßenschilder, umherirrende Haustiere, Menschen.

Belgien war neutral. Belgien war nicht am Krieg beteiligt. Aber wenn das hier noch nicht einmal »Krieg« war, wie sah dieser dann erst aus?, ging es Anton immer wieder durch den Sinn.

Ein grober Stoß in den Rücken riss ihn kurzfristig aus seinem Nebel. »Dahinten, die Lämmer! Komm, lass uns ein paar holen und schlachten. Das wird ein Festessen heute Abend!«, rief Karli Badstubner, sein Bajonett schon gezückt. Und Anton sah in seinen Augen dieselbe Blutlust, die für das Desaster um ihn herum verantwortlich war.

12. Kapitel

Stuttgart, September 1914

»Liebe Schüler, verehrte Eltern und Angehörige, sehr verehrte Förderer, liebe Kollegen…« Schuldirektor Hahnemann ließ wohlwollend seinen Blick durch den Festsaal der Stuttgarter Kunstschule schweifen. »Wir alle feiern heute einen besonderen Tag. Einen Tag, auf den wir gemeinsam drei Jahre lang hingearbeitet haben. Einen Tag, der Ihnen allen…« – er nickte in Richtung der versammelten Schülerschar – »als Türöffner in die Welt dienen soll.«

Die Frage war nur, in welche Welt?, dachte Mylo, der neben dem Schuldirektor und seinen Lehrerkollegen auf der rechten Seite der Bühne saß. Die Welt, wie sie sie bis Anfang August noch gekannt hatten, war unwiderruflich verloren. Von dem, was kommen würde, hatte Mylo bisher nur eine vage Ahnung. Umso aufmerksamer hörte er dieser Tage zu, umso genauer schaute er hin, umso sorgfältiger versuchte er, zwischen den Zeilen zu lesen. Zugute kam ihm dabei, dass er zu den wenigen zählte, die nicht dem Kriegsrausch verfallen waren.

Was sich seiner Einschätzung nach auch nicht ändern würde, da konnten die Zeitungen noch so schwülstig über die ersten glorreich errungenen Siege der Armee schreiben.

Unwillkürlich warf er einen Blick hinüber zu den Schulabsolventen auf der linken Seite der Bühne. Wie stolz und aufgeregt sein Schützling aussah! Und wie schön! Paon verfügte über eine Aura, die jeden anderen Mann auf der Bühne überstrahlte. Eine warme Woge des Glücks überflutete Mylo, wie immer, wenn er in der Nähe seines Zöglings war oder auch nur an ihn dachte. Er hatte schon öfter in seinem Leben Glück gehabt, doch das Allergrößte, das ihm beschieden war, saß in der zweiten Reihe ganz links außen. Und niemand, kein Krieg und kein Kaiser, würde ihm dies wegnehmen! Mylo presste die Lippen so fest aufeinander, dass es wehtat.

»In den letzten drei Jahren habt ihr, liebe Schüler, nicht nur eine künstlerische Entwicklung durchgemacht, nein, ihr seid auch zu erwachsenen Männern herangereift – auch wenn man bei so manchem glaubte, dies würde niemals geschehen.« Wilhelm Hahnemann warf Maximilian von Auerwald und seiner Clique einen gutmütig-ironischen Blick zu, das Publikum und die Schüler lachten pflichtschuldig.

Die sogenannten *Wölfe*! Kunstspinner ohne Plan und Ziel, dachte Mylo verächtlich. Keiner von ihnen würde ohne den schützenden Rahmen der Kunstschule auch nur ein Jahr auf dem hart umkämpften Kunstmarkt bestehen oder sich gar einen Namen machen, so wie Paon es dank seiner Anleitung und harter Arbeit an sich selbst längst geschafft hatte.

»Statt Pinsel und Farbpaletten erwartet euch nun jedoch eine ganz andere Welt – die des Kriegs, der Tapferkeit, der Waffen. Und ich bin mir sicher, dass ihr diese Herausforderung genauso ehrenhaft meistern werdet wie die Ausbildung hier an unserer Schule.«

Unruhe erfasste die Schulabgänger, der eine schlug die Beine übereinander, der nächste rutschte auf seinem Stuhl nach vorn, als könnte er den Gang zur Waffe nicht erwarten, der übernächste bekam einen roten Kopf. Die meisten hatten ihre Musterung hinter sich oder sogar schon ihren Gestellungsbefehl bekommen. Auch Paons Augen leuchteten – seine Musterung stand morgen an. Wehrtauglich war man mit der Vollendung des siebzehnten Lebensjahrs, Paon wurde in drei Monaten neunzehn.

Ihr jungen Idioten!, dachte Mylo, während die Sekretärin des Schuldirektors auf dessen Wink hin das Tablett mit den Abschlussurkunden auf die Bühne brachte. Und der größte Narr war sein Zögling, der sich trotz seines nach einem Unfall im Jugendalter lädierten Beins Hoffnungen machte, als Soldat genommen zu werden. Aber wie hatte schon Shakespeare einmal gesagt? »Die Hoffnung ist wie ein Jagdhund ohne Spur.« Er, Mylo, würde definitiv dafür sorgen, dass Paons Hoffnung ins Leere lief…

Eine halbe Stunde später war der offizielle Festakt samt Urkundenüberreichung und Händeschütteln zu Ende, und man machte sich auf den Weg in das Stuttgarter Café, wo die eigentliche Feier stattfinden sollte.

*

»Habt ihr gehört – Oskar Kokoschka hat eins seiner Bilder verkauft, damit er sich ein Pferd kaufen kann. Es heißt, er will in einem der vornehmsten Reiterregimente in den Krieg ziehen!«

Wie gebannt hingen Paon und die anderen Schulabgänger an den Lippen ihres Klassenkameraden Maximilian von Auerwald, dessen Familie, was den Krieg anging, immer ein bisschen besser informiert zu sein schien als alle anderen. Sogar bis in die berühmtesten österreichischen Künstlerkreise reichten deren Kontakte wohl, dachte Paon bewundernd.

»Ich möchte zur Infanterie, da gibt's gar kein Vertun!«, rief Erich Liebermann. »Nur im Nahkampf – Mann gegen Mann – kann ein deutscher Soldat seine wahrhaftige Größe zeigen. Schaut euch doch um!« Er machte eine verächtlich wirkende Handbewegung quer durch das Café, in dem sie feierten. »Wir alle sind satt vom Frieden! Das größte Problem, das uns heute Abend umtreibt, ist die Frage, was wir trinken werden, wenn der Champagner ausgeht.«

Die umstehenden Schulabgänger und auch ein paar Eltern, die sich zu den Jungen gesellt hatten, lachten zustimmend. Paon lachte am lautesten. War das nicht schon lange seine Rede? Die ganze Petitesse der bürgerlichen Salons, die Verzückung angesichts künstlich arrangierter Gemälde – ach, wie hatte er all das satt!

»Der Krieg wird uns wieder ins Bewusstsein bringen, was uns Deutsche wirklich ausmacht – Ruhm, Ehre, Vaterlandsliebe! Die Frage, ob man nun Weiß- oder Schwarzbrot zum Lachs reichen lässt, ist nun wirklich nicht wichtig.«

»Wie feinsinnig beobachtet!«

»Wahre Worte!«

»Hört, hört!«

Paon ergriff sein Sektglas, um mit allen anderen auf die Weisheit seines Schulkameraden – und auf die Größe des deutschen Mannes – anzustoßen.

»Paon, wie sieht es eigentlich mit dir aus?«, fragte Maximilian von Auerwald.

Schlagartig wurde der Geräuschpegel in ihrer Ecke des Raumes geringer. Wann immer Paon, das hochgepriesene Talent, etwas zu sagen hatte, hörte man besser genauer hin.

»Ich kann es ebenfalls kaum erwarten, an die Front zu kommen«, antwortete Paon mit glänzenden Augen. »Morgen ist meine Musterung. Da ich mit meinen knapp neunzehn Jahren noch kein Soldat sein kann, erwartet mich leider erst die Rekrutenzeit«, sagte er bedauernd und ein wenig schamvoll. Wie gern wäre auch er hier und jetzt in den Krieg gezogen! Hoffentlich musste er zu seiner Ausbildung nicht ausgerechnet auf die Schwäbische Alb, womöglich nach Münsingen, wo Anton sich einst niedergelassen hatte. Ob sich der Freund auch schon im Krieg befand? Und hoffentlich war nicht schon alles zu Ende, bis er an der Reihe war.

»Dann wirst du wohl für die nächste Zeit auf deinen Schützling verzichten müssen«, sagte der künstlerische Hauptlehrer der Schule, Gottlob Steinbeiß, zu Mylo, und es schwang ein Hauch von Häme in seinen Worten mit. Dass ausgerechnet der eh schon so erfolgreiche Stararchitekt als Entdecker von Paon galt, schmeckte nicht jedem.

»Ich bin mir sicher, dass Paon jede Schlacht genauso erfolgreich schlagen wird wie die an seiner Staffel«, erwiderte Mylo gelassen.

Paon strahlte. Mylo war nicht nur sein Mäzen und bester Freund, sondern er stand immer und in jeder Situation hinter ihm.

*

»Endlich den Krieg selbst erleben – das wird mir auch als Künstler ganz neue Impulse geben«, sagte Paon aufgekratzt, als Mylo und er am Marienplatz auf die Zahnradbahn warteten, die sie entlang der Alten Weinsteige hinauf zu Mylos Haus bringen würde.

Mylo nickte. »Extremerfahrungen sorgen immer für neue Inspirationen. Allerdings sollte man sie überleben. Ich kann immer noch nicht glauben, dass es August Macke erwischt hat! Der Krieg ist kein Kinderspiel, Paon.«

Es war eine milde Septembernacht, die Straßen waren voller Spaziergänger, Leute, die ihren Hund ausführten, und Nachtschwärmer. Durch die teilweise noch geöffneten Fenster der Stuttgarter Bürgervillen war der Schein vieler Kerzen zu sehen, Gläser erklangen, hie und da das perlende Lachen einer Frau. In so manchem dieser Häuser hing ein Bild seines Schützlings, dachte Mylo zufrieden. Kleine feine Stadtansichten mit vielen Blumen, einem kräftig blauen Sommerhimmel und seinem Markenzeichen – dem Pfau. Und an jedem Bild hatte er, Mylo, kräftig mitverdient. Es war zwar nicht so, dass er diese Provisionen nötig hatte – noch verdiente er als gefeierter Architekt genug. Aber von der Arbeit anderer zu profitieren machte ihm auf seltsame Weise ein ganz besonderes Vergnügen. Ein Vergnügen vor allem, auf das er auch zukünftig nicht verzichten wollte.

»Ich habe keine Ahnung, was der liebe August Macke angestellt hat, um in den ersten Kriegswochen zu fallen. Und ich habe vor allem auch nicht vor, es ihm gleichzutun. Keine Sorge, ich passe schon auf«, sagte Paon grinsend und legte eine Hand auf Mylos linken Arm. »Jetzt ist sowieso erst mal das Wichtigste, dass sie mich nehmen!« Noch während er sprach, verzog sich seine Miene zu einer sorgenvollen Grimasse.

»Machst du dir Sorgen wegen deines Beins? Davon brauchst du doch niemandem etwas zu sagen.« Mylo hob fragend die Brauen.

»Dass ich da einst eine schwere Verletzung hatte, sehen die Ärzte doch an der Narbe! Außerdem, bei starker Belastung … Du weißt – es gibt immer wieder Tage, an denen mir das Bein Sorge macht.«

Eine bessere Steilvorlage für seinen Plan hätte Paon ihm nicht liefern können, frohlockte Mylo. »Jetzt sei bloß keine alte Unke! Dein Bein ist so gut wie jedes andere«, sagte er leichtherzig. »Ich habe eine Idee. Es ist so ein herrlicher Abend – wäre es da nicht eine Schande, sich jetzt in die Zahnradbahn zu setzen? Lass uns nach Hause laufen. Dabei kannst du selbst feststellen, wie gut deine Ausdauer ist. Glaube mir, diese Erfahrung wird dir für morgen enormen Auftrieb geben!«

»Wir sollen die ganze steile Weinsteige hinaufgehen? Bis zu deiner Villa sind es sicher drei oder vier Kilometer!« Paon warf der gerade einfahrenden Zahnradbahn einen sehnsüchtigen Blick zu. »Andererseits hast du recht – ein strammer Marsch als Einstimmung auf das, was mich im Krieg erwartet, ist wahrscheinlich genau das Richtige.«

Mylo grinste kameradschaftlich. »Dann mal los!«

Knapp zwei Stunden und etliche Umwege später, von denen er, Mylo, behauptete, sie wären Abkürzungen, kamen sie zu Hause an.

»Das war die dümmste Idee, auf die man kommen konnte!«, sagte Paon ungewohnt barsch zu seinem Mentor. »Mein Bein pocht so heftig wie schon lange nicht mehr. Und es schmerzt, als hätte ich einen Marathonlauf hinter mir. Heiß fühlt es sich auch an.«

Sehr gut, dachte Mylo, sehr gut. Begütigend tätschelte er Paon die Hand. »Mir tun die Füße auch weh, das ist doch völlig normal. Aber um sicherzustellen, dass du morgen Erfolg hast, werde ich dir einen schönen heißen Wadenwickel machen. Der zieht dir die Hitze aus dem Bein. Geh du nur voraus ins Bett, ich komme gleich!«

Paon schaute seinen Mentor entgeistert an. »Einen heißen Wickel? Wenn schon, dann benötigt mein Bein etwas Kühlendes!«

»Hast du denn noch nie von der Hahnemann'schen Lehre gehört, die besagt ›Gleiches mit Gleichem zu heilen‹? Vertrau mir, mein Lieber, ich weiß, was gut für dich ist«, sagte Mylo streng. Die Hahnemann'sche Lehre hatte mit seinem Plan zwar gar nichts zu tun, aber etwas anderes fiel Mylo auf die Schnelle nicht ein. Wichtig war nur, dass sein Plan aufging. Was der lange

Fußmarsch nicht geschafft hatte, würde die Hitze im lädierten Bein mit Sicherheit schaffen!

Selten war Mylo ein Vormittag so lang vorgekommen wie der des nächsten Tages. Eigentlich hatte er vorgehabt, Paon zur Musterung zu begleiten. Doch sein Schützling hatte lieber allein gehen wollen. Die anderen Männer würden gewiss auch nicht ihre Eltern mitbringen, hatte er gemeint.

Und so tigerte Mylo durch die Räume seiner Villa, blickte aus dem Fenster hinab ins Tal, ging zur Tür, öffnete sie und schaute den Gartenweg entlang zur Straße. Er versuchte sich am Entwurf eines Pavillons für einen Rosengarten – es gab auch noch Leute mit solchen Sorgen –, doch schnell legte er sein Zeichenmaterial wieder zur Seite. Er konnte sich einfach nicht konzentrieren.

Ob sein Plan aufging?, fragte er sich, während er sich zur Beruhigung seiner Nerven einen Cognac einschenkte. Eigentlich hätte er diesen für andere Anlässe aufheben sollen, denn wer wusste schon, ob Cognac und französische Weine in der nächsten Zeit noch zu haben sein würden?

Und selbst wenn alles so kam, wie geplant – war es klug, Paon gleich heute seine Pläne für die Zukunft zu unterbreiten? Die Gefahr, dass sein Zögling sich überrumpelt fühlte, war da, das musste Mylo zugeben.

Gedankenverloren ließ er den Cognac im Glas kreisen. Vielleicht waren seine Gedanken zur Zukunft aber auch genau das, was Paon heute brauchte, was ihm Kraft und Zuversicht gab. Mylo seufzte. Es blieb ihm nichts anderes übrig, als die Dinge auf sich zukommen zu lassen und zu hoffen, dass er im entscheidenden Moment die richtigen Worte fand. Nur eins galt es unter allen Umständen zu vermeiden: dass Paon ausgerechnet jetzt in eine schöpferische Krise fiel oder dem Malen gar ganz abschwor. Paon war sensibel und neigte zum Grüblerischen. Doch genau das konnten sie nun, wo sich mit der Kriegslüsternheit der Menschen garantiert ein Haufen Geld verdienen ließ, wenn man es nur richtig anstellte, ganz und gar nicht brauchen.

Mylo war es gerade halbwegs gelungen, sich wieder in seinen Pavillon-Entwurf zu vertiefen, als die Haustür aufging und so fest zugeschlagen wurde, dass die Fenster im Salon klirrten.

Wunderbar!, dachte er und sprang auf.

»Ich wurde nicht genommen«, sagte Paon anstelle einer Begrüßung, und seine Miene war noch düsterer als zu den Zeiten, da er noch von seiner Familie in Laichingen gesprochen hatte.

»Das Bein?«, fragte Mylo mitfühlend. Ein Hoch auf den heißen Wickel, dachte er zugleich.

»Ja, das Bein.« Paon ließ sich auf dem erstbesten Stuhl fallen und starrte vor sich hin. »Aber anscheinend hat der Arzt auch etwas in meiner Lunge gehört, keine Ahnung! Jedenfalls befanden sie mich als nicht wehrtauglich.« Er schien mit den Tränen zu kämpfen.

Mylo stellte sich hinter den Stuhl und legte beide Hände auf Paons Schultern. »Das tut mir leid«, sagte er sanft. »Ich weiß, dass es dein größter Wunsch war, deinem Vaterland zu dienen.«

Paon fuhr herum. »Und nun? Ich kann doch nicht als Allereinziger zu Hause bleiben!«

Das lief ja besser als erwartet … »Ein guter Soldat zu sein ist sicher sehr hilfreich in diesem Krieg. Aber Paon, Liebster, glaube mir – es gibt noch mehr Wege, sich patriotisch zu verhalten. Du hast vollkommen recht, wenn du sagst, dass die Zeit der Pfauenbilder und romantischen Brückenansichten vorbei ist.« Er trat vor den Stuhl, machte eine große Geste in Richtung der weißen Wände, an denen Paons Bilder bei seiner ersten Ausstellung gehangen hatten. »Bald werden hier ganz andere Bilder von dir hängen. Im Geiste sehe ich dich schon großartige Kriegsszenen malen! Männer, den Sieg vor Augen, die Waffe auf den Gegner gerichtet. Pferde, bei denen jeder angespannte Muskel zu sehen ist. Große Schlachten, ausgearbeitet bis ins letzte Detail …«

Paon blinzelte, wischte sich mit der rechten Hand über die Augen, als hätte er Mühe, Mylos Vision zu folgen. »Ich soll Kriegsbilder malen?«

Mylo lächelte. »Wer, wenn nicht du? Du wirst den Menschen das Glorreiche des Krieges nahebringen. Du wirst ihnen mit deinen Gemälden Durchhaltevermögen schenken, du wirst ihnen den Sinn vom allem zeigen, den sie in so mancher Stunde der Sehnsucht vielleicht aus dem Blick verlieren.« Er ging in die Knie, nahm Paons Hände in die seinen, schaute ihm tief in die Augen. »Vielleicht ist das sogar deine wahrhafte Bestimmung? Ja, je länger ich darüber nachdenke, desto mehr glaube ich, dass es so ist. Paon, du wirst der tapferste und mutigste Soldat an der Staffelei sein!« Er lächelte.

Und sein Schützling hielt sich an seinen Worten fest wie ein Ertrinkender an einem Rettungsseil.

*

»Ich bin gekommen, um einige Dinge mit dir abzusprechen. Jetzt, wo Wolfram weg ist, müssen wir die Schäferei irgendwie allein stemmen«, sagte Bernadette zu Corinne, die gerade einem der riesigen Widder, die sie aus Frankreich mitgebracht hatte, die Hufe ausschnitt. Immer wieder schlug das Tier mit dem Kopf und gab schnaubende Geräusche von sich. Bettelte er sie etwa um Heu oder eine Möhre an? Was für ein dummes Tier – so etwas bekam höchstens ihr Pferd von ihr, dachte Bernadette.

Es war Anfang September, seit Tagen lag eine Gluthitze über dem Land. Corinne, deren Kleid am Rücken schweißgetränkt war, schaute aus der Hocke zu Bernadette herüber. »Ich werde mein Bestes geben, das habe ich Wolfram versprochen.«

Wahrscheinlich in einer letzten romantischen Liebesnacht, dachte Bernadette giftig. »Normalerweise würden Wolfram und einige der anderen Hirten in diesen Tagen mit den Schafen hinab ins Tal wandern, um der Spätsommerhitze und den mageren Weiden zu entgehen. Auf den Streuobstwiesen ist es schattig, und die Wiesen sind noch nicht so ausgedörrt wie hier oben. Wolfram meinte immer, das seien ideale Bedingungen. Ich befürchte jedoch, dass wir uns den Luxus dieses Jahr nicht leisten können. Unseren alten Aushilfshirten traue ich schlicht nicht zu, dass sie die Schafe sicher ins Tal und Wochen später wieder zurückbringen. Manch einer ist so schlecht zu Fuß ...« Erschrocken brach sie ab, als der Widder Corinne das Hinterbein, das sie gerade bearbeitete, so ruckartig aus der Hand riss, dass die Französin einen Meter nach hinten geschleudert wurde.

»Pass auf! Fast hätte er dich erwischt!«, sagte Bernadette vorwurfsvoll und erschrocken zugleich. Wenn Corinne jetzt auch noch ausfiel, dann gute Nacht!

Corinne gab dem Widder einen Klaps auf den Hintern. »Es ist sehr freundlich, dass Sie sich so um mich sorgen«, sagte sie spitz. »Aber die Gefahr, dass er mit dem Kopf nach Ihnen boxt, ist viel größer. Am besten treten Sie noch einen Schritt zurück. Wenn ein Widder einen anderen stößt, dann mit einer solchen Gewalt, dass die Erde bebt!«

Bernadette tat eilig, wie ihr geheißen. Hatte die Hirtin sie gerade mit einem Widder verglichen?, fragte sie sich.

»Wenn Sie es für richtig halten, könnte ich mit den Schafen hinab ins Tal gehen. Eine Herde von tausend Tieren könnte ich mit meinem Hund und den beiden von Wolfram wohl hüten, aber mehr nicht.« Corinne blies sich eine rote Haarsträhne aus dem Gesicht, dann nahm sie den Huf wieder auf.

Bernadette dachte kurz nach, während ihr der Geruch des ausgeschnittenen Horns scharf in die Nase stieg. Wenn Corinne mit einer Herde unterwegs wäre, würde die ganze Verantwortung in der Schäferei an ihr hängen bleiben. »Mir wäre lieber, wenn du hierbleibst«, sagte sie. »Zum einen weiß ich noch nicht, wie sehr mich das Bürgermeisteramt beanspruchen wird. Und zum anderen muss ich mich auch weiterhin um alles Schriftliche und den Vertrieb kümmern. Die Frage ist nur – kommt ihr Hirten und die Schafe in den nächsten heißen Wochen hier auf der Albhochfläche über die Runden?«

Corinne legte ihr Messer weg und nahm eine Feile auf. »Ja.«

Ein Stirnrunzeln lang wartete Bernadette auf Einwände, Widerworte, Diskussionen. Doch die Französin beließ es bei dem einen Wort.

»In Ordnung.« Bernadette lachte ein wenig ungläubig auf. Wenn sie ehrlich war, war sie an Einzelheiten, wo es noch gutes Weideland und Schatten gab, auch gar nicht interessiert. »Dann wäre das geklärt. Danke.« Sie hatte sich schon zum Gehen abgewandt, als sie sich noch mal umdrehte. »Da wäre noch etwas. Nur so ein Gedanke, der mir letzte Nacht gekommen ist. Wenn die Männer im Herbst heimkehren … Wir wissen alle nicht, in welcher Verfassung sie sein werden.«

Corinnes Gelassenheit schwand von einem Moment zum anderen. »Wie … meinen Sie das?«, sagte sie angstvoll.

Bernadette zuckte mit den Schultern. »Nun, vielleicht ist der eine oder andere Verletzte dabei. Unser Doktor ist ein guter Mann, aber womöglich kommt es zu einem Engpass an Medikamenten. Da wäre es doch hilfreich vorzusorgen. Ich habe mitbekommen, dass du dich mit Heilkräutern gut auskennst. Daher meine Frage: Willst du nicht ein paar Salben und Tinkturen mehr herstellen und irgendwo in der Schäferei aufbewahren? Natürlich nur, falls es deine Zeit hergibt«, fügte sie eilig hinzu. Dass sie der Hirtin wie eine Art Bittstellerin gegenüberstand, gefiel ihr nicht. Und dass Corinne alle Hände voll zu tun hatte, wusste sie ebenfalls. Aber es war nun einmal eine Ausnahmesituation, und da mussten sie über ihren Schatten springen, oder nicht? Je besser sie zusammenarbeiteten, desto besser war es für alle.

Corinne lächelte traurig. »Ich habe schon diverse Tinkturen angesetzt. Und Salben will ich auch noch herstellen, nicht nur für die heimkehrenden Männer, sondern auch für die Leute im Dorf. Wenn Sie mitbekommen, dass jemand meine Hilfe benötigt, sagen Sie mir ruhig Bescheid. Ich helfe gern.«

Bernadette hob erneut erstaunt die Brauen. »Gut. Danke.«

Mit einem Seufzen stand Corinne auf und drückte ihren Rücken durch, als hätte sie Kreuzschmerzen. Dann band sie den Widder los und entließ ihn durch ein Gatter in die Freiheit.

Das alles war für die Französin auch nicht einfach, erkannte Bernadette schlagartig. Und dennoch hatte sie noch kein einziges Mal gejammert wie so viele andere, denen sie derzeit begegnete. Bevor Corinne den nächsten Widder holen konnte, streckte Bernadette ihr, ohne weiter darüber nachzudenken, ihre rechte Hand entgegen. »Auf gute Zusammenarbeit!«

Fast zögerlich ergriff Corinne sie. Ihr Händedruck war fest, Bernadette konnte die Schwielen an ihren Fingern spüren.

»Und auf ein gutes Vertrauen«, sagte die Hirtin leise.

13. Kapitel

Frankreich, an der Marne, 1914

Weites Feld. Wenige Bäume. Unebener Boden. Vielleicht Weideland. Oder brachliegender Acker. Ein Fluss. Die Marne. Einst gemächlich über grobe Steinbrocken dahinfließendes Wasser, heute Massengrab und feindliche Grenze. Septemberhimmel, so schwarz und so hell zugleich. Lichtblitze. Kanonendonner. Schwarzer Qualm. Überall Staub, der sich in die Lunge setzte, den Blick vernebelte, das Denken schwer machte. Männer, ihre Helme tief in die Stirn gezogen, sich an ihre Waffe klammernd, so sie in der Enge des Gefechts Mann gegen Mann noch nicht verloren gegangen war.

Anton, der als Sanitäter keine Waffe trug, war auf dem Weg vom Feldlazarett zurück an die Front. Sein Rücken schmerzte. Er spürte seine Schultern nicht mehr. Seine Knie zitterten. Das Zittern ging unter in dem Beben, das sein ganzes Sein erschütterte. Wie viele Verwundete er in dieser Nacht von einer Hölle in die nächste getragen hatte? Er wusste es nicht. Es waren zu wenige. Immer zu wenige. Wenn es nach ihm gegangen wäre, hätte er alle gerettet.

Der Gestank von verbranntem Fleisch. Süßlich, ranzig, faul. Er würde Anton für immer begleiten. Immer wieder musste er innehalten, um sich zu übergeben. Gelber Schleim – mehr hatte er nicht mehr im Magen. Durchgehende Pferde, ihr Wiehern so gellend, dass es einem durch Mark und Bein fuhr. Ohrenzerfetzende Schreie, Keuchen, Weinen, Röcheln. Die eigenen Truppen, der Feind – sie alle waren einst Menschen gewesen. Die einen sprachen deutsch, die anderen französisch. Wenn sie weinten, hörten sie sich alle gleich an.

Antons Blick fiel auf den schlammigen Boden. In der Nacht davor hatte es unaufhörlich geregnet. Da lag ein Arm. Daneben ein abgetrennter Fuß, nein, es war ein halbes Bein, es ging bis übers Knie. Den dazugehörenden Leib sah Anton nicht. Nicht stolpern. Laufen, einfach laufen. Alles ausblenden. Die Schreie, die Schreie … Wer schrie, lebte noch, immerhin. An den irren Blicken konnte man das nicht immer ablesen. Jedes Augenpaar war ein Totenreich, bei den Lebenden wie bei den Toten. Auf die Hölle brauchte hier keiner mehr zu warten.

»Achtung, Einschuss!«

»Mutter Maria im Himmel, erlöse mich …« Wimmern. Schreie. Immer noch mehr Schreie.

Die nächste Granatensalve. Anton sah, wie ein paar Meter weiter vorn sein Bataillonskamerad Karli umgerissen wurde.

»Nach vorn, Männer!« Die Stimme ihres Leutnants. »Nicht nachlassen!«

Anton rannte zu Karli. »He Kumpel, was machst du für Sachen?« Alles, was man sagte, war falsch. Aber nichts zu sagen war genauso falsch.

»Mein Bein ... mein Bein ... wo ist mein Bein?«, schrie Karli Badstubner.

Mit zusammengebissenen Lippen, so als hätte er die Frage nicht gehört, zerrte Anton seinen Kameraden vom Boden hoch. Alle Kraft aufbringend, legte er sich den Verletzten über die Schultern. Weg! Nur weg von hier, wo sie jeden Moment die nächste Granate treffen konnte. Und nicht an das Bein denken, das fehlte.

»Mein Bein, Anton! Wo ist mein Bein?«

»Alles wird gut«, keuchte Anton und lief weiter. Nichts würde gut werden. Gar nichts. Sein Blick fiel auf einen zusammengekrümmten Leib, der vor ihm auf dem Boden lag. Der Brustkorb hob und senkte sich noch. Röcheln, eher ein Gurgeln, ertönte. Aber ein Gesicht sah Anton nicht. »Ich hol dich als Nächstes, Kumpel, halt durch!«, schrie er, dann rannte er weiter. Wenn der Mann Glück hatte, war er schon nicht mehr am Leben, wenn er zurückkam.

Karlis Leib begann von seiner Schulter zu rutschen. Er umfasste den Kameraden noch fester. Bloß nicht dorthin greifen, wo das Bein gewesen war, dachte Anton schaudernd. »Ins Lazarett sind es nur noch ein paar hundert Meter, Kumpel, dann hast du es geschafft«, rief er über den Lärm der einschlagenden Bomben hinweg.

Im nächsten Moment spürte Anton, wie das Gewicht auf seiner Schulter schlaff und schwer wurde.

Mit zusammengepressten Lippen legte er Karli unter

einem Baum ab. Seine rechte Hand zitterte hilflos. Er nahm die linke, um dem Toten die Augen zu schließen.

Nie mehr würde Karli Anton bitten, den Brief an seine Verlobte, in die er so vernarrt war, zu korrigieren. Nie mehr würde Karli Trinklieder grölen. Nie mehr würde er am nächsten Morgen verkatert aufwachen und seine Sauferei vom Abend verfluchen.

»Mach's gut, Kumpel!« Anton strich dem Gefährten ein letztes Mal über den Arm, dann streifte er ihm voller Abscheu seinen Verlobungsring ab. Aber wenn er es nicht tat, tat es ein anderer. Ob Armbanduhr, Orden oder Ehering – jeder Tote wurde ausgeraubt. Ein bisschen Gold gegen einen Kanten Brot mehr – dieses Geschäft ließ sich so mancher Kamerad nicht entgehen. Er, Anton, würde den Ring jedoch nicht verhökern, sondern Karlis Verlobter schicken. So hatte sie wenigstens noch eine kleine Erinnerung an ihren Liebsten.

Anton rannte zurück in den nicht enden wollenden Sturm aus Blitzen, Blut und Barbarei. Was hätte er auch sonst tun sollen? Weglaufen? Dem Feind in die Arme gar? Hier an der Front gab es nur zwei Arten von Kugeln: die von vorn vom Feind oder die in den Rücken aus den eigenen Reihen. Sich eingraben in ein Loch? So tun, als wäre er auch schon tot? Auch beten kam Anton in den Sinn.

Er tat nichts von alledem.

»Verdammt, wen schleppst du uns denn noch alles an?«, schrie einer der Ärzte. »Was sollen wir mit dem da?« Es hätte nicht viel gefehlt, und er hätte mit dem Fuß gegen den verletzten Soldaten gekickt, den Anton zuletzt geholt hatte. Seine linke Gesichtshälfte fehlte, dort, wo sein Hals gewesen war, klaffte eine riesige Wunde, aus der gurgelnde Geräusche und Blut kamen. »In der Zeit, die es dauert, um den zusammenzuflicken, können wir zwei Amputationen an Armen oder Beinen durchführen.«

Mit hängenden Schultern, schwer atmend und erschöpft bis auf die Knochen, schaute Anton den Verwundeten an.

»Noch lebt er. Hätte ich ihn verrecken lassen sollen?«, sagte er rau, dann rannte er wieder los. Solange da draußen auch nur noch eine verletzte lebende Seele lag, würde er sie holen. Eine nach der anderen. Und wenn er selbst dabei draufging, dann war es so.

14. Kapitel

Während im Oktober 1914 auch noch das Osmanische Reich mit seinen vielen Völkern in den Krieg eintrat, um an der Seite des Deutschen Kaiserreichs gegen den Erzfeind Russland zu kämpfen, spielte sich der Alltag in Stadt und Land langsam wieder ein. Trotz aller Schwierigkeiten war es den Frauen gelungen, die fehlenden Männer zu ersetzen. In den Fabriken wurden Arbeitsabläufe so umgestaltet, dass sie auch von Frauen ausgeführt werden konnten. Bereiche, die nicht als kriegsrelevant angesehen wurden, wurden stillgelegt – dadurch gewann man Kapazitäten für die Produktion kriegswichtiger Güter. In den Kontoren waren es nun Frauen, die im Chefsessel saßen und mit kühlem Kopf disponierten, planten und rechneten. Auf den Wochenmärkten bauten die Bäuerinnen ihre Stände allein auf und verkauften ihre Ware ohne ihre Männer an der Seite. Das übliche Scherzen und Sprücheklopfen fiel dabei jedoch weg, das gab die allgemeine Stimmung nicht her. Dennoch – so seltsam es sich für manchen auch noch anfühlte, der Alltag nahm seinen Lauf.

Dies galt auch auf der Schwäbischen Alb: Auf den

Feldern und Äckern war die Ernte eingebracht, das Pflügen der Scholle übernahmen die Ochsen, die nun von den Frauen geführt wurden. Frühmorgens sah man noch häufiger als früher junge und ältere Frauen auf dem Weg zur Arbeit.

Bernadette und Corinne war es gelungen, die Schafherden neu aufzuteilen. Die temperamentvollen und triebhaften Böcke waren allesamt Corinne unterstellt, ebenso die wertvollen französischen Schafe, in denen die Zukunft der ganzen Schäferei lag. Die Hilfshirten bekamen dadurch ruhige, homogene Herden, mit denen sie trotz ihres Alters gut zurechtkamen. Wann immer Corinne Zeit hatte, pflückte sie Kräuter und verarbeitete sie zu Tinkturen, Säften oder Salben. Manchmal kam abends Bernadette auf eine Stunde vorbei und half, ein Feuer am Laufen zu halten, während Corinne einen Sud abseihte oder Kräutertees mischte. Gemeinsam erfreuten sie sich daran, dass sich die Regale mit immer mehr Tiegeln, Töpfen und Flaschen füllten. Und gemeinsam hofften sie, dass die ganze Medizin nie zur Anwendung kommen würde.

Auch bei Mimi in der Druckerei hatte der Alltag wieder Einzug gehalten. Mit den verbliebenen Mitarbeitern versuchte sie, so viele Adventskalender wie nur möglich zu drucken, streikende Maschinen wieder in Gang zu bringen und möglichst wenig Ausschuss zu produzieren. Was nicht einfach war – Druckmaschinen waren hochsensible Diven! Um sie zu bedienen, benötigte man ein feines Händchen. Wenn dieses fehlte, konnte es auch durch den größten Arbeitseifer nicht ersetzt werden. Entsprechend viele Fehldrucke und andere Pannen gab es.

Nachts konnte Mimi oft nicht schlafen vor lauter Sorge. Dann tappte sie durch die Wohnung, kochte Tee und raufte sich die Haare. Aber sobald sie morgens die Druckerei betrat, setzte sie eine optimistische Miene auf. Jammern galt nicht, sie musste dafür sorgen, dass der Laden lief! Die Mitarbeiter und ihre Familien benötigten ihre Löhne auch zu Kriegszeiten. Und sie konnte nur Löhne zahlen, wenn Geld in die Kasse floss. Dies kam dieser Tage eh kaum vor, denn nur selten ließen sich Kunden in der Druckerei blicken. Und auch in ihrer Ulmer Dependance stand das Geschäft nun, da auch ihr Gebrauchsgrafiker Steffen Hilpert rekrutiert worden war, fast komplett still. Karlheinz Frenzen hielt zwar die Stellung, aber nur selten konnte er die frohe Botschaft eines neuen Auftrags übermitteln. Mimis ganze Hoffnung lag somit in den Adventskalendern – sobald diese ausgeliefert waren, würde endlich wieder Geld fließen.

Sie vermisste Anton mit jedem Tag mehr. Tag für Tag, Jahr für Jahr hatten sie gute wie schlechte Zeiten miteinander geteilt und sich gegenseitig ein Ohr geschenkt. Ging es einem von ihnen schlecht, baute der andere ihn wieder auf. Und wann immer eine Entscheidung anstand, berieten sie sich so lange, bis sie zu einer guten Lösung kamen.

Nun aber musste Mimi alle Entscheidungen allein treffen. Manche fielen ihr leichter, andere schwerer. Trost und Ablenkung fand sie in ihrem improvisierten Fotoatelier im Wohnzimmer. Manchmal setzte sie sich abends einfach mit einer Tasse Tee dorthin, betrachtete Onkel Josefs Leinwände und dachte an die guten alten Zeiten.

So trocken und heiß der Sommer gewesen war, so feucht und trüb zeigte sich der Herbst. Es regnete viel, und morgens war es oft neblig. In den Bäumen und Sträuchern hingen riesige Spinnennetze, die, schwer von der Feuchte des Nebels, leicht rissen. Wie still es durch den Nebel war! Alle Geräusche gedämpft, als hätte man sich ein Kopftuch um die Ohren gebunden, dachte Mimi, während sie in Richtung Rathaus lief.

Inzwischen fielen auch die ersten bunten Blätter von den Bäumen. In jedem anderen Jahr hätte Mimi dieser Moment Freude bereitet. Er hätte sie an ihre Kindheit erinnert, als sie die Herbstblätter gesammelt, getrocknet und mit Nadel und Faden zu bunten Ketten aufgefädelt hatte. Doch an diesem Morgen ging ihr einfach zu viel durch den Kopf, um nostalgischen Kindheitserinnerungen nachzuhängen.

Bernadettes laute Stimme war schon zu hören, kaum dass Mimi das Rathaus betreten hatte. »Das ist der größte Blödsinn, den ich seit Langem gehört habe! Von wem kommt das?«, dröhnte es aus dem Büro der Bürgermeisterin ein Stockwerk höher.

Mimi hob die Brauen. Na wunderbar! Gleich würde sich Bernadette noch mehr Blödsinn anhören müssen – mehr hatte sie, Mimi, nämlich auch nicht auf Lager.

»Als ob wir es alle derzeit nicht schwer genug hätten, werden auch noch solche üblen Gerüchte verbreitet!«, echauffierte sich die Bürgermeisterin derweil weiter. »Wer diesen Mist in die Welt gesetzt hat, bekommt es mit mir zu tun. Und du solltest dich mal fragen, wovon die Familie deines Sohnes leben soll, wenn dein Martin nicht mehr für mich arbeitet. Solange euer Sohn Hans im Krieg ist, habt ihr doch gar keine andere Einnahmequelle! Deshalb rate ich dem Martin dringend, sich mit Corinne gut zu stellen. Und mit mir übrigens auch!«, fügte sie drohend hinzu. »Und jetzt geh.«

Mimi hatte die letzte Stufe erklommen, als eine alte Frau mit hochroter verkniffener Miene wortlos an ihr vorbei die Treppe hinabstieg.

»Was war denn das?«, fragte Mimi anstelle eines Grußes.

»Das glaubst du nicht!«, sagte Bernadette und fasste an ihre Haarkrone, als wollte sie sich versichern, dass noch alles richtig saß. »Da verbreitet doch tatsächlich irgendein Idiot im Dorf das Gerücht, Corinne sei eine Spionin für Frankreich! Und die Frauen meiner alten Aushilfshirten glauben es auch noch und wollen nun nicht mehr, dass ihre Männer für mich arbeiten. Grete war schon die Zweite, die wegen dem Quatsch heute bei mir aufgetaucht ist.«

»Wie bitte?« Mimi lachte ungläubig. Ihr Blick wanderte über Bernadettes Schreibtisch. Er war so vollgepackt, dass kaum mehr etwas von der hölzernen Arbeitsplatte zu sehen war. Das wenigste schien mit den eigentlichen Belangen des Dorfes zu tun zu haben, vielmehr wiesen viele offizielle Stempel und Wappen darauf hin, dass es sich um Schreiben von höheren Stellen handelte.

Bernadette bemerkte Mimis Blick und winkte ab. »Du glaubst nicht, mit welchem Kram die Leute den ganzen Tag über daherkommen. Was willst du eigentlich hier?« Sie warf Mimi einen misstrauischen Blick zu.

Mimi zog das Schreiben aus ihrer Tasche, das sie

heute früh bekommen und das sie so wütend gemacht hatte. »Eine Behörde hat sich bei mir gemeldet. Kriegs-Rohstofferfassungs-Amt – heißt sie. Ich soll nach Berlin melden, welche Rohstoffe wir haben. Falls etwas dabei ist, was für die Rüstungsindustrie von Interesse ist, sei es nicht ausgeschlossen, dass die Behörde mein Material aufkauft oder sogar beschlagnahmt, schreiben sie. Heißt das etwa, die wollen meine Druckmaschinen haben? Oder meine Papiervorräte?« Mimi schaute Bernadette so vorwurfsvoll an, als hätte diese das neue Gesetz zu verantworten.

Bernadette runzelte die Stirn. »KRA? Die haben sich bei mir auch schon gemeldet. Ich soll die genaue Anzahl unserer Schafe durchgeben.«

Einen Moment lang schwiegen die beiden Frauen.

»Und? Machst du das?«, fragte Mimi schließlich.

Bernadette zuckte mit den Schultern. »Bei so vielen Schafen kann man sich schon mal verzählen. Und vielleicht ist sogar die eine oder andere Herde gar nicht auffindbar? Die Herren in den Ämtern stellen sich vieles ein wenig einfach vor.«

»Wie recht du hast! Ich habe ebenfalls ziemliche Mühe, unsere Papiervorräte zu bewerten. Ich meine – ich weiß ja teilweise gar nicht, wo alles lagert!« Die beiden Frauen lachten komplizenhaft.

»Ehrlich gesagt ist dieses KRA gerade mein kleinstes Problem, mit denen komme ich schon zurecht«, sagte Mimi. »Papier habe ich ja noch genug dank Antons weiser Voraussicht, aber ich benötige dringend Farben von der Firma BASF! Die jedoch haben mir geschrieben, dass sie ihre Produktion auf Kampfmittel umgestellt haben und nicht wissen, wann sie wieder Farben liefern. Wie soll das alles gehen?« In einer hilflosen Geste warf Mimi die Arme in die Höhe. »Ich muss dringend weitere Adventskalender drucken und ausliefern, sonst kann ich bald keine Löhne mehr zahlen. Aber wie soll mir das ohne Farben gelingen? Und wie soll ich meine Ware ausliefern? Sie wie einst auf den Bahnweg zu bringen ist ja nicht mehr möglich – die Frachtwaggons werden auch für die Kriegsversorgung benötigt«, sagte sie sarkastisch. »Wenn ich nicht bald eine gute Lösung für diese Probleme finde, kann ich den Laden dichtmachen, und dann? Dann kommen die Leute zu dir, weil sie nichts mehr zu essen haben, und dann hast *du* noch mehr Probleme.«

»Genau das, was ich brauche.« Bernadette verzog den Mund. Seufzend sagte sie: »Ich kann ja mal mit Lutz sprechen, vielleicht fällt ihm ein Weg ein, wie du deine Waren ausliefern kannst.« Noch während sie sprach, begann sie, ihre Post mit dem Brieföffner aufzuritzen.

»Verflixt, ist es nicht schrecklich, welche Probleme wir plötzlich haben?«, fuhr Mimi wütend auf. Sie zeigte vorwurfsvoll auf die riesigen Poststapel auf Bernadettes Schreibtisch. »Du bekommst wenigstens noch Post! Ich hingegen habe seit Tagen nichts von Anton gehört, das macht mich auch ganz unruhig.«

Bernadette legte den Brief, den sie gerade geöffnet hatte, zur Seite und schaute auf. »Anton wird wahrscheinlich gar keine Zeit zum Schreiben haben. In der Zeitung steht, dass unsere Männer wohl schon Metz, Straßburg und Mülhausen eingenommen haben, dass sich die Franzosen jedoch alles wieder zurückholen.«

»Unsere Männer« – diesen Ausdruck hätte Bernadette vor dem Krieg nie und nimmer verwendet, dachte Mimi. »Mülhausen … Kam da nicht Corinnes Mutter her? Wie geht es Corinne eigentlich? Ich habe sie schon seit Wochen nicht mehr gesehen. Kein Wunder, wo sie jetzt so viele Schafe mehr zu hüten hat.«

»Mit mir hast du kein Mitleid?«, fragte Bernadette ironisch und zeigte auf ihren übervollen Schreibtisch. »Hätte ich gewusst, welcher Verwaltungsaufwand mit diesem Krieg auf mich zukommt, hätte ich nie zugesagt, Oskar zu vertreten. Listen, Formulare, Anträge, und täglich neue Musterblätter zum Ausfüllen – vielen Dank!« Ruckartig ritzte sie den nächsten Brief auf. »Wie ich den ganzen Schriftkram in der Schäferei bewerkstellige, danach fragt keiner. Meist komme ich nicht vor Mitternacht ins Bett.«

Mimi schwieg betroffen. Jeder hatte seine Probleme. Es war nicht fair von ihr, ihre eigenen auf die Bürgermeisterin abzuladen, Bernadette konnte schließlich auch nicht zaubern! Am besten schrieb sie gleich an Josefine in Berlin, vielleicht hatte sie eine Idee, wo man noch Farben bestellen konnte. Ob die neutrale Schweiz an sie liefern würde? »Ich gehe dann mal wieder«, sagte sie mit so leichter Stimme wie möglich.

Sie wollte gerade von ihrem Stuhl aufstehen, als sie sah, wie Bernadettes Gesicht von einem Moment auf den anderen jede Farbe verlor.

»Bernadette? Was ist los?«, fragte Mimi erschrocken. Ihr Blick fiel auf das Papier, das die Bürgermeisterin in den Händen hielt. GEFALLEN FÜRS VATERLAND stand in großen schwarzen Lettern darauf.

Mimi spürte, wie sich ein riesiges Knäuel Angst in ihrer Magengegend breitmachte. Die Totenglocke läutete also das erste Mal für Münsingen. Wegen Anton? Lieber Gott, bitte tu mir das nicht an, stieß sie stumm aus. Bitte, lieber Gott, bitte …

»Bernadette … So sag doch was …«

Endlich schaute die andere auf. »Wolfram ist tot.«

Mit bleischwerem Herzen machten sich die beiden Frauen auf den Weg zu Corinne, um ihr die schreckliche Nachricht zu übermitteln.

»Und ich habe Wolf auch noch ermutigt zu gehen«, sagte Bernadette tonlos, während sie mit gesenkten Häuptern durch die Straßen schritten. »›Was soll schon großartig passieren?‹, habe ich flapsig zu ihm gesagt. ›Ihr jagt dem Russen einen Schrecken ein, und in zwei, drei Wochen bist du wieder da.‹ Und jetzt ist er tot …« Schon schluchzte sie wieder vor sich hin.

»Bernadette, mach dir keine Vorwürfe. Wolfram wäre so oder so gegangen, ganz gleich, was du gesagt hast oder auch nicht.« Genau wie Anton, dachte Mimi. Warum nur waren die Männer allesamt verrückt geworden?

Als die Weide, auf der Corinne mit ihrer Herde stand, in Sichtweite kam, sackte Bernadette noch tiefer in sich zusammen.

Mitfühlend, aber auch streng schaute Mimi die Freundin an. »Bernadette, reiß dich in Gottes Namen zusammen! Wir müssen jetzt stark sein!« Doch nur mit Mühe konnte Mimi ihre eigenen Tränen zurückhalten, am liebsten wäre sie davongerannt. Aber kneifen galt nicht – Corinne würde jede Unterstützung brauchen, die sie bekommen konnte.

Bernadette blieb stehen. »Du hast ja recht«, sagte sie leise. »Ich reiß mich zusammen. Wenn es nur nicht so verdammt schwer wäre. Wolfram war schließlich auch der Mann, den *ich* geliebt habe …«

Corinne, die außer ihrem Schutzhund auch Wolframs Hütehund dabeihatte, schüttelte verwirrt den Kopf, als sie die beiden Frauen auf sich zukommen sah. »Mimi, Bernadette … Was macht ihr denn hier?«

Mimi hielt den Atem an. Lieber Gott, bitte steh der guten Frau bei, betete sie inständig. Ein beruhigendes Lächeln brachte sie nicht zustande, und hilflos schaute sie zu Bernadette hinüber.

»Corinne, es fällt mir nicht leicht, mit dir zu sprechen«, sagte Bernadette mit flacher Stimme. »Ich bin hier in meiner Funktion als Bürgermeisterin von Münsingen …«

»Ja?« Corinnes Stirnrunzeln wurde noch tiefer. Ihr Hund, der die Spannung zwischen den Frauen spürte, begann leise zu grummeln.

Mimi sah, wie Bernadette sich selbst einen Ruck versetzte. Dann sagte sie: »Corinne, es tut mir schrecklich leid, aber ich habe die traurige Aufgabe, dir mitzuteilen, dass dein Ehemann Wolfram im Kampf gegen den Feind gefallen ist.« Ihre Stimme zitterte bei jedem Wort mehr.

Corinne lachte schallend auf. »Das kann nicht sein. Doch nicht Wolfram!«

Mimi biss sich auf die Unterlippe.

»Es ist schrecklich, ich weiß«, sagte Bernadette, »Ich konnte es selbst auch zuerst nicht glauben. Aber überall wird darüber geschrieben, wie ehrenvoll es wäre, fürs Vaterland zu sterben. So gesehen ist Wolfram als stolzer und glücklicher Mann gestorben.«

Du lieber Himmel, war das nicht ein bisschen sehr dick aufgetragen?, dachte Mimi. Wolframs Glück lag hier, auf der Wacholderheide, in der Nähe seiner geliebten Frau und seiner Schafe, aber gewiss nicht in einem zweifelhaften »Heldentot«!

Corinne lachte noch immer. »Was redest du denn da? Hast du den Verstand verloren?«, sagte sie zu Bernadette.

Und dann fing sie an zu schreien.

15. Kapitel

An der Westfront, Oktober 1914

»Meine Füße, dieser Gestank...«, sagte Jakob Stempfle leise. »Ich trau mich gar nicht mehr, die Stiefel auszuziehen aus lauter Angst davor, was ich dann zu sehen bekomme. Wahrscheinlich ist schon die Hälfte abgefault.«

Anton schaute seinen Kameraden unter hochgezogenen Brauen an. »Den Kopf in den Sand zu stecken hilft aber auch nicht weiter. Komm besser zu uns ins Lazarett und lass mal einen der Ärzte nach deinen Füßen schauen.«

Schon seit Tagen regnete es unaufhörlich. Der Boden des Schützengrabens, den sie vor zwei Wochen bezogen hatten, hatte sich in knöcheltiefen Schlamm verwandelt. Seitdem waren die Stiefel und Socken der Soldaten durchweicht. Während die Körperpflege für die Offiziere in ihren Unterkünften im Dorf kein Problem war, lebte das Fußvolk des Krieges wie Ratten in einem Erdloch, dachte Anton wütend. Er hätte Jakob so gern geholfen! Aber mehr, als ihm einen kurzen Besuch hier im

Schützengraben abzustatten und dadurch für ein wenig Zerstreuung zu sorgen, konnte er nicht tun.

»Was soll ich bei euch im Lazarett? Mir den Fuß bei vollem Bewusstsein absäbeln lassen und dann als Krüppel herumlaufen? Nein, da habe ich doch eine bessere Idee!« Jakob hob winkend die Hand, als würde er einen Kellner in einem Café auf sich aufmerksam machen wollen, dann rief er flüsternd in den dunklen Schützengraben hinein: »Könnte ich bitte eine Pediküre haben? Mit einem heißen Fußbad wäre mir auch geholfen. Und eine Creme, die bei Entzündungen und Fäulnis hilft, bitte obendrein! Ach ja, nur dass ich es nicht vergesse – trockene Socken und Schuhe natürlich.«

Links von ihnen ertönte ein unwilliges Raunen – wer im Schützengraben endlich hatte einschlafen können, wollte nur ungern gestört werden.

»Halt's Maul, Stempfle, sonst bekommst du eins drauf!«, zischte es von weiter rechts.

Anton grinste. »Vielleicht hört der verdammte Regen ja morgen auf. Und vielleicht bekommen wir morgen auch Nachschub an Wundsalben.« In einer aufmunternden Geste klopfte er seinem Kameraden auf die Schulter. Wer's glaubt, wird selig, dachte er zugleich. Derzeit gab es kaum noch Vorräte im Lazarett – nicht einmal Seife oder Zahnpasta –, wo sollte dann plötzlich eine Wundsalbe herkommen?

Um das Gespräch auf ein anderes Thema zu bringen, wies er nach vorn in Richtung der Feindeslinie. »Täusche ich mich, oder haben die Franzmänner auf zwei Uhr eine neue Schießscharte angebracht? Schau, dieses ominöse Viereck da …«

Jakob folgte seinem Wink und ließ seinen Blick ebenfalls über das vor ihnen liegende unebene Gelände schweifen, wo ungefähr dreihundert Meter entfernt die Franzosen ihren Schützengraben aufgebaut hatten. An manchen Tagen, wenn es nicht regnete und windstill war, konnte man die Feinde reden hören.

»Kann nichts erkennen«, sagte Jakob. »Aber sollte da wirklich eine neue Schießscharte hinzugekommen sein, müssen wir diese unglaubliche Wendung im Kriegsgeschehen morgen früh unbedingt melden!« Seine Worte trieften nur so vor Ironie.

Sie lachten beide. Danach sprachen sie nicht mehr viel. Was hätten sie sich auch sagen sollen? Antons Berichte über die Verletzten im Lazarett wollte niemand hören. Und für Jakob verlief hier im Schützengraben jeder Tag wie der andere. »Stellungskrieg« nannten die Verantwortlichen den jetzigen Zustand. »Langeweile pur« hätte es in Antons Augen eher getroffen.

Wer keine Nachtwache hatte, versuchte, auf einem der schmalen harten Bretterböden, die sie links und rechts entlang des Schützengrabens eingebaut hatten, ein paar Stunden unruhigen Schlaf zu finden. Die robusten Gemüter schliefen tatsächlich, doch die allermeisten wimmerten und weinten und fanden angesichts der Gespenster des Krieges weder Ruhe noch Seelenfrieden. Wer Nachtwache hatte, musste – so wie Jakob Stempfle diesmal – die Zeit bis zur Ablösung stehend in einem der Unterstände herumbringen. Am Morgen wartete man dann darauf, dass der Gruppenführer einem die Befehle für den Tag durchgab: weiterer Ausbau des Stellungsgrabens. Reinigung der Latrinen.

Ersetzen von schadhaften Ziegeln dort, wo ihr Drecksloch ein Dach hatte, Lebensmittelbeschaffung in den umliegenden Dörfern. Am Nachmittag dann, kurz vor Einbruch der Dunkelheit, wurde von den Zugführern kontrolliert, was gearbeitet worden war. Jeder Handgriff, jeder Gang – und waren es nur ein paar hundert Schritte – wurden fein säuberlich in irgendwelchen Listen festgehalten. Zwanzig Ziegel ersetzt. Drei Stunden Latrinenreinigung. Kontrolle der vertikalen Holzverstrebungen. Wofür seine Kameraden diese Listen anlegen mussten, verstand Anton nicht. Würde sie jemals jemand lesen? Würde man kriegsentscheidende Hinweise darin finden?

Wie viel anders war es ihnen im August und September ergangen! Nächte-, teilweise tagelang hatte damals das Inferno aus Granaten, Kanonendonner und feindlichem Beschuss angehalten.

In den Lazarettzelten war die Hölle los gewesen, das Sanitätspersonal hatte nicht mehr gewusst, wem es zuerst helfen sollte. Anton hatte keine Ahnung, wie viele Tote er gesehen hatte. Waren es Dutzende? Hunderte? Der Leichengeruch war unerträglich gewesen. Erst als die Verluste zu groß wurden oder die Männer vor Erschöpfung zusammenbrachen, hatten die kämpfenden Truppen sich auf beiden Seiten zurückgezogen. Eine kurze Ruhepause. Schauen, wer noch da war und wer tot.

Manchmal hatten sie ihre Zelte gerade aufgebaut, als es schon wieder hieß: Aufbruch! Abmarsch!

Eine Lücke in der französischen Abwehr sollten sie finden, also waren sie tagelang marschiert. Zeit zum Nachdenken hatte in diesen Wochen keiner gehabt, nicht einmal eine Minute lang. Denn bevor es dazu kam, hatte immer schon die nächste Schlacht begonnen.

Und dann, eines Tages, hatte es geheißen: »Gräben ausheben und befestigen!« Wie lange um alles in der Welt sollten sie hierbleiben, hatten sich die Soldaten gefragt, während sie einen schweren Balken nach dem anderen tief in die Erde rammten. Bisher hatten ihnen ein paar Zelte ausgereicht und eine Feldküche mit offener Feuerstelle – alles eilig aufgestellt und genauso eilig wieder abgebaut. Den Schützengraben jedoch bauten sie massiver als so manches Heim zu Hause. Und wäre der Graben nicht lang und schmal wie ein Wurm gewesen, hätte er von seiner Größe und den verschiedenen Abteilungen her fast einem kleinen Dorf geähnelt.

Als dann auch noch das Sanitätspersonal seine Zelte aufgegeben und Station in einem alten Kuhstall bezogen hatte, waren Antons Ahnungen immer düsterer geworden. Was, wenn sie womöglich vor dem Winter gar nicht mehr hier wegkamen? Wie würden seine Kameraden vorn im Graben die Enge, die fehlende Privatsphäre, die Kälte und die Nässe so lange aushalten? Und auch – wie würde *er* die Langeweile im ehemaligen Kuhstall aushalten?

Tag für Tag tropften Minuten ins Stundenfass, so gemächlich, dass man manchmal glaubte, die Zeit wäre stehen geblieben. Anton glaubte verrückt zu werden – ob vor lauter Langeweile oder von dem Gedankenkarussell, das sich um die immer gleichen Themen drehte. Hätte man ihn gefragt, was schlimmer war – die Schlachten oder die Ödnis des Stellungskrieges –, er hätte lange über eine Antwort nachdenken müssen.

Anton hatte sich gerade von Jakob Stempfle verabschiedet und wollte ins Lazarett zurückgehen, als er sah, wie einer der Leutnants mit einem verknitterten Stapel Papiere in der Hand auf ihn zukam.

Bekam er jetzt Ärger, weil er das Lazarett ungefragt verlassen hatte?, fragte sich Anton sogleich. Bisher hatte doch niemand etwas dagegen gehabt, wenn er hier auf einen Sprung bei den Kameraden vorbeischaute…

»Herr Leutnant!« Anton legte eine Hand an die Schläfe und schlug die Hacken zusammen. Ein schmatzendes Geräusch ertönte, Matsch spritzte auf und beschmutzte nicht nur Antons Hose, sondern auch die seines Vorgesetzten.

Der Leutnant kniff missmutig die Mundwinkel zusammen und schaute angestrengt in seine Liste. »Sanitäter, auf ein Wort! Wie ich aus meinen Unterlagen ersehen kann, hast du während des zurückliegenden Gefechtes eigenhändig dreiundzwanzig verletzte Kameraden unter Einsatz deines Lebens und bis zur völligen Erschöpfung von den Gräben ins Feldlazarett oder zu einem der Hauptverbandsplätze getragen.« Der Leutnant musterte ihn von oben bis unten. »Das waren pro Mann und Gang drei Kilometer, das heißt, du bist fast siebzig Kilometer marschiert, um unsere tapferen Kameraden zu retten.«

Anton runzelte die Stirn, sagte aber nichts. Wer um alles in der Welt rechnete so etwas aus?

»Dutzende von Krankenträgern und Sanitätern sind in den letzten Wochen bei solchen Hilfseinsätzen selbst ums Leben gekommen. Doch auch dieses Wissen hielt dich nicht davon ab, weiter Kameraden zu retten. Als Dank für deinen herausragenden Einsatz wird der Kommandant dich für die Erteilung des Eisernen Kreuzes vorschlagen.«

»Ein Orden? Ich als Sanitäter?« Ungläubig runzelte Anton die Stirn. »Ich habe doch nur meine Pflicht getan.«

»Das ist die richtige Einstellung!« Der Leutnant nickte anerkennend. »Und jetzt ab mit dir ins Lazarett.«

Wie betäubt lief Anton zurück in Richtung Kuhstall. Als er sich freiwillig für den Krieg gemeldet hatte, war ihm die Anerkennung der anderen – die seiner Mitarbeiter, die der Dorfbewohner, die seiner Kundschaft, und nicht zuletzt Mimis Anerkennung – sehr wichtig gewesen. Und wäre er nicht in den Krieg gezogen, hätte er sich womöglich auf ewig für einen Feigling, einen Versager gehalten. Doch nun, wo er für die höchste gesellschaftliche Anerkennung, das Eiserne Kreuz, vorgeschlagen worden war, war sie ihm völlig egal …

*

»Wir wissen nicht, was wir noch mit Frau Weiß machen sollen. Sie hat in den zwei Oktoberwochen, in denen sie nun schon bei uns auf der Station liegt, keinerlei Regungen gezeigt.« Der Ulmer Krankenhausarzt, ein älterer Mann mit gütigen Augen und leichtem Buckel, schaute Bernadette über seinen Schreibtisch hinweg eindringlich an. »Die akute Psychose, mit der sie bei uns eingeliefert wurde, hat sie dank unserer Medikation überwunden. Doch Corinne Weiß hat keinen Lebensmut mehr. Und dafür haben wir leider keine Medizin, die ihr helfen könnte.«

Bernadette nickte. Corinne lag wirklich wie eine lebende Leiche in ihrem Bett. Diese leeren Augen, die absolute Ausdruckslosigkeit waren mehr, als sie, Bernadette, ertragen konnte. Dies war nun schon der dritte Besuch, den sie Wolframs Witwe im Ulmer Krankenhaus abstattete, und jedes Mal hatte sie es keine fünf Minuten in Corinnes Krankenzimmer ausgehalten, so desolat war die Stimmung darin.

»Hat sie denn keine Familie? Verwandte, die sie aufbauen könnten?«, fragte der Arzt, während eine Krankenschwester ihren Kopf ins Zimmer steckte und fragte, ob er kurz kommen könne.

»Sie hat Schwiegereltern«, sagte Bernadette. »Aber die haben eigentlich auch keine Zeit für eine aufwendige Krankenpflege. Corinnes Familie und mir gehört eine riesige Schäferei. Seit die Männer im Krieg sind, arbeiten wir Tag und Nacht. Dass Corinne nun auch noch ausgefallen ist, macht die Sache nicht gerade einfacher …« Sie zuckte hilflos mit den Schultern.

Der Mediziner musterte sie kurz, dann stand er auf. »Bitte entschuldigen Sie mich für einen Moment, ich bin gleich wieder bei Ihnen.«

Müde bis in die Knochen blieb Bernadette im Dienstzimmer des Arztes allein zurück. Die letzten zwei Wochen waren die Hölle gewesen. Allein die Aufgabe, Corinnes riesige Schafherde nochmals auf die anderen Hirten umzuverteilen, gestaltete sich fast unmöglich. Am Ende hatte ausgerechnet Wolframs gramgebeugter Vater diese Aufgabe übernommen – eine Lösung, mit der Bernadette alles andere als glücklich war. Dazu die vielen Pflichten im Rathaus – dass sie vielleicht auch Zeit gebraucht hätte, um Wolfram zu betrauern, fiel keinem ein, dachte sie bitter. Sie war ja nicht die Witwe!

Nachdem Corinne auf der Wacholderheide Wolframs Todesnachricht vernommen hatte, hatte sie angefangen zu schreien. Und nicht mehr aufgehört. Hilflos hatten Bernadette und Mimi dagestanden und versucht, auf Corinne einzureden, doch vergeblich. Mimi hatte die Hirtin in den Arm nehmen wollen, doch Corinnes Hund hatte sie so wütend angeknurrt, dass die Fotografin eilig einen Schritt zurückmachte.

»Sie ist verrückt geworden«, hatte Bernadette Mimi zugeflüstert, als Corinne sich weiterhin nicht beruhigte. »Wir müssen Hilfe holen.«

Mimi, selbst schon mit leicht irrem Blick, hatte nur genickt. Während Mimi bei Corinne blieb, rannte sie, Bernadette, ins Dorf und holte den Arzt. Mit Pferd und Wagen waren sie wieder hinaus auf die Weide gefahren. Corinnes Schrei hatte schon von Weitem zu ihnen herübergeklungen. »Eine akute Psychose«, diagnostizierte der alte Doktor Martin, noch bevor sie bei Corinne und Mimi angekommen waren. Das bedrohliche Knurren des Herdenschutzhundes ignorierend, hatten sie die Witwe auf den Wagen verladen und Doktor Martins Rat folgend sofort nach Ulm ins Krankenhaus gebracht.

Noch immer steckte Bernadette Corinnes langgezogener Wehlaut in jeder Faser ihres Leibs, manchmal schreckte sie nachts auf und glaubte, diesen Schrei zu hören. Nie mehr in ihrem Leben würde sie die ganze

Szene vergessen, dachte sie schaudernd, während sie auf die Rückkehr des Arztes wartete.

Während Mimi mit Corinne nach Ulm gefahren war, war sie allein mit den vielen Schafen und den Hunden zurückgeblieben, hilflos, zitternd vor Angst, völlig überfordert mit der ganzen Situation. Die Schafe hatten sich immer weiter verstreut, ein paar waren gefährlich nah an den Albtrauf gewandert, wo es steil in die Tiefe ging. »Macht was!«, hatte Bernadette den Hunden zugerufen, doch die hatten sie nur misstrauisch angeglotzt. Gott sei Dank war bald darauf Wolframs Vater erschienen, sonst hätte sie nicht gewusst, was zu tun war.

Der Arzt kam zurück und setzte sich wieder hinter seinen Schreibtisch. »Können Sie nicht helfen?«, knüpfte er an ihr vorheriges Gespräch an. »Sie haben Frau Weiß eingeliefert, das heißt doch, dass Sie befreundet sind, oder?«

»Der verstorbene Ehemann von Frau Weiß war ein *sehr guter* Freund von mir, aber Corinne und ich sind lediglich Geschäftspartnerinnen, und…« Sie brach ab, als der Arzt fast barsch seine Hand hob.

»Entschuldigen Sie, Frau Furtwängler, aber Sie werden doch hier und jetzt nicht mit Wortklaubereien anfangen! Entweder Sie erklären sich bereit, sich um die Kranke zu kümmern – oder ich muss die Frau in die Heil- und Pflegeanstalt Zwiefalten einliefern lassen.« Sein Blick war düster, als er hinzufügte: »Und *das* hätte Ihr sehr guter Freund doch bestimmt nicht gewollt, oder?«

Was fiel dem Arzt ein, sie dermaßen unter Druck zu setzen?, dachte Bernadette, während sie auf den Zug wartete, der sie zurück nach Münsingen bringen würde. Anstatt die große Anstrengung ihrerseits anzuerkennen, die sie allein schon diese Krankenhausbesuche kosteten, stellte er sie hin, als wäre sie eine gewissen- und herzlose Person! Es stimmte – durch den Krieg waren Corinne und sie sich zwangsweise nähergekommen, sie hatten sich der Arbeit wegen nun mal zusammenraufen müssen, was erstaunlich gut funktionierte. Aber das hieß doch noch lange nicht, dass sie Freundinnen waren! Immerhin war Corinne die Frau, die ihr den Mann weggenommen hatte.

Wie ein in einem Käfig gefangener Tiger schritt Bernadette den Bahnsteig auf und ab. Eigentlich hatte sie vorgehabt, vor der Rückfahrt noch ein paar Einkäufe zu erledigen und einen Kaffee zu trinken. Doch nach den Worten des Arztes war ihr dazu die Lust gründlich vergangen.

War es nicht typisch, dass ihr stets die kleinste Freude genommen wurde? Immer gingen die anderen vor. Sie sollte immer nur brav dienen!

Doch so schnell, wie Bernadettes Wut gekommen war, verrauchte sie wieder. Erschöpft und sich so allein fühlend wie selten in ihrem Leben, lehnte sie sich an einen der Pfeiler, die das Bahnhofsdach stützten.

Ach Wolfram, du dummer Kerl! Warum nur musstest du sterben? Wir hätten dich alle noch so gebraucht!, dachte sie, während der kalte Pfeiler gegen ihren Rücken drückte.

»Falls ich nicht mehr zurückkomme – kümmerst du

dich dann um Corinne?«, hatte er sie angefleht, damals, Anfang August, als er zu ihr kam, um ihr seine Entscheidung mitzuteilen. Hätte sie ihn womöglich zurückhalten können? War Wolfram womöglich einzig aus dem Grund gekommen, damit sie ihn von seinen Plänen abbrachte?

Stirnrunzelnd schaute Bernadette dem einfahrenden Zug entgegen, während sie gegen den schrecklichen Gedanken ankämpfte, in diesem Fall völlig versagt zu haben.

16. Kapitel

Münsingen auf der Schwäbischen Alb, Mitte November 1914

»Wir gehen dann mal schlafen, Mädle. Mach dir einen schönen Abend mit deinen Freundinnen.« Ein wenig unbeholfen legte Wolframs Vater eine Hand auf Corinnes Schulter. »Wir sind so froh, dass du wieder bei uns bist.«

Corinne, die am Herd stand und in einem *Cassoulet*, einem kräftigen Eintopf aus Hammelfleisch und Bohnen, rührte, lächelte ihn warm an. »Danke und *bonne nuit*!«

Im Türrahmen der Küche blieb Wilhelm Weiß nochmal stehen. »Grüß Bernadette von uns. Und wenn irgendwas ist, weißt du ja, wo du uns findest.« Er nickte in Richtung des Ausgedinghauses, in das er und seine Frau Mariele im letzten Jahr gezogen waren, als sie noch geglaubt hatten, Wolfram und Bernadette würden heiraten. Nachdem die Hochzeit geplatzt war und dafür sie, Corinne, auf den Hof kam, waren Wolframs Eltern dennoch in dem kleinen Haus am Rand des Hofes geblieben. Nun wohnte sie, Corinne, allein im großen Haus und kam sich oft etwas verloren darin vor.

Wie rührend sich Wolfs Eltern um sie kümmerten, dachte Corinne, während sie den Tisch für drei deckte. Wie eine Tochter hatten sie sie aufgenommen, vom ersten Tag an. Nie hatte im Raum gestanden, dass sie eine Fremde war. Nie war auch nur angeklungen, dass ihnen Bernadette als Schwiegertochter vielleicht lieber gewesen wäre. Und nun, nach Wolframs Tod, war ihr Verhältnis noch enger geworden. Wenn es die beiden nicht gäbe, wäre sie dann überhaupt hiergeblieben?, fragte sich Corinne, während ihr Blick durch das vereiste Küchenfenster nach draußen fiel. Oder wäre sie längst in ihre alte Heimat Südfrankreich zurückgegangen? Nicht zu ihrem Vater, das nicht. In seinem Wahn, einen Schuldigen für das tragische Unglück von einst zu finden, gab er immer noch ihr die Schuld am Tod ihrer Mutter – wahrscheinlich würde er sie davonjagen, wenn sie zu Hause auftauchte! Aber zurück zu ihrem Jugendfreund Raffa. Zurück in warme Gefilde. Dorthin zurück, wo die Winter mild waren und es nach Seetang und Meersalz roch – das wäre durchaus eine Option. Doch es war müßig, darüber nachzudenken, befand Corinne. Es war Krieg und einfach von hie nach da zu reisen unmöglich. Außerdem – wenn sie auch nur einen Moment länger darüber nachdachte, spürte sie, dass sie dies auch gar nicht wollte. Ihr neues Leben war hier.

Seit zwei Wochen nun war sie wieder auf dem Hof, und ausgerechnet Bernadette hatte sie dazu bewegt. »Ich weiß, dass du in tiefer Trauer bist, und davor habe ich Respekt«, hatte sie gesagt, während sie Corinnes wenige Sachen in eine Reisetasche packte. »Aber da sind die vielen Schafe! Du weißt, dass ich mich nicht mit ihnen auskenne, aber selbst ich sehe, dass es den Herden ohne deine Pflege zusehends schlechter geht. Corinne, die Tiere brauchen dich! Und ich brauche dich auch. Ja, wir sind nicht gerade die besten Freundinnen, aber jetzt hat das Schicksal uns nun mal zusammengeschweißt, und wir müssen das Beste draus machen. Wolfram hätte sich gewünscht, dass wir zusammenhalten. Für die Schafe und für die Schäferei Furtwängler-Weiß! Und dann wäre da noch etwas: Könntest du mich bitte auch duzen? Langsam komme ich mir nämlich recht blöd damit vor, dass ich dich duze und du mich siezt!« Noch während sie sprach, war sie an ihr, Corinnes, Bett getreten und hatte ihr die Hand hingestreckt. »Komm, ich bringe dich nach Hause. Deine Schwiegereltern, die Schafe und die Hunde warten sehnsüchtig auf dich. Du wirst gebraucht, Corinne!«

Corinne wusste nicht, warum, aber es war diese Rede gewesen, von Bernadette so schlicht und rau vorgebracht, die sie aus ihrer allumfassenden Finsternis holte. »Du wirst gebraucht« – wer konnte sich diesem Ruf entziehen? Sie hatte die von Bernadette gereichte Hand angenommen. Mehr noch, zittrig, mit vom langen Liegen schwachen Beinen war sie Bernadette gefolgt, nicht sicher, welchen Nutzen sie für die Schafe überhaupt darstellen würde. Am Bahnhof hatte sie sich auf den Arm der Schafbaronin stützen müssen. Bernadette hatte ihr ein leicht verkrampftes Lächeln zugeworfen und unentwegt irgendwelche harmlosen Geschichten aus dem Bürgermeisteramt erzählt. Gerade so, als wollte sie unbedingt vermeiden, dass sie über das eine Thema – Wolframs Tod – sprachen.

Sie hätte keine Angst zu haben brauchen, ihr Schmerz war viel zu groß, als dass sie Wolfs Tod freiwillig angesprochen hätte, dachte Corinne jetzt, während sie eins der Tücher, die sie von ihrer Mutter vererbt bekommen hatte, über die alte Kücheneckbank drapierte. Französisches Essen und ein wenig südliches Ambiente – ihre Freundinnen sollten es schön haben heute Abend. Sie sollten ihre Sorgen für ein paar Stunden vergessen.

Unwillkürlich ließ Corinne ihre Hand über das wollene Tuch gleiten. Seine Fasern fühlten sich weich und fest zugleich an. Auf diesem Tuch hatten Wolfram und sie sich geliebt, danach hatten sie ihre nackten Leiber damit zugedeckt und bis spät in die Nacht hinein miteinander geredet, gelacht, sich geneckt. Nie mehr würde sie es anschauen und betasten können, ohne den Schmerz des Verlustes wie tausend Messerstiche zu spüren.

Corinne stieß einen tiefen Seufzer aus, dann trat sie ans Fenster. In der Nacht zuvor hatte es den ersten Frost gegeben, winzig kleine Eiskristalle hatten am Morgen die Scheiben überzogen. Als sie dick eingemummelt nach ihrer Herde geschaut hatte, die auf einer nahe liegenden Weide eingepfercht war, hatte sie die Tiere eng aneinandergedrängt vorgefunden, ihre Rücken silbern glänzend vom Frost. Bald würde Schnee kommen, hatte ihr Schwiegervater vor ein paar Tagen gesagt und sie dabei besorgt angeschaut. »Bist du überhaupt in der Lage, mit deiner Herde auf Winterweide zu gehen?«, hatte er sie leise gefragt. »Vielleicht sollten wir einen der anderen Hirten fragen ...«

Welche anderen Hirten? Es gab schlicht niemanden,

der sie hätte ersetzen können. Zu viele Aufgaben und zu wenige Hände – so sah es bei ihnen aus. Also hatte sie Wilhelm unterbrochen, noch bevor er weitersprechen konnte. »Ich schaffe das! Wolfram hätte es so gewollt«, hatte sie mit wackliger Stimme gesagt. »Ich muss nur noch ein paar Dinge erledigen, dann führe ich meine Herde in wärmere Gefilde.«

Ihr altes Leben hatte an dem Tag geendet, als sie von Wolframs Tod erfuhr. Jetzt galt es, ein neues Leben zu führen. Resolut rührte sie ihren Eintopf erneut um. War es das, was die Leute so vollmundig »Schicksal« nannten? Wie immer, wenn die Wunde zu heftig blutete, wandelte Corinnes Gehirn den Schmerz in französische Worte um. *Se résigner à son sort …*

Ganz mit dem Herzen war sie immer noch nicht dabei, aber wenigstens funktionierte sie wieder: Sie sortierte die Lämmer aus, die für den Schlachter bestimmt waren. Sie bestimmte die Lämmer, mit denen sie später weiterzüchten wollte. Und als Wolframs Vater und sie Anfang der Woche einen ganzen Tag damit verbracht hatten, die Hörner der Böcke abzusägen, weil diese in der Herbstbrunst sonst gar zu arg aufeinander losgegangen wären, hatte sie auch da funktioniert. Die Böcke hatten sich gewehrt, es hatte viel Kraft gekostet, sie so zu halten, dass der andere die Hörner absägen konnte, doch sie hatten es geschafft. Als Wolfs Vater sie fragte, ob sie ein paar der Hörner aufheben wolle, um daraus im Winter kunstvolle Griffe für Hirtenstäbe zu schnitzen, hatte sie zuerst den Kopf geschüttelt. Sie besaß einen Hirtenstab, den schönsten überhaupt, das reichte. Doch dann besann sie sich. »Vielleicht … wenn du einen neuen Hirtenstab schnitzt?«, hatte sie gesagt und dabei eine Hand auf ihren Bauch gelegt.

Wolframs Vater hatte genickt und dann das größte und kräftigste Horn von allen zur Seite gelegt. Gefragt hatte er nichts. Der alte Schäfer wusste längst, dass sie guter Hoffnung war, hatte es vielleicht sogar schon vor ihr gewusst, auch wenn man ihr noch immer nichts ansah.

Der Duft des französischen Eintopfs stieg in Corinnes Nase. Es roch so gut wie einst bei ihrer *Maman* …

Großen Appetit hatte sie zwar nicht, aber heute würde sie dennoch essen, beschied sie. Heute und morgen und dann jeden Tag … Schlimm genug, dass sie sich in der Zeit im Krankenhaus so hatte gehen lassen. Hoffentlich trug ihr Kind keinen Schaden davon, weil sie wochenlang nichts gegessen und nur wenig getrunken hatte, dachte sie bang. An manchen Tagen hatte ihr der Magen wehgetan vor lauter Hunger – der Schmerz hatte sie vor dem anderen, noch viel größeren Schmerz abgelenkt. Nicht daran denken. Nicht daran denken. Nicht daran denken.

Corinne stellte drei Gläser auf den Tisch, dann füllte sie einen Krug mit Wasser.

Aus der stillen Novembernacht drangen jetzt gedämpfte Frauenstimmen zu ihr – Bernadette und Mimi.

Corinnes Blick schweifte über ihre Tafel, dann strich sie tief Luft holend ein letztes Mal über das bunte Wolltuch auf der Sitzbank, das ihnen in dieser kalten Novembernacht ein wenig Farbe und Wärme spenden konnte.

»Als Siegfried Hauser mir gestern verkündete, er könnte wegen seines vereiterten Fußes kaum stehen und somit die nächsten Tage auch nicht zur Arbeit kommen, habe ich gedacht, mir zieht jemand den Boden unter den Füßen weg! Siegfried ist derzeit meine einzige Stütze, versteht ihr?« Seufzend schaute Mimi in die Runde. Corinne und Bernadette sahen sie mitleidig an.

Mimi nahm einen Löffel Eintopf und verdrehte genießerisch die Augen. »Du bist wirklich eine ausgezeichnete Köchin, Corinne.«

Corinne lächelte. Es tat gut, die Freundin hier zu haben. Und Bernadette, fügte sie pflichtschuldig im Stillen hinzu.

Nach einem weiteren Löffel Suppe nahm Mimi ihren Faden wieder auf: »Und jetzt stellt euch vor, was heute früh geschah! Siegfrieds Frau erschien pünktlich um acht im Blaumann ihres Mannes und mit Vesperbrot in der Tasche und verkündete, dass sie um die schwierige Situation in der Druckerei wisse und nun an Siegfrieds Stelle arbeiten wolle, solange er krank ist – ist das nicht wunderbar?«

Corinne und Bernadette waren gleichermaßen beeindruckt.

Mimi lachte. »So schön ich diese solidarische Geste finde, richtig hilfreich war sie nicht – derart viel Ausschuss wie heute hatten wir schon lange nicht mehr.«

»Und – behältst du Siegfrieds Frau trotzdem?«, fragte Bernadette und hielt Corinne ihren leeren Teller hin. »Gibt's noch einen Nachschlag?«

Corinne lächelte. Und ob!

»Viel drucken kann ich eh nicht mehr, in den nächsten Tagen gehen meine Farbvorräte zu Ende«, sagte Mimi und hielt Corinne auch ihren Teller hin.

»Und dann?«, fragte Corinne besorgt nach.

Mimis Miene verdüsterte sich. »Keine Ahnung. Zuerst einmal muss ich mich eh um die Auslieferung der restlichen Kalender kümmern. Eigentlich müsste alles schon bei den Kunden sein – in zwei Wochen ist schließlich der erste Dezember! Doch es ist so ein unglaublicher Aufwand, alles in zig mittelgroße Pakete zu packen, statt nur ein Bündel pro Kunden zu schnüren«, sagte Mimi. »Aber der Postbeamte meinte, dies würde noch am ehesten garantieren, dass das meiste davon ankommt. Große Pakete werden entweder gar nicht mehr transportiert, oder sie bleiben irgendwo hängen, weil der Platz im Waggon für kriegswichtige Güter benötigt wird. Wegen des Krieges ist auch der Postverkehr komplizierter, langsamer und unberechenbarer geworden.«

Die drei Frauen schwiegen. Davon konnte jede ein Lied singen.

Dann legte Corinne ihren Suppenlöffel weg. »Ich muss euch etwas sagen«, begann sie stockend.

Schlagartig besaß sie die Aufmerksamkeit der beiden Frauen. Bevor sie lange überlegen konnte, wie sie anfangen sollte, platzte sie heraus: »Ich bin schwanger. Das Kind kommt im April. Das heißt, ich werde die Schafe noch runter ins Tal zur Winterweide bringen, so wie Wolf und ich es letztes Jahr gemacht haben. Und ich werde sie den Winter über auch hüten können, aber wenn es dann auf den April zugeht, werde ich wohl ein paar Wochen Pause benötigen. Tut mir leid,

Bernadette, ich weiß ja, wie schwierig jetzt schon alles ist. Aber irgendwie müssen wir das auch noch organisiert bekommen.« Schuldbewusst und herausfordernd zugleich schaute Corinne Bernadette an, die wie vom Donner gerührt dasaß. Corinnes Blick wanderte hinüber zu Mimi, die jedoch ebenfalls wie erstarrt schien. Doch dann jauchzte sie: »Das ist das Schönste, was ich seit Langem gehört habe!«

»Wolframs Kind…«, sagte Bernadette und brach in hemmungsloses Schluchzen aus. Doch gleich darauf fasste sie sich wieder und fuhr fort: »Mach dir keine Sorgen, wenn wir zusammenhalten, bekommen wir alles hin. Deinem Kind soll es hier bei uns gut gehen!«

Corinnes Hals war auf einmal so zugeschnürt, dass ihr kurz schwindlig wurde. Sie war nicht allein! Sie hatte ihre Freundinnen. Bevor sie wusste, wie ihr geschah, weinte auch sie. Und zum ersten Mal seit Wolframs Tod spürte sie mit jeder Träne etwas wie Hoffnung in sich. Neues Leben inmitten all des Elends – wenn das kein Grund zur Freude war.

Irgendwann waren alle Tränen getrocknet, und plötzlich plapperten alle durcheinander. Ob es wohl ein Mädchen wurde? Oder ein Junge? Wussten Wolfs Eltern schon Bescheid? Und seit wann wusste Corinne eigentlich, dass sie guter Hoffnung war? Sehen würde man ja noch nichts, meinte Mimi, deren fotografischem Blick eigentlich kaum etwas entging. Statt zu antworten, nahm Corinne Mimis Hand und legte sie auf ihren Bauch. Zu ihrem Entsetzen brach diesmal Mimi in Tränen aus.

Sie lachten, und sie weinten. Und es war gut. Über

den Tisch hinweg schaute Corinne die beiden Frauen an. »Mimi, Bernadette – könntet ihr euch vorstellen, eine *marraine* – eine Patentante – zu werden für das *bébé*?«

17. Kapitel

Es war ein guter Tag gewesen – ohne größere Vorkommnisse oder Probleme, befand Mimi, als sie es sich am nächsten Abend mit einer Kanne Tee und in eine dicke Strickjacke gemummelt in ihrem Wohnzimmer gemütlich machte. Sie hatten mit den letzten Farbresten nochmals vierhundert Kalender drucken können, keine der Maschinen hatte gestreikt, und Karlheinz Frenzen hatte eine Nachricht geschickt, dass ein paar Kunden, die ihre Kalender schon bekommen hatten, ihre Rechnungen bereits bezahlt hätten. Ein Plus auf dem Konto – das hieß, die Löhne für den November waren sicher!

Lauter gute Nachrichten – aber keine war so schön wie die von Corinne am Vorabend, dachte Mimi beglückt. Ein kleines Feuer brannte im Kamin, der Tee verbreitete einen pfefferminzigen Geruch nach Sommer. Josefine hatte geschrieben, eine Postkarte war von Clara vom Bodensee gekommen, und ein Brief ihrer Mutter lag ebenfalls da und wartete darauf, von Mimi gelesen zu werden. Auch Lutz Staigerwald hatte eine kleine Nachricht geschrieben, er fragte, ob sie morgen um elf bei ihm im Büro sein könnte. Und von Anton gab es Post! Seinen Brief würde sie sich bis zuletzt aufheben.

Mimi griff nach dem dicken Umschlag ihrer Mutter.

Esslingen, im November 1914

Liebe Mimi,

ich hoffe, es geht dir gut? Hier in Esslingen ist die Lage ruhig, wenn auch nicht entspannt. Die Menschen haben Mühe, ihren Alltag zu bewältigen. Überall fehlen Männer, und die Preise für Lebensmittel steigen fast wöchentlich an. Wer genug Geld hat, scheint sich große Vorräte anzulegen, gerade so, als erwarteten die Leute, dass der Krieg noch ewig ginge. Stell dir vor, als ich gestern bei unserem Bäcker war, gab es kein Weizenbrot mehr – und das um halb elf am Vormittag!

Mimi hob die Brauen. Josefine hatte in einem ihrer letzten Briefe auch schon erwähnt, dass es in Berlin des Öfteren zu Lebensmittelengpässen kam. Da hatten sie in Münsingen ja noch richtig Glück.

Ich soll dir liebe Grüße von Vater ausrichten. Ach Mimi, was ist er nur für ein unglücklicher Mann geworden! Du würdest ihn nicht mehr wiedererkennen, befürchte ich. Und seine Predigten ebenfalls nicht mehr! Wenn ich daran denke, wie engagiert und feinsinnig er früher von der Kanzel herab zu seinen Schäfchen sprach …

Mimi hörte Amelie Reventlow an dieser Stelle laut aufseufzen, und ihr wurde das Herz schwer. Sie las weiter: *Heutzutage sind seine Texte lahm, ohne jegliches*

Feuer. Aber wen wundert's? Wann immer Franziskus eine Predigt verfasst, schwingt bei ihm die Angst mit, dass seine Worte missverstanden werden könnten und er unfreiwillig Propaganda für den Krieg macht. Aber welcher gute Christ würde das wollen? So muss deinem Vater der Spagat gelingen, den Menschen einerseits Mut und Zuversicht zuzusprechen, ohne andererseits den Krieg an sich gutzuheißen. Ein in meinen Augen unmögliches Unterfangen! Aber wird nicht von uns allen dieser Tage das Unmögliche verlangt, gerade auch von uns Frauen?

Mimi ließ den Brief sinken. Genau so war es, dachte sie. Die tapfere Corinne. Bernadette, deren Tag nie genug Stunden hatte und die sich aufrieb zwischen ihren Pflichten als Bürgermeisterin und denen im eigenen Betrieb. Clara, die am Bodensee ihre Manufaktur am Laufen hielt. Und auch sie selbst hier in der Druckerei – sie alle mussten Tag für Tag ein Stück über sich hinauswachsen.

Natürlich bin ich deinem Vater die bestmögliche Stütze. Aber darüber hinaus versuche ich dieser Tage, mich aus Kirchenangelegenheiten herauszuhalten. Derzeit bin ich damit beschäftigt, in unserem Rotkreuzverein Kurse zu organisieren für all die Frauen, die ihre vaterländische Pflicht in der Pflege von Verwundeten sehen. Ich weiß nicht, wie es bei euch ist, aber hier vergeht kein Tag, an dem nicht in der Zeitung ein Aufruf steht, dass sich Frauen für die Versorgung von Verwundeten, in Lazaretten oder auch an Bahnhöfen melden sollen. Die Damen sind dann meist sehr erstaunt zu erfahren, dass unsere Vorbereitungskurse sechs Wochen dauern und auch noch ganztags stattfinden. Und welche grausame Wunden durch Granaten, Maschinengewehre und Schrapnellgeschosse in einem menschlichen Körper angerichtet werden können, ist für die meisten auch unvorstellbar. Viele haben eine doch sehr romantische Vorstellung davon, wie sie in einer hübschen weißen Schwesterntracht einem gut aussehenden Soldaten ein wenig den Schweiß aus der Stirn tupfen und er danach genesen von dannen geht.

Mimi lächelte. Ihren Galgenhumor hatte Amelie anscheinend noch nicht verloren!

Des Weiteren sind meine Freundinnen von der SPD und ich gerade dabei, eine Beschwerde zu formulieren, die sich gegen die Aufhebung der Arbeitsschutzbestimmungen für Frauen richtet. Aufgrund des Krieges soll die Arbeitszeit für Arbeiterinnen jetzt wieder mehr als zehn Stunden betragen dürfen, und auch Nachtarbeit soll wieder erlaubt sein. Wann sich die Frauen dann noch um ihre Kinder und den Haushalt kümmern sollen, ist den Herren Politikern in Berlin wohl egal!

Zehn Stunden Arbeit? Mimi hob die Brauen. Sie wäre froh, wenn sie in der Druckerei noch auf zehn Stunden kämen! Wenn nicht bald ein Wunder geschah und sich von irgendwoher Farbe ordern ließ, konnten sie Däumchen drehen.

Seufzend legte sie den Brief ihrer Mutter fort und las rasch die Schreiben von Josefine und Clara.

Ihre Hand zitterte ein wenig, als sie schließlich nach Antons Brief griff und den dünnen Umschlag mit einem Nagel aufritzte.

Das Erste, was Mimi auffiel, als sie den Brief auffaltete, war das ebenmäßige Schriftbild. Zumindest, als er schrieb, war es Anton gut gegangen, dachte sie erleichtert. Die Briefe, die er zu Gefechtszeiten verfasst hatte, waren zittrig und unstet gewesen, teilweise fast unleserlich. Wahrscheinlich hatte es in seiner Seele genauso ausgesehen.

Nun fiel ihr Blick auf die oberste Zeile, und sie las: *23.* Mimis Miene entspannte sich weiter – Brief 22 war vor ein paar Tagen angekommen, es war also keiner verloren gegangen.

Binarville, 20. November 1914

Liebe Mimi,

ich hoffe, meine Zeilen erreichen dich wohlbehalten. Womöglich hat es auf der Schwäbischen Alb schon geschneit? Ich weiß ja, wie sehr du den Winter hasst, hoffentlich ist es dir wenigstens gelungen, dir einen guten Holzvorrat zuzulegen. Falls nicht, geh zum Ochsen-Heinrich und richte ihm einen Gruß von mir aus. Er hat im Wald viele versteckte Lager mit Brennholz, und er ist mir noch einen Gefallen schuldig.

Mimi lächelte versonnen. Da lebte Anton unter wahrscheinlich unvorstellbar primitiven Bedingungen an der Front, und das Erste, worüber er sich Gedanken machte, war, ob sie es warm genug hatte.

Hier ist es kalt und regnerisch, aber von Schnee noch nichts zu spüren. Mir geht es den Umständen entsprechend gut. Ach, eigentlich ist das eine Untertreibung – mir geht es den Umständen entsprechend sehr gut! Als

Rettungssanitäter im Feldlazarett muss ich weiterhin keine Waffe tragen und werde auch nicht zu Nachtwachen eingeteilt. Mir tun die armen Teufel vorn im Schützengraben leid. Mimi, der Krieg hat so viele schreckliche Seiten, das kannst du dir gar nicht vorstellen!

Mimi legte den Brief in ihren Schoß. Nein, das konnten sie sich hier wahrscheinlich wirklich nicht vorstellen. Bedrückt las sie weiter.

Doch nun zu einer guten Nachricht – so wie es aussieht, wird man mir das Eiserne Kreuz verleihen. Ich weiß immer noch nicht, warum gerade mir diese Ehre zuteilwird, denn ich tue nur meine Pflicht, genau wie Tausende andere Männer. Anfangs war meine Freude deswegen ein wenig verhalten, doch inzwischen ist mir bewusst geworden, dass diese Auszeichnung höchste Symbolkraft hat und ich allein deswegen im Ansehen der Leute schon enorm gestiegen bin. Ja, ich gebe zu – inzwischen bin ich ein bisschen stolz ob dieser Auszeichnung.

Mimi, die noch nie viel für Orden und Abzeichen aller Art übriggehabt hatte, runzelte die Stirn. Stolz? Stolz konnte Anton darauf sein, so viele Männer eigenhändig gerettet zu haben, aber doch nicht wegen eines Stücks Blechs! Nun, sie würde sich hüten, etwas in der Art auch nur andeutungsweise zu schreiben. Wenn die Aussicht aufs Eiserne Kreuz Anton half, den Krieg besser zu überstehen, dann war es eben so.

Ansonsten geht der Alltag unerbittlich weiter. Wir sind hoffnungslos überfüllt, und sosehr wir uns alle auch bemühen, empfinde ich doch angesichts der vielen Schwerverletzten ein Gefühl der Ohnmacht. Am schlimmsten sind natürlich die Tage, an denen gekämpft wird und wir einen armen Kameraden nach dem anderen eingeliefert bekommen. Ach Mimi, ich würde so gern jedem helfen, aber das ist schlicht unmöglich…

Lieber Anton, dachte Mimi, und eine Träne tropfte auf das hauchdünne Blatt Papier. Andere Männer wurden hart angesichts von so viel Grausamkeit – Anton jedoch schien durch die Schrecknisse eher noch mitfühlender zu werden. Mimi las weiter. Wie in jedem Brief antwortete Anton auf ihre Fragen und erteilte ebenso unerbetene Ratschläge. Die meisten davon waren nicht realistisch – so wenig sie sich das Leben an der Front vorstellen konnte, hatte Anton eine Vorstellung davon, wie wenig Gestaltungsraum das Leben an der Heimatfront angesichts von Mängeln und Engpässen bot. Oder, wie Bernadette immer sagte: »Mehr als den Mangel verwalten können wir nicht!«

Wir alle sind großer Hoffnung, dass der Krieg bis Weihnachten zu Ende ist. Mimi, dann feiern wir ein fröhliches Wiedersehen! Bis dahin bleib gesund und munter und lass dich von dem ganzen Affentheater nicht unterkriegen.

Dein Anton.

Anton an Weihnachten zu Hause? Mimi glaubte nicht richtig zu lesen. Das wäre ja… wundervoll! Gab es womöglich neue Entwicklungen, von denen sie hier oben auf der Schwäbischen Alb nichts mitbekommen hatten?

Anton an Weihnachten daheim… Mit einem seligen Lächeln holte Mimi ihr Schreibzeug. Sie würde ihm gleich antworten. Denn ausnahmsweise konnte sie auch mit guten Nachrichten aufwarten – Anton würde Augen machen, wenn er erfuhr, dass sie, Mimi, die Patentante von Corinnes Baby wurde!

»Ich habe eine gute und eine schlechte Nachricht. Welche willst du zuerst hören?«, fragte Lutz Staigerwald, als Mimi am nächsten Tag pünktlich um elf bei ihm im Büro stand. »Die gute natürlich!«, sagte Mimi lächelnd und atmete genießerisch den Duft nach echtem Bohnenkaffee ein. Er strömte aus der Kanne, die zusammen mit zwei Tassen auf dem kleinen Salontisch stand. Ein Besuch auf dem Truppenübungsplatz hatte doch stets seine Vorzüge.

»Du bekommst Druckerfarbe geliefert. Noch diese Woche!«, sagte Lutz, während er zwei Tassen Kaffee einschenkte und sich ihr gegenüber an dem kleinen Tisch niederließ.

»Wie bitte? Ich fasse es nicht! Kannst du etwa zaubern?« Mimi lachte glücklich auf. »Wenn ich das Anton schreibe! Dann kann ich ja doch noch meine restlichen Adventskalender drucken.« Sie durfte nicht vergessen, Lutz zu erzählen, dass Anton nun Rettungssanitäter war – falls er das nicht schon längst wusste. Immerhin waren die beiden Männer gut befreundet und schrieben sich ebenfalls Briefe.

Wenn der Krieg überhaupt etwas Gutes hatte, dann, dass sie alle enger zusammengewachsen waren, dachte Mimi nicht zum ersten Mal, während Lutz nochmals aufstand und zu seinem Schreibtisch ging. »Warum siezt ihr euch eigentlich noch? Wäre in diesen Zeiten nicht ein freundschaftliches Du angebracht?«, hatte beispielsweise Bernadette vor ein paar Wochen gesagt, als sie sich zu dritt auf der Straße begegnet waren. Mimi und Lutz hatten sich angeschaut und gelacht. Das wäre längst überfällig, hatte Lutz bestätigt und sich dafür entschuldigt, dass er als der Ältere im allgemeinen Trubel nicht selbst darauf gekommen war, Mimi das Du anzubieten.

»Leider sind an diese Lieferung einige Bedingungen geknüpft. Und Adventskalender kommen darin nicht vor«, sagte der Generalmajor jetzt und reichte Mimi ein Formular. »Aber glaube mir, das war das Beste, was ich für dich herausholen konnte.«

»Das heißt?« Hatte sie sich zu früh gefreut? Misstrauisch beäugte sie das sehr offiziell aussehende Papier.

»Du bekommst die Farben nur, weil ich dich per Ausnahmedekret zu einer Art ›inoffizieller Armeedruckerei‹ ernannt habe. Das meiste Propagandamaterial wird zwar von den offiziellen Armeedruckereien produziert, aber immerhin zwei Aufträge konnte ich dir sichern.« Er reichte Mimi zwei weitere Blätter. »Die Druckvorlagen, bitte schön!«

»Ein amtlicher Appell an städtische Hausfrauen«, las Mimi auf dem ersten Blatt. Stirnrunzelnd überflog sie den Text.

…Deutschland steht gegen eine Welt von Feinden, die es vernichten wollen. Es wird ihnen nicht gelingen, unsere herrlichen Truppen niederzuringen, aber sie wollen uns wie eine belagerte Festung aushungern.

Mit fragend hochgezogenen Augenbrauen schaute sie Lutz an. Als von ihm nichts kam, las sie weiter: *… haben wir genug Getreide, um die Bevölkerung bis zur nächsten Ernte zu ernähren, nur darf nichts verschwendet werden. Deshalb seid dankbar für das tägliche Brot, auch wenn es nicht mehr ganz frisch ist! Schneidet kein Stück Brot mehr ab, als ihr benötigt. Und denkt immer* *an unsere Soldaten im Felde, die oft glücklich wären, wenn sie das Brot hätten, das ihr verschwendet!*

»Diese Wurfzettel werden großräumig in den Haushalten der württembergischen Städte verteilt, dementsprechend hoch ist die Auflage«, sagte Lutz. »Der zweite Druckauftrag ist eine Anordnung, die zeitgleich an alle Bäckereien im Kaiserreich herausgeht.«

»Aha«, sagte Mimi. Sie kannte keine Frau, die auch nur eine Brotkrume verschwendete. Doch das behielt sie für sich und griff stattdessen nach der Anordnung für die Bäcker.

... gemäß der Bekanntmachung ... wird folgende Regelung des Verkehrs mit Brotgetreide und Mehl ... wird folgende Anordnung erlassen ... dürfen nur noch Einheitsbrote hergestellt werden ... Kriegsbrot (Roggenbrot) mit 80% Roggenmehl und 20% Kartoffelmehl und einem Verkaufsgewicht von 3 oder 6 Pfund ... Vollkornbrot ... Weißbrot ...

Mimi lachte ungläubig auf. »Ihr wollt den Bäckern vorschreiben, wie sie zukünftig ihre Brote zu backen haben? Na, die werden sich freuen!« Sie nahm einen Schluck Kaffee, bevor er kalt wurde.

»Ganz genau so ist es. Die Bäcker werden ebenso erfreut sein, ihre Arbeit in den Dienst des Vaterlands stellen zu können, wie du und ich es sind und alle anderen auch«, erwiderte Lutz ungewohnt scharf.

Mimi presste die Lippen aufeinander. Lutz war zwar ihr Freund, aber er war außerdem ein hochrangiger Militär, das durfte sie nie vergessen. »Jedenfalls vielen Dank, dass du dich so für uns eingesetzt hast. Ich kann jeden Auftrag brauchen.«

Lutz nickte zufrieden. »Die Aufträge werden gut bezahlt«, fügte er milder hinzu. »Da wäre noch was, und das richtet sich jetzt an dich als Fotografin – kannst du nicht ein paar schöne Postkarten entwerfen? Fröhliche Motive, aufmunternde Worte, ein bisschen Schalk und Komik? Über solche kleinen Aufmunterungen freuen sich unsere Soldaten an der Front immer. Damit könntest du ein gutes Geschäft machen!«

»Postkarten für die Front? Lohnt das überhaupt noch?« Sie runzelte die Stirn. »Wir hoffen doch alle, dass die Männer bis Weihnachten wieder zurück sind.«

Lutz Staigerwald stellte seine Kaffeetasse ab, stand auf und ging zu seinem Schreibtisch.

Gespräch beendet, dachte Mimi eine Spur ärgerlich und erhob sich ebenfalls. »Nochmals vielen Dank! Ich melde mich, wenn die Farben bei uns angekommen sind und wir einen ersten Probedruck machen konnten, in Ordnung?«, sagte sie mit betont leichter Stimme.

Lutz Staigerwald schaute sie über seinen Schreibtisch hinweg an, und Mimi glaubte, in seinem Blick etwas Unheilvolles zu erkennen.

»Mach das. Und noch etwas, Mimi: Ich an deiner Stelle würde die Postkarten für die Front eher in größerer Auflage drucken als in zu kleiner.«

18. Kapitel

Binarville an der Westfront, Anfang Dezember 1914

Männer, die unaufhörlich zitterten. Soldaten, die zerfetzt in ihren Betten lagen, auf Hilfe bei fast jeder körperlichen Verrichtung angewiesen. Manche Männer brabbelten unaufhörlich vor sich hin. Andere starrten ins Leere – dort, wo in ihren Augen einst ihre Seele zu sehen gewesen war, sah Anton nur einen schwarzen Abgrund.

Schussverletzungen waren noch das harmloseste. Viel schlimmer waren die grausamen Weichteilwunden, verursacht durch scharfe Granatsplitter. Die zerfetzten Beine und Arme. Einem Mann waren die Geschlechtsteile abgerissen worden. Zerschmetterte Blutgefäße, zermahlene Muskeln. Wurde die Halsschlagader getroffen, half kein noch so fester Verband, dann konnte man dem Verwundeten beim Verbluten zusehen. Erblindungen. Kopfverletzungen. Lungenerkrankungen. Infektionen aller Art. Geisteserkrankungen wie bei dem Schützen, der in geistiger Verwirrung auf einen Kameraden geschossen hatte.

Der Krieg hatte so unfassbar viele grausame Gesichter, dachte Anton, während er wie jeden Morgen zu den Latrinen lief, um die über Nacht benutzten Bettpfannen auszuleeren. Der Gestank von altem Urin und anderen menschlichen Ausscheidungen war fast mehr, als er ertragen konnte, dennoch verrichtete er seine Arbeit mit stoischem Gleichmut. Wie viel besser war es, die Scheiße der anderen wegzukippen, als selbst verstümmelt in einem der Betten zu liegen!

»Anton! Beeil dich, wir beginnen gleich mit den Operationen«, rief ihm einer der Ärzte im Vorbeigehen zu, kaum dass er mit einem weiteren Schwung geleerter Bettpfannen zurück ins Lazarett kam.

Anton nickte. Eine seiner Aufgaben war es, die Männer mit aller Kraft auf der Bahre festzuhalten, während ihnen ein Bein abgenommen wurde oder sie auf andere Weise zusammengeflickt wurden. Betäubungsmittel gab es nur in den seltensten Fällen, wie alle Medikamente wurden auch sie sparsam verwendet. Während die Ärzte mit zusammengepressten Lippen ihr Tagwerk mehr oder weniger engagiert verrichteten, redete Anton den Verwundeten, die er fixierte, unaufhörlich gut zu, erzählte ihnen kleine Geschichten, manchmal sogar einen Witz. Ob die Männer davon etwas mitbekamen? Genau wusste er das nicht. Aber solange er mit ihnen redete, waren ihre Schreie nicht ganz so durchdringend. Zumindest kam es ihm so vor.

»Was quatscht du die ganze Zeit? Bist du seine Mutti?«, rügten ihn die Ärzte. »Ein deutscher Soldat ist auch auf der Krankenbahre tapfer, da braucht es dieses ganze Verzärteln nicht.«

Es war elf Uhr am Vormittag, als Anton sich das erste Mal mit einer Tasse Tee hinsetzen konnte. In der Feldküche, die dem Lazarett angeschlossen war, hätte er um diese Zeit auch ein Butterbrot oder ein Stück trockenen Kuchen bekommen. Doch der Operationsgeruch nach Blut, Eingeweiden und Eiter saß noch so durchdringend in seiner Nase, dass es ihm den Appetit verschlagen hatte. An Tagen wie diesen gab es nur eins, was ihn nährte, und das waren Mimis Briefe. Sie waren sein Rettungsanker. Zu ihr zurückzukommen war seine ganze Motivation. Der Krieg? Anton empfand ihn weiterhin als völlig sinnlos. Warum bereiteten Franzosen und Deutsche sich hier die Hölle auf Erden, nur weil irgendwo in Osteuropa vor ein paar Monaten ein serbischer Attentäter das österreichische Thronfolgerpaar umgebracht hatte? Es ergab schlichtweg keinen Sinn.

Worte wie Heldentum, Ehre, Tapferkeit – Anton konnte sie nicht mehr hören, und daran änderte auch die Aussicht auf das Eiserne Kreuz nichts.

Mit hungrigem Magen und noch hungrigerer Seele begann er den Brief zu lesen, der am Morgen mit der Feldpost angekommen war. Sein Herz klopfte voller Freude, als er Mimis aufrechte feine Handschrift sah. Wie immer erkundigte sie sich als Erstes nach seinem Wohlbefinden, fragte, ob sie ihm etwas schicken sollte, dann erst begann sie zu erzählen.

... und dann der Moment, als Corinne verkündete, dass sie guter Hoffnung ist. Anton, du glaubst nicht, wie wunderbar das war! Sowohl Bernadette als auch mir hatte es tatsächlich für eine Sekunde die Sprache verschlagen. Und dann heulten wir los wie die Schloss-

hunde. Einerseits ist die Vorstellung, dass Wolfram in seinem Kind weiterlebt, so wunderschön. Andererseits bricht es mir fast das Herz zu wissen, dass das Kind ohne Vater aufwachsen wird. Vielleicht ist es ein schwacher Trost für Corinne, dass Bernadette und ich immer für sie und das Kleine da sein werden. Anton, halte mich nicht für verrückt, aber beim Gedanken an das kleine Kindlein bekomme ich selbst fast Muttergefühle.

Anton lächelte. Mimis Fähigkeit, Freude zu empfinden, war einer der Gründe, warum er diese Frau mehr liebte als jeden anderen Menschen auf der Welt.

Ich bewundere Corinne so sehr für ihre Tapferkeit! Wahrscheinlich ist ihr oft genug nach Heulen zumute – wem nicht? –, dennoch ist sie täglich mit den Schafen draußen.

Ach Anton, ich bin so froh, dass sich Bernadette und Corinne endlich verstehen! Ich glaube wirklich, sie sind auf dem besten Weg, Freundinnen zu werden. Aber ist es nicht schrecklich, dass erst solche Katastrophen geschehen mussten, um Bernadettes Hass auszulöschen … Wo früher Härte war, ist heute eine Weichheit in ihrem Gesicht, die einfach schön anzusehen ist. Ich muss sie unbedingt fotografieren!

Apropos – habe ich dir schon erzählt, dass ich ein paar heitere, aufmunternde Motive für Feldpostkarten fotografieren werde? Ich habe bereits ein paar attraktive Modelle dafür ausgesucht, Kinder, junge Frauen und auch ein paar junge Burschen – so sie mir nicht vor der Nase weg eingezogen werden! Lutz Staigerwald meint, ihr würdet euch über diese Art von Postkarten freuen. Und dass ich einen guten Umsatz damit machen würde, sagte er auch. Hoffen wir, dass er recht hat – ein bisschen Geld in der Kasse würde nicht schaden.

Anton runzelte die Stirn. Sprach Mimi etwa von jenen Postkarten, auf denen man kleine Kinder für eine Fotografie in lächerlich große Uniformen gesteckt hatte und die dann mit einem vermeintlich lustigen oder tapferen Spruch versehen wurden, nach dem Motto »Vereinigt durch ein heilig Band, mit Gott für König und Vaterland«? Oder Postkarten, auf denen eine hübsche Frau zu sehen war, die verträumt an einem Schreibtisch sitzend an ihren Liebsten schrieb, während der das Vaterland verteidigte? Diese Art von Postkarten sah er immer häufiger auch im Lazarett auf den Nachttischchen liegen. Aber ob die Kameraden sich darüber freuten, wusste Anton nicht. Wer mit zerfetztem Bein oder weggeschossenem Schädel hier lag, hatte für diese Art von Humor oder Romantik nicht mehr viel übrig.

Und Mimis Ding war dieser Kitsch doch nun wirklich auch nicht, oder?, dachte er mit einem Anflug von Ärgernis. Er las weiter.

Hab bloß keine Sorge, dass ich vor lauter Fotografieren die Druckerei vernachlässige! Sobald die Farben angekommen sind, die Lutz mir versprochen hat, werden wir die neuen Druckmatrizen einrichten und loslegen. Und erst wenn alles gut läuft, werde ich mich für ein, zwei Nachmittage in mein Atelier zurückziehen. Davon abgesehen betrachte ich die Feldpostkarten ja ebenfalls als einen Druckauftrag, und du tust das hoffentlich auch?

Ach Mimi, was für eine Frage. Als ob er nicht wüsste, dass sie immer ihr Bestes gab!

Weißt du, lieber Anton, was ich im Moment sehr tröst-

lich finde? Es ist der Gedanke, dass unser Adventskalender, den wir Anfang des Jahres konzipiert haben, nun in dieser schweren Zeit doch in etlichen Haushalten hängen und die Kinder erfreuen wird. Was war ich froh, dass du mir dein Einverständnis dafür gabst, dass ich einen Teil der Kalender auch bei uns im Dorf verteilen durfte! Die strahlenden Kinderaugen waren mehr wert als jedes Geld.

Anton lächelte. Das hätte er auch zu gern gesehen. Verdammt noch mal, wie sehr ihm diese Frau fehlte! Mimi… Seine Gedankengänge wurden jäh unterbrochen, als ihm jemand von hinten sanft eine Hand auf die Schulter legte. »Anton?«

Er drehte sich um und erblickte eine der älteren Krankenschwestern. Sie hieß Gerda, kam aus dem Hessischen und hatte ein Herz aus Gold. Anton mochte sie sehr.

»Der Patient im siebten Bett von links, der mit der Blutvergiftung – er stirbt.«

Anton faltete Mimis Brief zusammen. »Ich komme.«

Gerda nickte, dann war sie auch schon wieder fort.

Mit schwerem Herzen und dennoch einem Lächeln auf den Lippen setzte sich Anton an das Bett des Sterbenden und nahm seine Hand. Es war ein junger Soldat mit zerfetztem Brustkorb. Als sie seine Wunden gesäubert hatten, war es schon zu spät gewesen – längst hatten sich der Schmutz seiner Uniform und der vom Schlachtfeld in seine Wunden gesetzt und sie entzündet. Seit Tagen litt er an Atemnot und geistiger Verwirrung, nun schienen seine inneren Organe zu versagen.

»Vergeudest du mal wieder deine Zeit? Dahinten hat

einer ins Bett gekotzt, dort könntest du dich nützlich machen!«, rief ihm einer seiner Sanitätskollegen im Vorbeigehen zu. »Der hier wird eh verrecken.«

Anton runzelte unwirsch die Stirn. Wie konnte man nur so gefühllos sein? »Kann ich noch irgendwas für dich tun?«, sagte er leise zu dem Sterbenden, der kaum älter war als er selbst. »Soll ich dir etwas vorlesen? Oder magst du mir einen letzten Brief an deine Familie diktieren?« Schon lange hatte er es sich abgewöhnt, den Sterbenden etwas vorzuflunkern und zum Beispiel zu sagen: Morgen bist du wieder gesund. Wer starb, wusste darum.

Der junge Soldat schaute ihn aus glasigen Augen flehentlich an, war aber nicht mehr fähig, irgendetwas zu sagen oder gar einen letzten Wunsch zu äußern.

Anton verstand ihn auch so. Er drückte die Hand des Sterbenden ein wenig fester. »Ich bleibe bei dir, versprochen!«

Die Gefahr, dass sie hier den letzten Rest Menschlichkeit abstreiften wie ein zerfleddertes Hemd, war jeden Tag riesengroß, dachte er, während vor seinen Augen ein Leben dahinschied. Ein wenig konnte er die Kameraden, die sich jedes bisschen Mitgefühl verbaten, sogar verstehen. Mitgefühl kostete Kraft, und davon hatten sie alle nicht im Überfluss. Auch er hätte gern noch ein paar Minuten länger Pause gemacht oder sich mit dem Wickeln von Verbänden oder einer anderen praktischen Verrichtung die Zeit vertrieben. Aber beim Sterben war niemand gern allein.

Unwillkürlich wanderten seine Gedanken zurück zu Mimis Brief. Seine Liebe zu ihr war das, was ihn aufrecht hielt. Er wollte ihr entgegentreten können als ein Mann, der sich weiterhin im Spiegel anschauen konnte, ohne sich vor Ekel abzuwenden. Und er wollte sie endlich erobern, wollte, dass sie ihn erhörte. Allein aus diesem Grund schon konnte er hier nicht vor die Hunde gehen.

19. Kapitel

Münsingen auf der Schwäbischen Alb, Heiligabend 1914

Eigentlich war alles wie immer, und doch war alles ganz anders, ging es Bernadette durch den Kopf, während sie sich in ihrem selten genutzten Esszimmer umschaute. In der Ecke stand wie jedes Jahr ein kleiner Tannenbaum. Außer dem Christbaumschmuck ihrer Mutter hatte Bernadette ein paar Papieroblaten in Form des Eisernen Kreuzes an dem Baum dekoriert – die hatte es recht günstig im Münsinger Kaufladen gegeben. Kerzen brannten und erwärmten mit ihrem Licht nicht nur den Raum, sondern auch die Seelen. Heidi, ihre alte Kindsmagd, die ihr den Haushalt führte und jetzt mit am Tisch saß, hatte gekocht – Lammbraten mit Rotkraut und Bratkartoffeln. Bratäpfel dufteten im Ofen nach Zimt und in Kirschwasser eingelegten Pflaumen. Ab morgen würden sie die Lebensmittel wieder sparsamer einteilen, doch heute sollte sich jeder richtig satt essen können!

Ein paar verpackte Geschenke lagen unter dem

Baum – eine Tradition, die sie, Bernadette, auch nach dem Tod ihrer Eltern beibehalten hatte.

Alles war wie immer – und doch war alles anders.

Fast verwundert schaute Bernadette auf die große Runde, die sich um ihren Tisch versammelt hatte. Da waren Wolframs Eltern Mariele und Wilhelm. Zudem ihre liebe Freundin Mimi, sie hatte vor dem Essen darauf bestanden, dass sich alle vor dem Tannenbaum aufstellten. Dann hatte sie eine Erinnerungsfotografie geschossen – für Corinne und ihr Baby und für alle anderen Anwesenden ebenfalls. Der alte Doktor Martin war gekommen. Er wirkte nach dem Tod seiner Frau vor zwei Jahren immer so verloren, und einer Laune folgend, hatte sie, Bernadette, ihn eingeladen. Und Corinne war da! Sie hatte zusammen mit ihrem Hund Achille extra den weiten, strapaziösen Weg von der Winterweide herauf auf die Schwäbische Alb auf sich genommen, um Bernadettes Einladung zu folgen. Die Schafe hatte sie in die Obhut eines dort ansässigen, bekannten Schäfers gegeben, schon am zweiten Weihnachtsfeiertag wollte sie mit der Bahn zurück zu den Tieren fahren.

Die Stimmung war gedämpft, dennoch schien jeder froh zu sein, an diesem ganz besonderen Heiligabend nicht allein sein zu müssen.

»Möchte noch jemand vom Braten?« Das Vorlegebesteck über die Fleischplatte haltend, schaute Bernadettes Magd Heidi fragend in die Runde.

Sogleich hielten Doktor Martin und Wolframs Vater ihre Teller in die Höhe.

»Ich nehme auch gern noch was«, sagte Mariele.

»Ich auch!«, rief Mimi.

Alle lachten.

»Sich einmal satt essen – tut das gut«, sagte Mimi übertrieben seufzend. »Danke, Bernadette, für diese schöne Einladung.«

»Es ist mir eine Freude, euch alle hier zu haben«, sagte Bernadette lächelnd. »Jetzt hoffen wir, dass Lutz auch bald kommt, sonst ist das Essen vollends kalt.« Wie die Hände ihrer alten Magd beim Fleischausgeben zitterten, dachte sie, und ihr Herz wurde schlagartig schwer.

Ein Leben lang hatte Heidi sich um sie gekümmert – erst als ihre Kinderfrau, dann, nach dem Tod ihrer Eltern, als ihre Haushälterin. Ohne Heidi, die ihr zu Hause den Rücken frei hielt, hätte Bernadette ihr hohes Arbeitspensum gar nicht bewältigen können. Doch bald, in ein paar Jahren vielleicht, würde sie an der Reihe sein, sich um die alte Frau zu kümmern.

Um sich abzulenken, hob Bernadette einen Löffel mit Bratkartoffeln in die Höhe. »Corinne, darf ich dir noch etwas geben?« Dass die Französin kein Lammfleisch aß, hatte sie erst heute Abend erfahren. Nun, da waren sie schon zu zweit – auch ihr, Bernadette, war der Geschmack von Lamm von Kindesbeinen an zuwider. Sie konnte es nicht einmal riechen, wenn Lamm gebrutzelt wurde.

Wolframs Witwe winkte ab. »Es heißt zwar immer, ich müsse jetzt für zwei essen, aber ehrlich gesagt ist mein Appetit gar nicht so groß.« Lächelnd legte sie eine Hand auf ihren wachsenden Bauch.

Wie französisch sie das Wort Appetit aussprach, dachte Bernadette lächelnd. »Dann gib doch deine

Fleischration Achille, er soll auch nicht leben wie ein Hund.« Sie grinste.

»Ist dir was Süßes lieber, Corinne? Soll ich schauen, ob die Bratäpfel schon fertig sind?«, fragte Mimi. »Sie duften jedenfalls schon wunderbar.«

»Nichts da!«, sagte Bernadette betont streng. »Den Nachtisch gibt es erst nach der Bescherung. Und du, Corinne, isst jetzt noch den kleinen Happen.« Bevor die andere protestieren konnte, häufte sie ihr zwei Löffel voll Kartoffeln auf den Teller. »Deinem Kind soll es schließlich an nichts fehlen.«

Mit einer tragikomischen Geste spießte Corinne eine Kartoffelscheibe auf, doch Bernadette sah, dass ihre Augen dabei freudig glänzten.

Ja, dass sie beide sich einmal so zugetan sein würden, damit hatte wohl keiner gerechnet.

Es war schon verrückt – ausgerechnet jetzt, zu Kriegszeiten, feierte sie, Bernadette, ein Weihnachtfest unter Freunden und verspürte zum ersten Mal die Geborgenheit und den Zusammenhalt, den sie sich ein Leben lang gewünscht hatte. Bevor Bernadette wusste, wie ihr geschah, merkte sie, dass Tränen in ihre Augen stiegen.

Im nächsten Moment spürte sie Corinnes raue Hand auf ihrem Arm. *»Tout ira bien …«*

Bernadette lächelte tapfer. Ja, alles würde gut werden. Dafür würde sie sorgen.

Kurz darauf kam Lutz Staigerwald. Er trug seine Galauniform und sah müde aus. Auch er brachte Geschenke mit und außerdem Rotwein. Für Bernadette hatte er sogar zwei extra Geschenke.

Essen wollte er nichts – er hatte mit seinen Offizieren im Kasino gegessen. Stattdessen bestand er darauf, den Wein zu öffnen und allen außer Corinne ein Glas einzuschenken.

Die Frauen räumten den Tisch ab, die Männer rauchten derweil am Kamin Zigarre oder Pfeife.

Dann wurden die Geschenke ausgepackt – kleine praktische Dinge, die jeder brauchen konnte und die derzeit schwer zu bekommen waren. Mimis Freundin Clara hatte vom Bodensee ein Paket mit diversen Seifenstücken geschickt – Lavendel, Rose, Sandelholz. Glücklich reichte Mimi den Karton herum, sodass sich jede Frau ein Stück Seife aussuchen konnte, was unter viel Schnuppern und wohligen Seufzern geschah. Von Lutz gab es für jeden eine Tafel Schokolade. Mariele hatte für jeden ein Paar Socken gestrickt, sogar Doktor Martin bekam welche. Wilhelm hatte für Corinnes Kind ein paar kleine hölzerne Tiere geschnitzt, sonst hatte er für niemanden etwas. Von Corinne gab es gut gereiften Ziegenkäse. Bernadette hatte für ihre Freundinnen je eine Haarspange und einen Kamm besorgt. Lutz und die anderen Herren bekamen Tabak von ihr. Sie selbst freute sich über eine Fotografie, die Mimi von ihrem Pferd gemacht hatte – ihr alter Rappe wirkte darauf noch prachtvoller als im wahren Leben.

Und von Lutz bekam sie doch tatsächlich ein französisches Parfüm! Auf die Frage, wie er darangekommen sei, schwieg er geheimnisvoll.

Während die anderen sich an Bratäpfeln und kräftigem Ceylontee labten, wurde Bernadette immer schweigsamer. Wie es wohl in den anderen Münsinger Häusern heute Abend zuging? Die Kirche am Nachmittag war noch voller gewesen als sonst, sie als Bürgermeisterin hatte sich neben dem Pfarrer an der Tür aufgestellt und jedem die Hand geschüttelt und ein paar Worte gesagt. Sie hatte in viele traurige Mienen geschaut. Wenigstens konnten sich die Kinder an Mimis Adventskalender erfreuen.

Inzwischen gab es mehr Kriegerwitwen, Corinne war nur die Erste gewesen, die von diesem harten Schicksal getroffen wurde. In fast jedem Haus gab es Sorgen und Leid, hier wurde der Vater vermisst, da der Bruder, der Onkel, der Verlobte. Nun waren die Männer schon fünf Monate fort! Und nicht jeder schickte seinen Sold nach Hause, dementsprechend war in vielen Familien das Geld knapp, und bei so mancher Frau und Mutter lagen die Nerven blank.

Wo würde das noch alles hinführen?, fragte sich Bernadette stumm. Konnten die Menschen wenigstens aus dem dörflichen und familiären Zusammenhalt ein wenig Kraft schöpfen, so wie sie es hier taten?

Sie fing einen fragenden Blick von Mimi auf und lächelte ihr zu, dann konzentrierte sie sich auf das Gespräch, das sich zwischen den Männern entsponnen hatte.

»Was waren denn das für seltsame Blitze gestern Abend bei euch auf dem Truppenübungsplatz?«, wollte Wilhelm Weiß wissen.

»Das waren bestimmt die Flammenwerfer. Eine völlig neue Waffengattung«, erwiderte der Kommandant. »So mancher Militärexperte sieht in ihnen ein kriegsentscheidendes Instrument.«

Mimi gab ein unwilliges Geräusch von sich. »Ihr erfindet immer neue Waffen! Warum erfindet ihr nichts, was den Frieden bringt?«, sagte sie heftig.

Lutz Staigerwald schwieg, wie er es fast immer tat, wenn die Rede auf den Krieg kam.

»Lutz, ich rede mit dir«, nahm Mimi einen weiteren Anlauf. »Wie viele arme Männer müssen denn noch sterben, bevor dieser Wahnsinn ein Ende hat?«

Aus den Augenwinkeln sah Bernadette, dass Corinne blass wurde. »Mimi, es ist gut. Lutz kann genauso wenig für den Krieg wie wir anderen.« Unauffällig nickte sie in Richtung von Corinne, die wie ein Häufchen Elend dasaß.

»Wir alle hoffen, dass der Gegner kapituliert und der Siegfrieden nicht mehr weit ist«, sagte Lutz schließlich, dann hob er sein Glas. »Auf den Kaiser und sein Reich!«

Etwas anderes fiel ihm nicht ein? Bernadette war enttäuscht, doch um des lieben Weihnachtsfriedens willen hob auch sie ihr Glas. »Ich muss mit dir sprechen«, raunte sie Lutz dann zu. »Wollen wir kurz an die frische Luft gehen?«

Es schneite, als Bernadette und Lutz aus dem Haus traten. Wie friedlich alles aussah! Und wie still es war. Wenn Bernadette den Frieden und die Stille der Heiligen Nacht nur auch in sich gespürt hätte …

»Hast du etwas auf dem Herzen, meine Liebe? Sag, wie kann ich dir helfen?«

Meine Liebe? Bernadette hob unmerklich die Brauen, während ein leichter Schauer über ihren Rücken rann. Hätte sie nur ihr wollenes Tuch umgelegt! Sie hatte es noch nicht zu Ende gedacht, als Lutz aus seiner Jacke schlüpfte und sie ihr umlegte.

»Danke«, sagte sie, unwillkürlich gerührt. Doch schon im nächsten Moment schaute sie ihn mit blitzenden Augen an und sagte fast trotzig: »Ich habe einen Entschluss gefasst. Nun, wo es danach aussieht, dass dieser Krieg doch nicht so schnell zu Ende ist, wie wir alle gehofft haben, muss ich als Bürgermeisterin anders denken und planen als bisher. Nicht bei allen ist der Tisch heute so reichlich gedeckt wie bei uns. Viele Leute im Dorf leiden Hunger, und es fehlt schon jetzt an allem Möglichen. Brennholz, Medikamente, Geld… Auch bei den Lebensmitteln gibt es erste Versorgungslücken, letzte Woche gab es beispielsweise im ganzen Dorf kein Fett zu kaufen. Und Milchpulver auch nicht, die Mütter sind mir fast aufs Dach gestiegen deswegen! Und ganz gleich, mit welcher Frage ich mich an die Behörden in Stuttgart wende – entweder dauert es eine Ewigkeit, bis ich eine Antwort bekomme, oder die Antwort ist nicht in dem Maße hilfreich, wie ich es mir vorgestellt habe.«

»Und das heißt?«, fragte Lutz.

»Das heißt… Wenn ich mein Dorf sicher und wohlbehalten durch diesen Krieg führen will, dann muss ich es so tun, wie *ich* es für richtig empfinde!« Sie schaute ihn eindringlich an, wollte seine Reaktion genau prüfen – er war immerhin ein hochrangiger Offizier, und sie war im Begriff, ihm klarzumachen, dass sie bereit war, gegen rechtliche Normen zu verstoßen. Doch seine Miene war wie so oft unleserlich für sie. »Natürlich ist mein oberstes Ziel, meine Arbeit als Bürgermeisterin gänzlich im

Rahmen der bestehenden Gesetze und Regeln zu tun«, fügte sie beschwichtigend hinzu, nur um gleich darauf heftiger zu ergänzen: »Aber falls dies nicht möglich ist und ich in eine Lage komme, in der ich eine Regel verletzen oder mich womöglich sogar strafbar machen muss, dann werde ich davor nicht zurückschrecken! Solange Krieg ist und ich für die Leute hier verantwortlich bin, wird ihr Wohl bei mir immer an erster Stelle stehen.«

Lutz schaute sie an, und sie glaubte, ein amüsiertes Schmunzeln in seinem Blick zu sehen. »Bernadette, alles andere hätte mich auch sehr enttäuscht«, sagte er, dann nahm er ihre Hand. »Ich danke dir für deine Offenheit, auch wenn ich nicht ganz so offen antworten kann. Nur so viel möchte ich dir sagen: Ganz gleich, was du tust oder wozu du dich genötigt fühlst – ich werde immer auf deiner Seite stehen.«

Bevor Bernadette wusste, wie ihr geschah, spürte sie seine Arme um sich. Und so standen sie, einen Moment oder eine halbe Ewigkeit lang, die Wärme des anderen spürend, während der Schnee leise rieselte.

*

Westfront, Weihnachten 1914

Es war Heiligabend. Seit ein paar Tagen herrschte entlang der feindlichen Linie eine trügerische Ruhe. Kein Schuss fiel. Kein Kanonendonner war zu hören. Keine Granaten fielen vom Himmel. Die Waffen standen still.

So ruhig es an der Front war, so ruhig war es auch im Lazarett. Anton hatte am Vortag zusammen mit einem anderen Rotkreuzhelfer ein kleines Tannenbäumchen geschlagen und im Krankensaal aufgestellt. Seit dem Morgen brannten die Kerzen und sorgten für eine feierliche, wenn auch nicht frohe Stimmung. Am Abend wollten sie gemeinsam Weihnachtslieder singen – Anton graute schon jetzt davor.

Taten sie sich mit diesen Sentimentalitäten wirklich einen Gefallen?, fragte er sich, während er zusammen mit Schwester Gerda die Weihnachtspost verteilte. Immer wieder setzte er sich an ein Bett, las denen, die nicht mehr selbst lesen konnten, weil sie blind waren oder ein Auge verloren hatten, Briefe von daheim vor. Anschließend verteilte er die Päckchen von der Heimatfront. Er selbst konnte sich glücklich schätzen – sowohl Mimi als auch seine Mutter hatten ihm ein Paket mit Liebesgaben geschickt. Diejenigen, die nichts bekommen hatten, schauten stoisch an die Decke oder schlossen die Augen, um nicht mit ansehen zu müssen, wie ihre Kameraden Schnaps, Tabak und Kuchen auspackten. Spontan hatte Anton eine der Dauerwürste seiner Mutter angeschnitten und jedem eine Scheibe in die Hand gedrückt.

Es war ein Uhr am Mittag, als Anton den Oberstabsarzt aufsuchte und um Erlaubnis fragte, seine alten Bataillonskameraden im Schützengraben besuchen zu dürfen.

Der Lazarettleiter runzelte die Stirn ob dieses ungewöhnlichen Wunsches, gewährte ihn aber angesichts der Tatsache, dass Weihnachten war und Waffenstillstand herrschte.

Eilig packte Anton ein paar der Lebensmittel in ein

Leinentuch, dann ging er davon, bevor der Oberstabsarzt es sich anders überlegen konnte.

»Für mich?« Jakob Stempfles Augen leuchteten freudig auf.

»Greif zu, Kumpel«, erwiderte Anton lächelnd. Bedrückt schaute er zu, wie Jakob sich das Stück Kuchen fast auf einmal in den Mund stopfte. Wie mager der Kamerad in den letzten Wochen geworden war. Und dann die dunklen Schatten unter seinen Augen. Aber war es denn ein Wunder? Das Leben im Schützengraben war jetzt, im tiefsten Winter, von fast nicht auszuhaltender Brutalität. Die Enge, die Kälte, die fehlende Privatsphäre – er wäre längst verrückt geworden!, dachte Anton schaudernd. Seine Arbeit im Lazarett war zwar auch alles andere als ein Zuckerschlecken – vor allem in den Zeiten, wenn Gefechte stattfanden und unablässig Verwundete gebracht wurden –, aber immerhin hatten sie ein wenig Platz und konnten sich bewegen.

»Was machen deine Füße?«, sagte er und wies nach unten. Wenigstens war der Matsch jetzt gefroren.

»Beide großen Zehen sind abgefault«, erwiderte Jakob lakonisch, und kleine Kuchenbrösel flogen aus seinem Mund.

Verdammter Mist! Im nächsten Moment schoss Antons Blick in Richtung der feindlichen Front. »Was ist das?«, rief er stirnrunzelnd und zeigte auf ein weißes flatterndes Etwas ungefähr zweihundert Meter von ihnen entfernt.

Vergessen waren Kuchen und Wurst, vergessen auch Weihnachten – von einem Moment zum nächsten waren die Soldaten in Habtachtstellung. Mit ihren Gewehren im Anschlag starrten sie angestrengt auf die gegnerische Linie, wo immer mehr weiße Tücher – oder war es Unterwäsche? – geschwenkt wurden.

»Die hissen die weiße Fahne!«, rief Anton fassungslos.

»Und da kommt einer mit erhobenen Händen raus«, murmelte Jakob. »Und da noch einer!«

»Weiter links krabbeln sie auch aus der Deckung.«

Die Männer schauten sich ungläubig an.

»*Joyeux Noël* – frohe Weihnachten!«, hörten sie jemanden rufen. »Ihr nicht schießen. Wir nicht schießen, *oui*?«

Die Soldaten runzelten die Stirn, lachten ungläubig.

»Ob man denen trauen kann?«

»Was, wenn das ein Hinterhalt ist?«

Anton schüttelte den Kopf. »Leute, es ist Weihnachten. Die da drüben sind doch keine Barbaren, sie sind Menschen wie wir auch. Wie sieht's aus, Männer – wollen wir es wagen?« Er zog ein Päckchen Tabak, das seine Mutter ihm geschickt hatte, aus der Innentasche seiner Uniform und schaute fragend in die Runde. »Ich würde mal schauen, ob von den Franzmännern jemand Lust auf eine Zigarette hat«, sagte er grinsend.

»Gegen ein gutes deutsches Kirschwasser haben die bestimmt auch nichts einzuwenden«, sagte ein anderer und schwenkte eine Flasche Schnaps.

Jakob Stempfle lachte. »Von meiner Wurst bekommt keiner was! Aber auf einen kleinen Schwatz unter Feinden komme ich auch mit.« Er stellte sein Gewehr ab, und die anderen taten es ihm gleich.

Verwirrt und noch immer ein wenig ungläubig stiegen die Männer aus dem Graben hinaus ins offene Feld, wo ihnen die Franzosen mit erhobenen Händen und unbewaffnet schon entgegenkamen.

Ein Wunder war geschehen, ein Weihnachtswunder. War der Krieg nun vorbei?, fragte sich Anton, während er einem jungen Burschen mit großen Augen und blassen Wangen eine Zigarette anbot.

20. Kapitel

Münsingen auf der Schwäbischen Alb, Januar 1915

»Guten Morgen, Männer, ich wünsche euch allen ein gutes neues Jahr!« Lächelnd schaute Mimi, in Wintermantel und ihren dicksten Schal gekleidet, in die Runde. Zu fragen, wie das Weihnachtsfest bei allen verlaufen war, traute sie sich nicht. In der Familie von Siegfried Hauser zum Beispiel herrschte tiefe Trauer, nachdem fünf Tage vor Weihnachten die Nachricht kam, dass ihr Sohn Martin gefallen sei.

Es war nach der Weihnachtsruhe der erste Arbeitstag in der Druckerei. Und es war eisig kalt. In der Halle gab es zwar drei Bolleröfen, doch den Luxus, diese anzufeuern, konnten sie sich nicht mehr leisten – Mimi war schon froh, wenn ihr Brennholz fürs Haus reichte. Um einen positiven Tonfall bemüht, sagte sie: »Ich habe gute Nachrichten! Lutz Staigerwald ist es gelungen, uns erneut einen staatlichen Druckauftrag zukommen zu lassen. Da es sich um ein von der öffentlichen Hand ausgegebenes Dokument handelt, wurde mir die Druckvorlage dafür schon geliefert. Es handelt sich um sogenannte Brotkarten. In zwei Wochen müssen wir liefern.« Noch während sie sprach, reichte sie die Vorlage an den ihr am nächsten stehenden Drucker weiter, während sie gleichzeitig versuchte, ihre kalten Zehen in den Stiefeln ein wenig zu bewegen.

»Unser täglich' Brot gib uns heute«, las der Mann stirnrunzelnd von der Druckvorlage ab. »Brot und Mehl werden ab jetzt samt Bibelspruch nur noch rationsweise abgegeben? Hundertgrammweise?« Bei jedem Wort stieß er ein kleines Atemwölkchen aus.

Mimi kam die Menge auch extrem gering vor. »Der Feind will uns aushungern, und dagegen müssen wir uns wappnen!« Unwillkürlich wiederholte sie Bernadettes Worte aus deren Neujahrsansprache im Gemeindehaus. »Die Anordnung gilt ab dem 25. Januar bis zum Ende der Woche acht. Ob sich danach wieder was ändert – wer weiß es schon?« In diesem Krieg irgendwelche Prognosen anzustellen hatte sie sich inzwischen abgewöhnt, sie lag eh immer falsch. »Da diese Brotkarten in großer Menge benötigt werden, ist die Auflage entsprechend hoch. Mitte der Woche sollen wir sogar extra Papier dafür geliefert bekommen.«

»Hauptsache Arbeit!«, sagte einer der Drucker stoisch. Die anderen murmelten etwas vor sich hin.

»Wir müssen tatsächlich für diese staatlichen Aufträge dankbar sein. Allerdings ist dies der einzige bisher…« Mimi verzog den Mund. Wie gern hätte sie den Männern diesen Schlag erspart. »So wie es aussieht, werden wir mit diesem Auftrag im Januar umgerechnet nur drei Tage pro Woche ausgelastet sein. Das heißt, ich werde euch in dieser Zeit auch nicht den ganzen Lohn auszahlen können.« Unwillkürlich hielt sie den Atem an. »Es tut mir sehr leid.«

»Ich habe fünf Mäuler daheim zum Stopfen! Wie soll das gehen?«

»Aber ich brauche meinen Lohn! Derzeit explodieren die Preise!«

»Ganz genau, alles wird teurer!«

Auf einmal sprachen alle durcheinander, Mimi wurden feindselige Blicke zugeworfen, Siegfried Hauser sah aus, als würde er im nächsten Moment in Tränen ausbrechen.

»Leute, bitte!«, versuchte Mimi zu beschwichtigen. »Ich würde uns allen das gern ersparen. Aber laut Lutz Staigerwald gibt es solche Betriebseinschränkungen in fast allen Bereichen der Industrie. Hier fehlt der Rohstoff, da fehlen die Aufträge, anderswo die Leute. Ich kann doch wirklich nichts dafür!« Mimi schaute flehentlich in die Runde.

Was für ein Start ins neue Jahr! Und das alles nur wegen des Krieges, dachte Mimi verzagt und wütend zugleich, als sie kurze Zeit später über den vereisten Hof zu ihrem Haus ging.

Einen Aufstand hatte es zwar nicht gegeben, aber die Stimmung war dennoch im Keller. Murrend hatten die Männer sich ans Werk gemacht, und prompt gab es beim Mischen der Farben eine kleine Panne: Statt braun waren die Brotkarten beim Probedruck so kräftig rot herausgekommen, dass man sie von Weitem für eine Broschüre der freiwilligen Feuerwehr halten konnte. »Reißt euch zusammen, Männer!«, hatte Mimi die Drucker gerügt und sich dafür noch mehr ärgerliche Blicke eingefangen. Als ob sie an der Brotrationierung und dem ganzen Mist Schuld trug! Ruckartig schloss sie die Haustür auf. Drinnen war es nur unmerklich wärmer als in der Druckerei. Sie schauderte. Mimi warf einen Blick in ihr improvisiertes Fotoatelier, wo sie in dreißig Minuten ein halbes Dutzend Leute erwartete – Erwachsene, Kinder und Jugendliche. Es half alles nichts, sie musste heizen. Und dann schauen, dass sie mit ihren Feldpostkarten vorankam. Zum Jahresende hin war sie zu erschöpft gewesen, das neue Projekt anzugehen, und Ideen für irgendwelche »lustigen« Motive hatte sie auch nicht gehabt. Doch nun galt es! Denn waren die Postkarten erst einmal druckreif, gab es auch wieder Arbeit für die Männer.

»So, Peter, du darfst dich jetzt hierher setzen. Gleich bekommst du einen Stahlhelm auf wie ein richtiger Soldat. Und dann mache ich eine schöne Fotografie von dir!« Lächelnd platzierte Mimi den Buben auf einem Stuhl. Peter war eineinhalb Jahre alt, hatte große dunkle Augen, runde Wangen und eine Stubsnase.

Der strenge Stahlhelm und dazu das hübsche Puppengesicht – was für ein verrückter Kontrast, dachte sie und platzierte das Teil vorsichtig auf dem Kopf des Jungen.

Sie hatte noch keinen Schritt in Richtung ihrer Kamera gemacht, als der Helm dem Buben ins Gesicht rutschte und auf der zarten Kindernase aufstieß. Peter begann zu weinen. Sofort war Karla Wiedekind, die Mutter des Buben, zur Stelle, um ihm den Helm abzunehmen und ihn zu trösten.

Mimi lächelte Mutter und Kind entschuldigend zu. Das hätte sie sich doch denken können, rügte sie sich, dann begann sie, den Helm mit ihrem Seidenschal auszupolstern.

»So müsste es gehen. Frau Wiedekind, vielleicht wollen Sie Peter den Helm noch mal aufsetzen? Und du bekommst nachher auch ein Zuckerle, ist das nicht fein?« Eilig sprang Mimi hinter ihre Kamera, die sie schon scharf gestellt hatte. Unwillkürlich musste sie schmunzeln – Peter sah mit dem viel zu großen Helm wirklich goldig aus.

Im nächsten Moment ertönte das bekannte Klick.

Auf diese Karte würde sie etwas schreiben wie *Majestäts jüngster Rekrut,* dachte Mimi, während sie die Glasplatte unter ihrem Dunkeltuch in einen Papierumschlag steckte.

Als Nächstes hatte sie gleich drei Kinder vor der Linse. Auch sie waren bildhübsch. Einen Jungen und ein Mädchen platzierte sie Arm in Arm unter einem Regenschirm. Den zweiten Jungen, dem sie auch die Pickelhaube aufsetzte, stellte sie so hinter den Schirm, dass es danach aussah, als ob er das Paar ausspionierte. Als Überschrift würde hier etwas Scherzhaftes passen wie *Großer Lauschangriff* oder *Schleichpatrouille.*

Während Mimi den Kindern letzte Anweisungen gab, wusste sie nicht, ob sie lachen oder weinen sollte. Lutz hatte ihr zwar versichert, dass die Soldaten an der Front über solche Darstellungen, die das Soldatenleben ein wenig auf den Arm nahmen, schmunzeln würden, doch sie selbst empfand diese Art von Aufnahmen alles andere als witzig. Im Gegenteil, sie hatte das Gefühl, nicht nur ihre Modelle zu »missbrauchen«, sondern auch sich selbst als Fotografin abzuwerten.

Bevor sie wusste, wie ihr geschah, hatte sie auf einmal die Stimme von Johann im Ohr, ihrer einst großen Liebe. »Du gaukelst den Menschen einen schönen Schein vor«, hatte der Gewerkschafter ihr mehr als einmal vorgeworfen, wenn sie die Menschen in ihrem Atelier mit hübschen Requisiten ausstaffiert hatte. Ihre Erwiderung, dass sie nichts dergleichen tat, sondern den Menschen vielmehr Schönheit schenkte, hatte er nicht gelten lassen.

Und was tat sie nun? Der Krieg war alles andere als »witzig«, wie konnte sie es da nur wagen, ihn auf diese Art zu verballhornen?

Einem kleinen Jungen einen Stahlhelm aufzusetzen war eine ganz andere Sache, als eine junge hübsche Frau mit einem blumenverzierten Sonnenhut zu schmücken. Und konnte es überhaupt angehen, kleine Kinder einen kriegerischen Lauschangriff nachstellen zu lassen?

Auch Anton schien von diesen Postkarten nicht angetan zu sein, glaubte Mimi, zwischen den Zeilen in einem seiner Briefe gelesen zu haben. Er hatte zwar nicht direkt geschrieben, dass er nicht gut fand, was sie tat, aber ein gewisser Unterton hatte sie gewundert. Denn wenn es ums Geldverdienen ging, hatte Anton eigentlich stets wenig Skrupel gezeigt.

Ach Anton, wie gern würde ich einmal wieder ausgiebig mit dir reden! Und zwar von Angesicht zu Angesicht, dachte sie und spürte einen wehen Schmerz in ihrer Brust.

Zeit, weiter darüber nachzudenken, hatte Mimi jedoch nicht, denn die Kinder, denen langweilig war, begannen nun auf der Bühne »Krieg« zu spielen. Seidenrosen flogen als Geschosse hin und her, und Mimi konnte gerade noch verhindern, dass der zugeklappte Schirm zum Speer umfunktioniert wurde. Im selben Moment hörte sie, wie ihre angelehnte Haustür aufging – die nächsten Modelle kamen an.

Eilig drückte sie den drei Kindern je ein Bonbon in die Hand, dann scheuchte sie sie nach draußen und holte Mutter und Tochter herein, die sie für ihre nächste Aufnahme benötigte. Elisabeth Fromm war die Bäckerin von Münsingen, ihre dreizehnjährige Tochter hieß Renate. Beide hatten sich richtig herausgeputzt. Spitzenbluse, Lockenfrisur, ein Samtband mit Anhänger um den Hals … Bei ihnen würde Mimi keine weiteren Requisiten benötigen. Ihr Plan sah vor, dass Mutter und Tochter mit hingebungsvoller Miene ein Paket mit Gaben für den Liebsten an der Front packen sollten. Ein passender Spruch dafür würde ihr auch noch einfallen. Vielleicht *Unterstützung von der Heimatfront*?

Elisabeth und Renate Fromm waren eifrig bei der Sache, reagierten auf Mimis kleinsten Wink und übertrafen sich mit einem lebhaften Mienenspiel.

»Sich mal wieder schön machen und wie eine Frau fühlen und nicht nur wie ein Arbeitstier – das hat richtig Spaß gemacht«, sagte die Münsinger Bäckerin, als sie fertig waren. »Danke, Frau Reventlow, dass Sie ausgerechnet uns ausgesucht haben.« Ihre Wangen waren gerötet, kokett strich sie sich eine Haarsträhne aus der Stirn.

»Ich habe zu danken«, sagte Mimi. »Sobald die Postkarten fertig sind, bekommen Sie ein Dutzend davon geschenkt.« Wann hatte *sie* sich eigentlich das letzte Mal wie eine Frau gefühlt?

Mutter und Tochter verließen guter Dinge das improvisierte Fotoatelier. Ein bisschen Abwechslung im eintönigen Kriegswinter – immerhin dafür hatte sie mit diesen Aufnahmen sorgen können, dachte Mimi, während sie die Glasplatten beschriftete. Dennoch hatte sie trotz ihrer liebenswerten Modelle nicht dieselbe Freude wie sonst bei ihren Aufnahmen empfunden.

Im nächsten Moment hörte sie, dass ihre Haustür erneut aufging. Es waren doch schon alle da gewesen?

Es war Bernadette, die mit hochrotem Kopf und wütend funkelnden Augen hereinkam. »Jetzt haben die Herren Beamten in ihren Stuttgarter Schreibstuben wirklich den Vogel abgeschossen!«, sagte sie, ohne Mimi zu begrüßen. »Stell dir mal vor, fortan dürfen diverse Lebensmittel nur noch bei den örtlichen Verkaufsstellen oder auf dem Wochenmarkt eingekauft werden, aber nicht mehr direkt beim Erzeuger!«

»Das heißt?«, fragte Mimi stirnrunzelnd nach. »Komm mal mit in die Küche, ich muss dringend etwas essen, mir ist schon schwindlig vor Hunger.« Noch während sie sprach, ging sie den Flur entlang.

»Das heißt, dass wir kein Lammfleisch mehr ab Hof verkaufen dürfen. Und die Bauern ihr Kraut, ihre Rüben und Kartoffeln auch nicht mehr, sondern sie müssen damit auf den Markt gehen oder sie in den örtlichen Lebensmittelladen bringen. Kontrolle – nur darum geht es! Die Behörden haben einen Kontrollwahn, damit bloß kein Laib Brot und kein Kilo Schweinefleisch ohne ihr Wissen verkauft und verzehrt werden. Und rate mal, wer das alles kontrollieren darf? Ich natürlich!«

Mimi, die an die Brotkarten dachte, schwieg. Wenn Bernadette, so aufgebracht, wie sie war, davon erfuhr, würde sie vollends an die Decke gehen. Denn irgendjemand würde auch die Brotkarten ausgeben, kontrollieren und abrechnen müssen …

»Magst du auch einen Apfel? Ein paar getrocknete Pflaumen habe ich ebenfalls noch«, sagte sie, um Ablenkung bemüht. Brot … Allein bei dem Wort knurrte schon ihr Magen. Ein Brot, dick beschmiert mit Butter … Sie durfte gar nicht daran denken, denn ihre Brotlade war schon seit Tagen leer. Und Butter hatte sie auch schon ewig nicht mehr gekauft – sie war schlicht zu teuer.

Einen langen Moment lang saßen die beiden Frauen schweigend am Küchentisch und genossen, wie der Saft des Apfels sich bei jedem Bissen in ihrem Mund verteilte und süß und saftig ihre Kehlen hinabrann. Früher hatten sie keinen Gedanken verschwendet, wenn sie einen Apfel aßen – meist neben der Arbeit oder im Gehen. Ein paar Bissen, und weg war er. Heute kauten sie jeden Happen besonders lange.

»Ich habe gerade viel fotografiert«, sagte Mimi und schob sich den Apfelbutzen auch noch in den Mund. »Fröhliche Motive für Feldpostkarten.« In knappen Worten erzählte sie, wen und was sie abgelichtet hatte, und verzog das Gesicht. »Bernadette, ich glaube, ich habe mich als Fotografin noch nie so schäbig gefühlt wie vorhin. Gerade so, als würde ich mit diesen Leuten alle veräppeln, allen voran die armen Soldaten! Am liebsten würde ich die ganzen Glasplatten wegwerfen, statt sie zu entwickeln. Aber von irgendwas muss ich ja auch leben. Und laut Lutz finden solche Postkarten im ganzen Kaiserreich einen reißenden Absatz.«

»Und wo ist dann das Problem?«, erwiderte Bernadette. »Wie hilfreich Lutz dir zur Seite steht, ist doch großartig! Allein sein Tipp mit diesen Postkarten ist Gold wert. Und wenn man es genau nimmt, profitierst du sogar von diesen ganzen Reglementierungen – schließlich druckst du diese Formulare!«

»Ja, und es macht mir einen Heidenspaß«, sagte Mimi ironisch. »Es gibt ja wirklich nichts Schöneres, als Formulare zu drucken.«

Die beiden Frauen kicherten. Dann schaute Bernadette Mimi kritisch an. »Apropos Druckwaren – hattest du das da heute früh auch im Briefkasten? Und hast *du* den Wisch etwa gedruckt?«, sagte sie und reichte Mimi einen Bogen Papier.

Mimi, die noch keine Zeit gehabt hatte, nach der Post zu schauen, überflog das Blatt.

... wird ein allgemeines Tanzverbot verhängt, welches bis zum Ende des Krieges Bestand haben wird ... öffentliche Tanzveranstaltungen ... mit sofortiger Wirkung verboten ... Kunstauktionen und Theatervorführungen sind weiterhin erlaubt ...

Fassungslos schaute sie Bernadette an. »Spinnen die? Als ob jetzt jemand auf die Idee kommt, tanzen zu gehen!« Mit wem sollten sie denn tanzen, wo doch alle Männer in ihrem Alter weg waren?

»Völlig absurd«, stimmte Bernadette ihr zu. »Interessant ist aber auch der Zusatz, dass Kunstauktionen und Theater weiterhin erlaubt sind. Gib's zu, Mimi, du wolltest doch schon immer mal eine Kunstauktion ausrichten, oder nicht?«

Mimi gab den Zettel grinsend an die Freundin zurück. »Ertappt! Und die erste Auktion besteht nur aus Werken, in denen der Teufel an die Wand gemalt worden ist!«

Sie lachten. Doch gleich darauf wurde Bernadette wieder ernst. »Ich mache mir Sorgen um Corinne. In ihrem Zustand müsste sie eigentlich auf dem Hof sein und eine Babydecke stricken. Stattdessen ist sie seit vielen Wochen mit tausend Schafen auf der Winterweide. Dass ich ihr nicht helfen kann, bereitet mir ein wirklich schlechtes Gewissen. Wenn ich wüsste, wie wir die Schafe durchfüttern könnten, würde ich ihr schreiben, dass sie zurückkommen soll. Aber ich habe nicht genug Heu, um die Viecher bis Ende März zu versorgen.«

Wer hätte gedacht, dass Bernadette sich einmal derart um die Französin sorgen würde, dachte Mimi gerührt. Auch sie war besorgt um die schwangere Freundin. Corinne war jemand, der über dem Wohl der Schafe womöglich sein eigenes vergaß. In »normalen« Zeiten mochte das angehen, aber in den letzten Monaten ihrer Schwangerschaft?

»Kannst du nicht irgendwo Heu zukaufen?«

Bernadette zuckte mit den Schultern. »Keine Ahnung. Vielleicht hat der eine oder andere Bauer hier in der Gegend noch einen Vorrat. Pferde hat ja längst niemand mehr, die mussten schließlich alle ans Militär verkauft werden.« Ein Schatten huschte über das

Gesicht der Schafbaronin. Sie hatte Angst, dass man ihr ihren Rappen auch noch wegnahm. Wäre Bernadette nicht Bürgermeisterin gewesen, wäre das wahrscheinlich längst geschehen. So jedoch hatte sie den Behörden bisher glaubhaft versichern können, dass sie ihr Pferd benötigte, um zu den diversen Weilern, die zu Münsingen gehörten, zu gelangen.

»Am besten statte ich den Bauern in der Gegend mal einen Besuch ab und schaue, wo ich Heu bekommen kann. Dass ich nicht selbst darauf gekommen bin«, fuhr Bernadette fort und schaute schlagartig wohlgelaunter aus. Spontan umarmte sie Mimi. »Danke!«

Mimi erwiderte die Umarmung mit derselben Festigkeit.

Gemeinsam waren sie stark!

*

Februar 1915 an der Westfront

Es war Sonntag und im Lazarett trügerisch ruhig. Kein gutes Zeichen, dachte Anton, der sich an einem Brief an Mimi versuchte. Wahrscheinlich würde das dicke Ende noch kommen.

Liebe Mimi, der Februar ist der Monat, in dem wir eigentlich in der Schwäbischen Fasnet dem Winter den Kehraus machen sollten. Doch in diesem Jahr habe ich das Gefühl, der Winter wird uns ewig erhalten bleiben, so kalt fühle ich mich innerlich und

Abrupt hielt Anton inne. Das konnte er so nicht schreiben. Das klang viel zu traurig. Mimi hatte genug eigene Sorgen, da brauchte er sie nicht noch mit den seinen zu belasten.

Schwester Gerda steckte ihren Kopf in den Pausenraum der Sanitätskräfte. »Luise, Max und ich gehen zum Gottesdienst – kommst du mit?«

Anton schüttelte den Kopf, ohne von seinem Briefbogen aufzuschauen. Fromme Worte? Die waren das Letzte, was er brauchen konnte. In diesem Krieg waren sie allesamt gottverlassen. Für ihn gab es nur noch seine eigene Religion, und für die brauchte er keine Bibel und keinen Pfarrer. Wenige Worte reichten. Gegenhalten. Nicht verrückt werden. Die Hoffnung nie aufgeben. Mensch bleiben.

Schwester Gerda schaute ihn noch einen langen Moment an. »In Ordnung. Wenn was ist – sind wir schnell wieder da. Wer weiß, was uns heute noch blüht …«

Anton nickte. In südlicher Richtung fanden in wenigen Kilometern Entfernung Kampfhandlungen statt. Immer wieder zerrissen Granaten die kalte Februarluft, sie wurden bei Grabenkämpfen eingesetzt und sollten den Stacheldraht der feindlichen Schützengräben zerstören. Doch Anton wusste, dass sie weitaus mehr zerstörten als nur Draht. Wie viele dieser Granaten wohl bisher abfeuert worden waren? Zehntausende? Hundertausende?

Seufzend zerriss Anton den angefangenen Brief und nahm ein neues Blatt Papier. Das wievielte es war, wusste er nicht, im Papierkorb unter dem Tisch lagen schon etliche Bogen. Was für eine Verschwendung – zu Hause wären sie froh, wenn sie Papier hätten, dachte er ärgerlich. Dass ihm so gar nichts einfiel, was er schreiben konnte, war ihm noch nie passiert. Sicher, leicht fiel ihm das Briefeschreiben nie, er war einfach nicht der Typ dafür. Am ehesten gelang es ihm noch, wenn er einfach zu Papier brachte, was ihm auf dem Herzen lag. Dass er mit seinen freimütigen Schilderungen oft gegen die strenge Militärzensur verstieß, kümmerte ihn nicht. Feldpost kostete kein Porto, und so schätzte Anton, dass Millionen von Briefen geschrieben wurden. Schreiben war gut gegen Langeweile – die Zeit verging, selbst wenn man nur übers Wetter plauderte oder sich darüber beklagte, wie eklig der Gang zu den Latrinen war. Wer um alles in der Welt sollte all diese Briefe vor dem Transport in die Heimat lesen und prüfen? Deshalb nahm Anton das Risiko, einer Stichprobe zum Opfer zu fallen, willentlich in Kauf.

Liebe Mimi, hob er erneut zu schreiben an. Doch schon nach der Anrede hielt er wieder inne. Sollte er ihr vom Selbstmord eines Kameraden schreiben, der es im Schützengraben nicht mehr ausgehalten hatte und vor zwei Tagen ins gegnerische Feuer gerannt war? Sollte er ihr schreiben, dass sich das angstvolle Wiehern der Pferde, das aus dem Kampfgebiet zu ihnen herüber ins Lazarett getragen wurde, anhörte wie Vogelgeschrei? Und dass die Vögel, die hier in der Gegend überwinterten, längst verstummt waren?

Seufzend legte Anton seinen Stift fort. Er hatte keine Lust mehr auf Briefe. Am liebsten hätte er sein Bündel gepackt und wäre aufgebrochen Richtung Schwäbische Alb. Das Wissen, dass Mimi und er gerade einmal fünfhundert Kilometer voneinander getrennt waren, machte ihn manchmal fast verrückt. Er fühlte sich ihr so nah und war doch so fern. War das nicht ein Sinnbild für ihre ganze Beziehung?

Melancholie drohte Anton zu überfallen, wie so oft in letzter Zeit. Doch es sollte nicht dazu kommen, denn draußen vor dem Lazarett ertönten jetzt aufgeregte Stimmen, Pferdegetrappel und Schreie.

Die ersten Verwundeten vom Schlachtfeld wurden gebracht.

Anton wusste nicht, wo er zuerst anpacken sollte. Einen Verwundeten nach dem anderen trug er ins Lazarett, wo zwei Ärzte die Fälle sogleich sortierten nach operabel und inoperabel. Diejenigen, die zur ersten Gruppe gehörten, wurden von den Sanitätern zum »OP-Saal« – sprich, zur ehemaligen Käserei des Kuhstalls – geschoben. Wann sie an der Reihe sein würden, stand in den Sternen, es gab einfach zu viele Verletzte und zu wenig Ärzte. Das Stöhnen und Wehklagen war fast unerträglich.

Bei den Verwundeten, deren Chancen, eine Operation zu überleben, als zu gering eingeschätzt wurden, war es wesentlich stiller. Sie wurden auf Matratzen entlang des Ganges abgelegt, wo sie im Laufe der nächsten Tage sterben würden.

Anton wischte sich den Schweiß fort, der ihm über die Stirn in die Augen lief. Raus, den nächsten holen, wieder rein. Dann wieder raus. Es waren so viele …

Nicht denken, mahnte er sich und beugte sich zu dem nächsten Verletzten hinab. Es war ein großer, kräftiger Mann mit breiten Schultern. Er lag mit dem Gesicht auf dem Boden und wimmerte vor sich hin. Ihm war der linke Arm bis zur Schulter hinauf abgerissen worden.

»Du bist in Sicherheit«, sagte Anton in beruhigendem Ton. »Komm, Kumpel, leg deinen rechten Arm um meinen Hals, dann kann ich dich besser tragen.« Noch während er sprach, wollte er den Mann hochheben.

»Lass mich liegen! Ich verrecke doch eh!«, rief der und stieß einen Fluch aus.

Anton erschrak zu Tode. Die Stimme kannte er doch! »Johann?« Er drehte den Mann ein wenig, um sein Gesicht besser sehen zu können. Verdammt – es war wirklich Johann Merkle aus Laichingen, den Mimi einst geliebt hatte.

21. Kapitel

Rheinhessen, Ende Februar 1915

»Der Februar und der März sind für uns Schäfer auf der Schwäbischen Alb immer die schwierigsten Monate. Wenn sich andere Leute am Schnee erfreuen, sich Schneeballschlachten liefern oder zum Schlittenfahren gehen, macht er uns einfach nur Angst. Wenn Schnee liegt, sind unsere Tiere noch viel stärker auf uns angewiesen als sonst.«

Corinne wusste nicht, warum, aber auf einmal hatte sie Wolframs Worte im Ohr. *Mon coeur*, du hast so recht gehabt, dachte sie, und ihr Blick verlor sich im Grau der Landschaft.

Wintermonate, in denen jedes bisschen Farbe verblasste, wenn Bäche einfroren und der Boden erstarrte, kannte sie aus Südfrankreich nicht. In ihrer Heimat schien auch in der kalten Jahreszeit immer die Sonne, war der Himmel blau und fanden die Tiere genug frische Kräuter und Gräser zu fressen.

Letztes Jahr, in ihrem ersten Winter in Deutschland, hatte Wolframs Liebe sie noch gewärmt, da war ihr alles machbar vorgekommen. Doch nun war sie allein und für tausend Schafe verantwortlich. Wurde sie dieser Aufgabe überhaupt gerecht? Besorgt schaute sie auf ihre Herde. Normalerweise waren die Winter hier im Rheinhessischen mild und die Tafel für die Schafe reichlich gedeckt mit alten Gräsern, Eicheln oder kleinen Laubschösslingen. Doch in diesem Jahr hatte es bis in die Niederungen geschneit. Nicht viel – aber die zehn Zentimeter hatten gereicht, um den Boden gefrieren zu lassen.

Corinnes Herz krampfte sich zusammen, als sie sah, wie mühevoll die Tiere im verharschten Schnee nach etwas Fressbarem scharrten. Manche Schafe hatten davon schon wunde Hufe, und so war der Schnee an manchen Stellen blutgetränkt. Die Tiere, die nicht so viel Kraft besaßen – die alten und die unerfahrenen jungen –, hatten die Suche nach Grünzeug schon aufgegeben und standen apathisch und mit hängenden Köpfen da. Und dann gab es noch die Hunderte von Muttertieren, die rund um die Osterzeit ihre Lämmer gebären würden. Auf sie musste sie ein besonderes Auge haben.

Besorgt suchte Corinnes Blick nach einem ihrer Lieblingsschafe – ein Muttertier von acht Jahren, das sie aus Frankreich mitgebracht hatte. Es war ein prächtiges Tier und hatte schon viele ebenso prächtige Lämmer geboren. *Reine* – Königin – nannte Corinne dieses Schaf. Schon seit Tagen machte es ihr Sorgen. Es war kraftlos und fraß schlecht.

Ma belle Reine, verlass du mich nicht auch noch, dachte Corinne. Durchgefroren bis auf die Haut bahnte sie sich einen Weg durch die Herde, bis sie bei dem Muttertier angekommen war. »Alles wird gut«, flüsterte sie dem Schaf ins Ohr und hätte es so gern selbst geglaubt.

Corinne legte eine Hand auf ihren Bauch. Nicht nur die Schafe machten ihr Sorgen. Je weiter ihre Schwangerschaft fortschritt, desto schwerer fiel es ihr, ihr Tagwerk zu verrichten. Solange sie auf ihrem Hütestab gestützt die Herde bewachte, ging es ihr gut. Aber bei der Pflege der Tiere – wenn sich ein Stein in einem Klauenspalt festgesetzt hatte oder wenn ein Tier an Moderhinke litt und sie das kranke Hufgewebe großflächig wegschneiden und mit einer speziellen Tinktur behandeln musste – war ihr dicker Bauch ihr sehr im Weg. Manchmal, wenn sie sich nach unten beugte, bekam sie so wenig Luft, dass ihr schwarz vor Augen wurde. Aber welche Wahl hatte sie? Sollte sie dabei zusehen, wie ihre Herde verkam und verhungerte? Und so hieß es Zähne zusammenbeißen und die eigenen Befindlichkeiten hintanstellen.

Am späten Vormittag war ein eisiger Ostwind aufgekommen, sein Heulen verfing sich in den kahlen Weinbergen, die sich rund um ihre Weidefläche erhoben, und wurde wie ein bedrohliches Echo zurückgeworfen. Der Wind – er war etwas, was Corinne von Südfrankreich kannte. Niemand sollte ihn unterschätzen.

Schaudernd wickelte sie ihren Schal noch enger um den Kopf. Ihr Blick fiel dabei auf einen Raben. Er begleitete die Herde seit ein paar Tagen. Wie aus dem Nichts war er aufgetaucht, jung und kräftig, sein Nacken muskulös, sein Blick von oben herab, abwartend, arrogant. Immer war er allein, nie war ein zweiter Rabe oder gar ein Schwarm zu sehen. Corinne wusste genau, worauf der Rabe wartete. Darauf, dass eins ihrer Tiere über Nacht verstarb und er ihm im Schutz der Dunkelheit erst die Augen aushacken konnte, um sich danach über den Rest des Kadavers herzumachen.

Deine Beute musst du dir woanders suchen, dachte Corinne grimmig, und ihre Gedanken waren offenbar so durchdringend, dass ihr Hund neben ihr zu knurren begann. Doch der Rabe gab nur ein heiseres Lachen von sich und ließ sich nicht einschüchtern. Corinne stieß einen lauten Zischlaut aus, aber auch dieser vertrieb den hungrigen Vogel nicht.

Corinne wandte ihren Blick ab. *Putain!* Der Rabe war ihr kleinstes Problem.

Was sollte sie nur tun? *Das* war die Frage, die sie seit Tagen umtrieb – genauer gesagt seit der Ankunft von Bernadettes letztem Brief.

Sie solle nach Hause kommen und sich im Schutz der eigenen vier Wände auf die Geburt vorbereiten, hatte Bernadette ihr geschrieben. Und dass sie in der glücklichen Lage wäre, Heu zu bekommen – genug Heu, um die Herde bis zum Frühjahr durchzufüttern.

Corinne war es beim Lesen des Briefes warm ums Herz geworden. Solche Worte aus der Feder ihrer ehemaligen Feindin ... Sie rechnete Bernadette das Angebot hoch an. Gleichzeitig wusste sie, welche Kosten es der Schäferei verursachen würde, wenn sie es annahm. Dass die Schafe in Rheinhessen überwinterten, war in die gesamte Kalkulation mit eingerechnet, hatte Wolfram ihr erklärt.

Corinnes Blick wanderte über die Herde hinweg zu dem Schäferkarren, in dessen Windschatten sich ihr

Esel duckte. Was, wenn sie sich verrechnet hatte und die Schwangerschaft weiter fortgeschritten war, als sie dachte? Die Vorstellung, dass sie hier, mutterseelenallein und in der Eiseskälte des Schäferkarrens, ihr Kind bekommen würde, erschreckte sie. Sie hatte nicht nur die Verantwortung für die Herde, sondern auch für das Geschenk des Lebens in ihrem Bauch.

Es ließ sich nicht ändern – sie musste aufbrechen. Zurück auf die Schwäbische Alb. Zurück zu den Schwiegereltern. Zurück auch unter die Fittiche von Mimi und Bernadette.

Nur wann?

Für die Heimreise würde sie fünfzehn Tage benötigen. Wenn sie richtig gerechnet hatte und alles normal verlief, würde ihr Kind Mitte April zur Welt kommen. Wenn sie spätestens zwei Wochen vor der Geburt zu Hause sein wollte, musste sie Mitte März losziehen. Und Mitte März war die Chance auf gutes Wetter und milderes Klima natürlich sehr viel besser als jetzt. Doch war es realistisch, dass sie es noch so lange im Schäferkarren aushielt? An manchen Tagen rumorte es schon jetzt so heftig in ihrem Bauch, dass sie Angst hatte, die Wehen würden einsetzen. Und was dann?

Die Nacht verlief unruhig. Mehrmals musste Corinne ihr warmes Lager verlassen, weil der Druck auf ihre Blase zu heftig wurde. Erst gegen Morgen fiel sie in einen etwas tieferen Schlaf.

Als Corinne aufwachte, war das Erste, was ihr auffiel, die Stille. Sie hatte die Augen noch nicht aufgeschlagen, als sie schon wusste, dass es in der Nacht geschneit hatte. Schnee fraß jedes Geräusch auf, das hatte sie inzwischen gelernt. Das Mähen der Schafe, das Wispern des Windes. Das Ächzen der Bäume.

Fröstelnd schälte sich Corinne unter ihren Decken hervor. Nach ihrer Entscheidung, am heutigen Tag aufzubrechen, hatte sie darauf verzichtet, nochmals Holz in dem kleinen Bollerofen nachzulegen. Dass der Schäferkarren so schnell auskühlen würde, hätte sie nicht gedacht. Unglücklich schaute Corinne in den Ofen – kein bisschen Glut glomm mehr darin. Nun konnte sie sich nicht einmal mehr eine Tasse Tee kochen, dachte Corinne und ärgerte sich über sich selbst.

Mit steifen Gliedern und eiskalten Händen packte sie ihre Habseligkeiten zusammen. Alles passte in einen Rucksack. Ein paar Fotografien von Wolfram und ihr – Mimi hatte sie bei ihrer Ankunft in Münsingen gemacht. Ein paar Bücher, Seife, Tee und einige paar Lebensmittel.

Die Schafe standen ein wenig abseits vom Schäferkarren auf einer kleinen Tannenlichtung, durch die Bäume geschützt vor Wind und Schneefall. Corinne ließ ihren Blick langsam und sorgfältig über die Herde schweifen. So wie es aussah, hatten die Tiere die Nacht überstanden, auch Reine, das kranke Mutterschaf. Corinne spürte, wie Erleichterung sie durchflutete.

»Albschafe haben einen guten Instinkt«, hatte Wolfram gesagt, als sie im letzten Winter mit ihm auf der Winterweide gewesen war. »Sie wissen genau, an welchem Platz sie die kalten Nächte am besten überleben. Die Herde richtet sich nach den alten Mutterschafen – wo sie sich niederlassen, dahin folgen auch alle anderen.«

Corinnes Hand fuhr an ihre Brust, doch gegen den spitzen Schmerz, der ihr Herz durchbohrte, konnte sie nichts ausrichten. *Ach Wolfram, ohne dich fühlt sich alles so schwer und mühsam an…*

Es war die richtige Entscheidung gewesen aufzubrechen. Die Wolken hatten sich gelichtet, eine Zeit lang schien sogar die Sonne, und es fiel kein weiterer Schnee. Die Schafe und auch die beiden Hunde – Corinnes und der von Wolfram – schienen zu spüren, dass es heimwärts ging. Munter marschierten sie voran. Es war Corinne, die immer wieder Pausen einlegte, damit die Tiere weideten und genug Nahrung aufnahmen. Ihr selbst taten die Erholungsphasen natürlich ebenfalls gut.

Nach nur sechs Stunden hatte sie ihr Tagesziel erreicht – einen heruntergekommenen Bauernhof, in dessen Umfriedung die Schafe die Nacht verbringen konnten, geschützt vor Wölfen und anderem Unbill. Wolframs alte Bekannte waren allesamt gute, verlässliche Leute, die ihr, Corinne, gegenüber dasselbe Entgegenkommen zeigten wie einst ihm. Dass sie Französin war – und somit laut offiziellem Jargon »der Feind« –, schien für die Leute keine Rolle zu spielen. Die Bäuerin lud die schwangere Hirtin sogar zum Essen ein und gab ihr einen extra Becher Milch.

Auch die nächsten Tage verliefen ohne größere Vorkommnisse. Zwischen Karlsruhe und Pforzheim begegnete Corinne immer wieder größeren Gruppen von Soldaten. Junge Burschen, zu Fuß unterwegs, auf dem

Fahrrad oder hoch zu Ross. Alle hatten rote Wangen und konnten es kaum erwarten, an Corinne und ihren Schafen vorbeizukommen. Sie seien auf dem Weg zur Westfront!, riefen sie ihr zu. Und dass sie die Franzosen in die Knie zwingen würden! Corinne hätte am liebsten jeden Einzelnen angefleht, nicht zu gehen. Doch sie lächelte und wünschte ihnen viel Glück.

Als am vierzehnten Tag die Bergkette der Schwäbischen Alb in Sichtweite kam, spürte Corinne etwas in sich aufwallen, was sich neu und gleichzeitig gut anfühlte. Es dauerte einen Moment, bis sie einen Namen für das Gefühl fand. Es war das Glück, nach Hause zu kommen.

»Was willst du? Hinauf auf die Alb? Bei dem Märzenwinter?« Der alte Mann schaute Corinne besorgt an. Ihm gehörte eine große Landwirtschaft mit unzähligen Streuobstwiesen. Aus dem Obst brannte er Schnaps, so fein und intensiv im Geschmack, dass er ihn an verschiedene Königshäuser in Europa verschicken durfte. Auch der Obstbauer gehörte zu Wolframs alten Kontakten.

»Was bleibt mir anderes übrig?«, erwiderte Corinne sorgenvoll. Dass um diese Jahreszeit noch alles verschneit sein konnte – damit hatte sie nicht gerechnet. Ein bisschen Schnee, ja. Aber doch nicht so viel!

Sie legte eine Hand auf den Arm des alten Schnapsbrenners. »Vielen Dank für Ihre Gastwirtschaft. So gut wie hier haben meine Tiere und ich schon lange nicht mehr übernachtet.« Einmal nicht frieren müssen – was für ein Luxus war das inzwischen!

Der Mann wies zu der riesigen Scheune, die er Corinne zur Verfügung gestellt hatte. »Die Scheune ist leer. Wenn du willst, Mädle, dann bleib mit deinen Schafen hier, bis die Wege wieder gangbar sind. Dein Wolfram hätte das sicher so gewollt.« Sein Blick wanderte unwillkürlich zu ihrem Bauch.

War das so? Corinne zögerte. Sie hätte nicht sagen können, was Wolfram gewollt hätte und was nicht. Vielleicht hatten sie sich dazu einfach nicht lange genug gekannt.

Ja, in der Scheune waren die Schafe und sie sicher. Aber wie lange würde es dauern, bis die Wege wieder gangbar waren? Oben auf der Schwäbischen Alb warteten ihre Schwiegereltern auf sie, ein warmer Kamin und Sicherheit für Mensch und Tier. Sie atmete tief durch.

»Es ist ja nicht mehr weit. Und die Hauptstraßen sind geräumt. Wenn alles gut geht, müsste ich übermorgen in Münsingen sein«, sagte sie und wusste nicht, ob sie den Mann oder sich selbst damit beruhigen wollte.

Mit jedem Meter, den Corinne und ihre Herde die Höhen der Alb erklommen, wurde die Landschaft winterlicher, der Schnee höher, die Luft eisiger.

Die Hauptstraßen waren zwar tatsächlich geräumt, aber links und rechts davon türmten sich Schneemassen auf, wie Corinne noch keine gesehen hatte. Märzenwinter – aus dem Mund des Obstbauern hatte sich das noch so lieblich angehört. Doch nun überfiel sie Angst angesichts der weißen Unendlichkeit. Hätte sie doch auf den Schnapsbrenner hören sollen? Was, wenn sie sich kolossal überschätzt hatte? Was, wenn sie sich und die Tiere ins Unheil trieb?

Es hatte zu schneien begonnen, winzige Schneeflocken setzten sich in Corinnes Haar, auf ihr Gesicht, ihren Umhang. Sie blinzelte, hatte Mühe, im weißen Geriesel die Orientierung zu behalten, schirmte ihre Augen mit einer Hand ab, um überhaupt noch etwas zu sehen.

Sie wies die Hunde scharf zu höchster Konzentration an – die Schafe mussten unter allen Umständen auf den Wegen bleiben. An jeder Kreuzung, in jeder Kurve, auf jeder offenen Fläche dirigierte Corinne die Herde mit ihrem Hütestab, mit ihrer Stimme und ihren Hunden. Kam dennoch ein Schaf vom Weg ab und versank in einer Schneewehe, musste es mühevoll wieder ausgegraben werden. Bald waren ihre Hände so blutig wie die Hufe der Schafe vom vielen Scharren. Sie spürte einen krampfartigen Schmerz in ihrem Bauch und betete, dass es keine Wehen waren.

Und dann, viel früher als erwartet, begann es zu dämmern. Wie weit es noch bis zu dem Hof war, auf dem sie eigentlich übernachten wollte, konnte Corinne nicht abschätzen.

Panisch schaute sie sich um. Keine Scheune weit und breit. Kein Hof. Nicht mal ein kleiner Wald war zu sehen.

Corinne und die Schafe zogen weiter. Die kräftigen Tiere gingen eingeschüchtert und mit gesenktem Kopf und hängenden Ohren. Die jungen und die schwächeren Schafe mähten kläglich, Corinnes Lieblingsschaf Reine wollte sich mehr als einmal hinlegen. Doch hier war kein Ort zum Sterben, befand Corinne und trieb das Tier mit aller Härte weiter, auch wenn ihr das Herz dabei blutete. Einzig die beiden Hütehunde schienen noch im Besitz all ihrer Kräfte zu sein.

Es war schon dunkel, als eine kleine Waldlichtung in Sichtweite kam. Tannen, nicht üppig gewachsen, höchstens ein paar Jahre alt. Doch sie waren der einzige Schutz, den die Nacht ihnen bot.

Mit letzter Kraft führte Corinne die Tiere in Richtung der Bäume. Dort angekommen, wies sie die Hunde an, die Herde so eng wie möglich zusammenzutreiben. Wenn sie alle eng aneinandergeschmiegt die Nacht verbrachten, würden die Tiere überleben. Ein weiterer rettender Gedanke wollte ihr nicht kommen.

Wolfram, du hast dir die falsche Frau ausgesucht. Ich habe versagt. Wir werden sterben. Deine wertvollen Mutterschafe, auf die du deine Zucht aufbauen wolltest. Die ungeborenen Lämmer. Unser Kind ...

Corinne schüttelte sich. Einen erbarmungsvollen Moment lang flackerte heiße Wut in ihr auf. Das Kind würde überleben! Jeden anderen Gedanken verbot sie sich.

Aber ... Wenn sie nur nicht so müde gewesen wäre ... Was hätte sie darum gegeben, sich jetzt einfach in den Schäferkarren zu legen. Doch sie durfte nicht schlafen! Wenn sie einschlief, würde sie nie wieder aufwachen.

Corinne stützte sich auf ihren Hirtenstab und ließ den Blick über die Schafe schweifen.

Sie musste überleben. Es war nur eine Nacht. Zehn Stunden. Sie würde wachen. Sie würde an zu Hause denken, wo duftendes Heu auf die Tiere wartete.

Als Corinne aufwachte, war sie einen Moment lang orientierungslos. Was war geschehen? Sie hatte doch nicht schlafen wollen. War sie ohnmächtig geworden? War sie vor Entkräftung auf dem Boden gesunken? Um sie herum war es noch dunkel. Von weit her klang der Ruf eines Käuzchens. Sie blinzelte, sah oben am Himmel einen fast perfekten Vollmond und um sich herum ein Meer aus Schafen. Hie und da erklang ein Husten. Es tat Corinne in den Ohren weh. Die Schafe waren krank, und sie hatte keine heilenden Kräuter mehr für sie. Achille, ihr Hund, lag direkt neben ihr, seinen Kopf an ihren Bauch gelehnt, gerade so, als wollte er sie und das Ungeborene wärmen. Auch der Esel stand dicht bei ihr. Viel half es nicht. Ihre Zähne schlugen unkontrolliert aufeinander, ihre Hände waren taub. Als sie aufstehen wollte, brauchte es zwei Anläufe, so gefühllos waren ihre Beine.

Wie spät war es? Am Horizont erkannte sie schwach einen etwas helleren frostig-blauen Streifen.

Mit Mühe rappelte Corinne sich weiter auf, dann kniff sie die Augen zusammen, suchte nach Reine, ihrem Lieblingsschaf, und entdeckte es wenige Meter von sich entfernt auf dem Boden liegend. *Oh non* ... Mit sinkendem Herzen zwängte sich Corinne durch die Herde zu Reine hindurch.

Das Tier war noch warm. »Mach's gut«, flüsterte Corinne und schloss die Augen des Schafes, so wie man es bei einem verstorbenen Menschen tat. Im nächsten Moment zückte sie ihr Jagdmesser, setzte es am unteren Ende von Reines Brustbein an. Einen Moment lang zögerte Corinne noch, dann stieß sie die Messerscheide in den toten Schafsleib, schnitt Stück für Stück den Bauch auf. Eingeweide und noch warmes Blut quollen heraus, wärmten Corinnes Hände. Dann führte sie ihr Messer weiter, schnitt die Schafsleber heraus, das Herz, den Magen, und warf alles den Hunden zu, die ihr Treiben mit hungrigen Blicken beobachteten. Große Fleischbrocken folgten, dann der Kopf. Die Hunde würgten und schmatzten.

Schließlich hatte Corinne das Schaf völlig ausgeweidet, sodass nur noch eine Karkasse mit einer ungefähr zehn Zentimeter dicken Fleischschicht unter dem Fell übrig war. Die Karkasse war schwer – zwölf, fünfzehn Kilo mindestens. Heftig atmend, hob Corinne die Schafshülle an und legte sie sich über die Schultern und den durchfrorenen Rücken. Der metallische Geruch des gerinnenden Blutes stieg ihr beißend in die Nase, die Wärme, die sie einhüllte, war grausam und rettend zugleich. Ein tiefer Seufzer der Erleichterung stieg aus ihrer Kehle, während sie sich auf den Boden kauerte. Noch im Tod stand ihr Reine hilfreich zur Seite. Der Gedanke verlieh Corinne neue Kraft.

Der liebe Gott hatte bisher über sie gewacht, dachte sie, während sich die Hunde satt und zufrieden neben ihr niederließen. Und er würde auch die restlichen Stunden der Nacht auf sie aufpassen. Sobald es hell war, würden sie das letzte Wegstück in Angriff nehmen.

22. Kapitel

An der deutsch-französischen Frontlinie,
Mitte März 1915

Paon wusste nicht, wo genau er sich befand.

»Geheimsache!«, hatte der Leutnant ihm und Mylo bei ihrer Ankunft auf der Anhöhe zugeflüstert. Er wusste auch nicht, welche Regimenter, Bataillone oder andere Einheiten in die Schlacht an der deutsch-französischen Frontlinie verwickelt waren. Er wusste lediglich, dass hier, vor seinen Augen, etwas ganz Großes geschah: Das Deutsche Kaiserreich und seine ruhmreichen Soldaten waren im Begriff, einen weiteren Sieg gegen Frankreich zu erringen. Und er, Paon, würde diesen siegreichen Moment später auf die Leinwand bannen.

»Spürst du diese unglaubliche Energie, die in der Luft liegt? Ich sage dir, gleich schlagen sie los!« Aufgeregt drückte er Mylos Arm. »Danke, dass du dieses Erlebnis für mich möglich gemacht hast.«

Mylo lächelte wohlwollend. Mit einer auffordernden Geste wollte er Alexander die Tasche reichen, in der sich sein Zeichenblock und Stifte befanden. Doch Paon winkte ab – er brauchte keine Skizzen zu machen. Sein Geist war so wach wie nie, was gleich geschehen würde, würde er für immer in seinem Gedächtnis abspeichern und zu Hause vor der Leinwand abrufen können.

Paon, Mylo und der Stuttgarter Geheimrat Ottenbruch waren vor zwei Stunden hier auf dieser Anhöhe angekommen.

Die Fahrt war insgesamt unspektakulär und mit nur einer Übernachtung zu bewältigen gewesen. Insgeheim hatte Paon gehofft, schon auf der Herfahrt ein wenig soldatisches Treiben beobachten zu können, doch in der ersten Klasse des Zuges, mit dem sie angereist waren, war davon nichts zu spüren gewesen. Genau wie in ihrem Alltag, hatte er gedacht und gleich ein schlechtes Gewissen deswegen bekommen. Er hätte Mylo vielmehr dafür dankbar sein sollen, dass sie bisher so unbeschadet und gut durch den Krieg gekommen waren! Dank Mylos Beziehungen konnte er auch in Kriegszeiten Gemälde verkaufen und somit seiner Familie in Laichingen Geld schicken.

Der Zug hatte irgendwo angehalten. Ein Leutnant hatte sie in Empfang genommen. Er könne nicht versprechen, dass sie heute Schlachtszenen zu Gesicht bekommen würden, hatte er gesagt, während sie in einem offenen Pritschenwagen Richtung Front fuhren. Aber die Chancen stünden gut.

Paon, Mylo und der Geheimrat hatten verständnisvoll genickt. So ein Krieg war eben unberechenbar.

Auf einer leichten Anhöhe unter ein paar riesigen Eichenbäumen war ihre Fahrt mit dem Pritschenwagen durch die noch winterliche Landschaft zu Ende gewesen. Während die Märzsonne immer höher stieg, stärkten sie sich mit einer deftigen Morgenmahlzeit – Kaffee, ausgeschenkt in rustikalen Blechbechern, dazu Schinken und ein hartes Schwarzbrot, das Paon an Laichingen erinnerte.

Überhaupt war die Gegend so blass und farblos wie die Schwäbische Alb zur Winterzeit. Diese ganzen Grau- und Brauntöne – einen Farbrausch würde er auf der Leinwand nicht veranstalten können, dachte Paon stirnrunzelnd. Vielleicht war es nötig, dass er die Farben verfremdete? Wer sagte denn, dass ein Pferd braun und eine Uniform dunkelblau sein musste? In den Zeiten des Blauen Reiters war alles möglich!

Und dann war es so weit. Noch während Paon seinen Kaffeebecher leerte, gab es auf deutscher Seite die ersten Bewegungen. Soldaten erschienen wie aus dem Nichts auf dem offenen Feld. Das »Nichts« sei der Schützengraben, der sich wie eine offene Wunde Hunderte von Kilometern durch das Land zog, erklärte der Leutnant ihnen und verteilte eilig Ferngläser. Falls Paon dem Schützengraben einen Besuch abstatten wolle, um sich auch davon künstlerisch inspirieren zu lassen, würde er das sicher arrangieren können, fügte er noch gewichtig hinzu.

Während Paon noch darüber nachdachte, winkte Mylo eilig ab. Paons Mission war es, große Schlachten auf die Leinwand zu bannen – die Petitessen des Lebens im Schützengraben interessierten da weniger. Geheimrat Ottenbruch hatte heftig genickt – auch er schien kein Interesse am eintönigen Soldatenalltag zu haben.

»Es geht los«, raunte der Leutnant und wies nach

vorn, wo in einiger Entfernung immer mehr Soldaten, Pferde und Kanonen zu sehen waren.

Die Erregung, die Paon verspürte, war so groß, dass es in seinem Kopf summte, dass sein Herz schlug wie noch nie, dass ihm das Atmen schwerfiel und das Denken ebenfalls.

Die dampfenden Leiber der Rösser! Getränkt vom Schweiß der Vaterlandsliebe. Die Panik im Weiß ihrer Augen! Die Grenadiere in ihren langen, schweren Mänteln, breitschultrig, die Gewehre erhoben, absoluter Siegeswille im Blick, vorwärtsstürmend, den Kampf Mann gegen Mann erwartend. Wie jung viele der Soldaten waren!, dachte Paon erschrocken. So jung wie er… Wer davon war ein Student? Wer ein Arbeiter und wer der Sohn eines Landadligen? Egal! Hier auf dem Schlachtfeld waren alle Männer gleich. Hier gab es kein Oben und kein Unten, hier gab es kein Reich und kein Arm. Hier erlebten sie eine Zeitenwende!

Aufgeregt drehte Paon an seinem Fernglas, um noch besser, noch schärfer sehen zu können. Da! Weiter links! Ein Pferd ging zu Boden, sein Todesschrei gellte durch die beißend kalte Luft. Wie seine Beine unter ihm zusammenbrachen und im nächsten Moment in die Luft geschleudert wurden!

Ob es ihm gelingen würde, die Schlachtrösser in ihrer ganzen Pracht auf der Leinwand darzustellen? Ein Pferdeleib war zwar maltechnisch komplex, aber für ihn kein Problem…

Mehr Zeit, sich den Pferden zu widmen, hatte Paon nicht, denn die feindlichen Parteien standen sich jetzt auf der ganzen Breite der Lichtung gegenüber. Schüsse wurden abgefeuert, Bajonette gezückt. Wie sie schrien! Welche Schlachtrufe!

»Jetzt zeigen unsere Soldaten den Franzosen, wo der Bartel den Most holt!«, schrie Paon Mylo zu. Im selben Moment ertönte in der Ferne das Dröhnen eines Flugzeuges. Paons Herz klopfte wie verrückt. Konnte es sein? Er blinzelte gen Himmel. Hatten sie wirklich das Glück, ausgerechnet heute auch noch ein Flugzeug zu Gesicht zu bekommen?

Tatsächlich! Von rechts näherte sich eins!

»Das ist eine Fokker, sie ist zu einem Aufklärungsflug unterwegs. Der Pilot wird später durchgeben, wo die feindlichen Reihen weitere Lücken aufweisen. Und natürlich noch andere Informationen, die so streng geheim sind, dass ich sie nicht benennen darf«, sagte der Leutnant zu Paon.

Paon schaute den Mann mit glänzenden Augen an. Eine Fokker... Von diesen Flugzeugen hatte er schon viel gehört. Vergessen war die Schlacht Mann gegen Mann. »Mylo! Mein Zeichenblock!«, schrie er gebieterisch. Nur einen Wimpernschlag später hatte er Bleistift und Block in der Hand. Wie die Flügel vibrierten! Und dann die großen Räder! Die musste er unbedingt auch skizzieren. Und der Pilot selbst – ein Herr der Lüfte! Wie verwegen er mit seiner Lederkappe und Brille aussah!

Paon schaute zu Mylo hinüber. »Was meinst du – vielleicht sollte ich unseren mutigen Kämpfern der Lüfte einen ganzen Bilderreigen widmen?«

*

Mylo stand neben seinem Zögling, während sich vor ihnen diese Bilderbuchschlacht entwickelte, und er konnte nicht anders, als sich für diesen Geniestreich, Paon hierhergebracht zu haben, selbst zu loben.

Wenn dieses Erlebnis Paon nicht zu künstlerischen Höchstleistungen inspirierte – was denn dann?

Es war gut gewesen, Paon an die Front zu schicken. Natürlich nicht in irgendeine Gefahrenzone mit Bergen von Leichen und anderen erschütternden Begleiterscheinungen. Mylo schwebte etwas anderes vor: Paon sollte die Größe des Krieges spüren, nicht dessen Grauen! Bloß nicht Russland, von wo er so viel Schlimmes hörte – Gott behüte! Eine Schlacht am Rande der Westfront, aber auch dort bloß nichts Gefährliches – das würde sich doch sicher arrangieren lassen?

So ungern er es sich selbst gegenüber zugab – dieses Unternehmen war kein Luxus, kein aufregendes Abenteuer. Ein solcher Ausflug war vielmehr dringend nötig, wenn der Rubel weiter rollen sollte! Paons Name galt etwas in der Kunstszene, mit ihm ließ sich gutes Geld verdienen. Doch die Kriegsbilder, die sein Schützling auf seinen Rat hin zu malen begonnen hatte, ähnelten bisher eher hübschen, volkstümlichen Darstellungen von Ritterspielen oder Ähnlichem. Er aber wollte, dass Paon epochale Schlachten auf die Leinwand bannte! Gemälde, die in ihrer Größe und Ausdruckskraft mit Michelangelos Fresken in der Sixtinischen Kapelle gleichzogen!

Es half alles nichts – Paon musste den Krieg miterleben, hatte er, Mylo, deswegen beschlossen.

Mit diesem Gedanken war er im Geist seine Kontakte

durchgegangen. Wer konnte ihm helfen, Paon an die Front und wieder zurück zu bringen?

Am Ende war seine Wahl auf den Stuttgarter Geheimrat Ottenbruch gefallen, einen engen Vertrauten von König Wilhelm, dessen Frau Estelle eine große Bewunderin von Paon war. Noch heute schwärmte sie von der Vernissage, die sie in ihrem Salon für Paon abgehalten hatte – damals, als noch niemand etwas von diesem Krieg geahnt hatte.

»Finden Sie nicht, es ist an der Zeit, dass unsere Künstler aufhören, irgendwelche belanglosen Landschaften auf die Leinwand zu tüpfeln? Die Maler sollten sich vielmehr des Krieges annehmen, und zwar in einer angemessenen Form. Nicht in der Art, wie ein Ernst Ludwig Kirchner oder ein Max Beckmann es tun. Diese zerfetzten Fratzen, diese vielen Toten – abstoßend, einfach abstoßend!«, hatte Mylo zu dem Landrat gesagt. »Mein Schützling Paon brennt nur so darauf, den Glanz und die Glorie der deutschen Armee darzustellen! Ich bin mir sicher, mit der richtigen Inspiration wird ihm Großartiges gelingen.«

Der Geheimrat, ebenfalls ein Förderer der schönen Künste, hatte gebannt zugehört, während Mylo von prächtigen Schlachtengemälden durch Paons Pinsel schwärmte – Bilder so groß, dass sie ganze Wände füllten!

Als Mylo zum Ende gekommen war, hatte er mit glühenden Wangen gesagt: »Wer weiß – vielleicht findet sogar König Wilhelm Gefallen an einem dieser Schlachtenbilder? Dann würde ein echter Paon im Stuttgarter Schloss hängen!« Triumphierend hatte er auf Mylos Zustimmung gewartet. Doch Mylo hatte lächelnd abgewunken und gemeint, dass ihm eher eine große Ausstellung mit einem ebenso großen Titel vorschwebte, und zwar zuerst in Berlin und dann in Stuttgart. *Glanz und Glorie des siegreichen Deutschen Kaiserreichs – eine künstlerische Ansicht des Krieges.* Mit großer Geste hatte er den Titel in die Luft gemalt, während der Geheimrat vor Erregung zu zittern begann.

Just diesen Moment hatte Mylo gewählt, um eine sorgenvolle Miene aufzusetzen. »Darf ich offen zu Ihnen sein, verehrter Herr Geheimrat?« Leise, in vertraulichem Ton, hatte er dem Landrat dann dargelegt, dass sein Zögling den Krieg nur aus der Zeitung kenne und aus dem, was man sich in den Stuttgarter Salons darüber erzähle. Paons bisherige Kriegsbilder seien zwar vom Künstlerischen her höchst anspruchsvoll, dennoch fehle ihnen das gewisse Quäntchen Authentizität. Doch dafür müsse Paon erst einmal ein Verständnis für den Mut und die Stärke der deutschen Soldaten entwickeln.

Der Geheimrat hatte konzentriert zugehört. »Und wie kann Ihr Schützling dieses Verständnis erlangen?«

Auf genau diese Frage hatte Mylo gewartet. »Natürlich bei einem Besuch an der Front«, hatte er so leichthin gesagt, als schlüge er einen Besuch in der Stuttgarter Wilhelma vor. Und hatte hinzugefügt, ob vielleicht er, der Geheimrat mit seinen hochrangigen Verbindungen, etwas arrangieren könne?

Nichts leichter als das, hatte Ottenbruch, inspiriert von Mylos so wortreich skizzierten Visionen, gemeint.

Er würde den Künstler bei einer solchen »Exkursion« sogar gern begleiten. Als Unterstützung und falls seine Hilfe sonst noch benötigt werden würde.

Mylo hatte dem gnädig zugestimmt.

Täuschte er sich, oder war vor ihnen auf dem offenen Feld gerade ein großes Gemetzel zugange? Mylo kniff die Augen zusammen, um besser sehen zu können. Da! Einem Soldaten war doch gerade tatsächlich der Rumpf durchtrennt worden! Und ein Stück weiter links, Grundgütiger, hatte es dem armen Mann wirklich beide Beine weggerissen? Authentizität hin oder her – diese Grausamkeiten waren nun wirklich zu viel für seinen Schützling. Eilig schaute er zu Paon hinüber, der zu seiner Erleichterung noch immer gebannt in den Himmel schaute, wo das Aufklärungsflugzeug seine Runden drehte.

»Ich denke, wir sollten jetzt gehen«, raunte Mylo dem Leutnant zu. »Der Künstler hat genug gesehen und muss nun die ganzen Eindrücke erst einmal verarbeiten.«

Nicht auszudenken, wenn Paon aufgrund dessen, was sich hier abspielte, eine Depression davontrug und am Ende gar nicht mehr malen konnte!

23. Kapitel

Märzenwinter – Mimi wusste noch ganz genau, wann sie diesen Begriff zum ersten Mal gehört hatte. Es war vor vier Jahren gewesen. Sie war zweiunddreißig Jahre alt und hatte bei einem Fotografen am Bodensee gearbeitet. Osterglocken hatten geblüht und Vergissmeinnicht, und über den See hatte der Wind einen verheißungsvollen Duft nach Frühling geweht. Damals, im März 1911, war sie von Meersburg aus hinauf auf die Schwäbische Alb gefahren, um nach ihrem Onkel Josef zu sehen. Auf der Zugfahrt war sie eingenickt, als sie die Augen wieder geöffnet und aus dem Zugfenster geschaut hatte, war alles weiß. »Schnee im März?«, hatte sie fassungslos ausgerufen. Ja, das nenne man einen Märzenwinter, hatte ein mitfahrender Passagier ihr erklärt.

Jetzt streifte Mimi sich ihren schweren Wintermantel über und seufzte wehmütig. Ihr kam es vor, als wäre das alles in einem anderen Leben geschehen. Inzwischen war sie sechsunddreißig Jahre alt und Onkel Josef schon seit zweieinhalb Jahren tot. Doch wie oft musste sie noch an ihn denken! An seinen Wortwitz, seine klugen Ratschläge, aber auch an seine Ironie und den Schalk in seinen Augen.

Ein lautes Knurren in ihrer Magengegend riss Mimi aus den Erinnerungen. Fröstelnd und hungrig trat sie aus ihrem Haus in den kalten Märzenwinter. Ein Frühstück gönnte sie sich nur noch am Wochenende. Seit den zwei dünnen Scheiben Brot am gestrigen Abend hatte sie nichts mehr gegessen. Die Preise für Brot und andere Lebensmittel waren so enorm gestiegen, dass sie sich vieles einfach nicht mehr leisten konnte.

Sosehr sie Onkel Josef vermisste – die Gespräche mit ihm, seine Ratschläge, seinen trockenen Humor –, war sie doch froh, dass er diesen elenden Krieg nicht mehr miterleben musste. Der ewige Hunger. Der Mangel an alltäglichen Dingen wie Seife, Zahnpasta oder neuen Kleidern. Und dann die vielen Anordnungen! Fast täglich flatterte ihr als Unternehmerin ein neuer Erlass des preußischen Kriegsministeriums ins Haus. Einsparungen hier, Herstellungsverbote da – und immer gab es ellenlange Formulare und Listen auszufüllen, damit nur ja nirgendwo ein Blatt Papier oder ein Topf Druckerfarbe weggemogelt werden konnte. Onkel Josef hätte diesen Verwaltungsaufwand auch gehasst, dessen war sich Mimi sicher. Mehr noch, er hätte wahrscheinlich die meisten Erlasse ignoriert oder sogar boykottiert.

Genau wie sie selbst. Mit grimmiger Miene schloss Mimi ihr Haus ab. Aber was blieb ihr auch anderes übrig, als hie und da ein wenig zu betrügen? Sie musste schauen, dass ihr Betrieb weiterlief. Und sie selbst wollte schließlich auch über die Runden kommen.

Derzeit sollte sie eigentlich dringend die Feldpostkarten nachdrucken lassen, die sie Anfang des Jahres hergestellt hatte. Lutz Staigerwald hatte recht gehabt – die Karten fanden wirklich reißenden Absatz. Und sie waren eine wichtige Einnahmequelle für Mimi. Die erste Auflage war fast komplett ausverkauft. Doch wie sollte sie ohne eigene Farben nachdrucken? Die Farben, die sie geliefert bekam, waren lediglich für die offiziellen Druckwaren-Aufträge bestimmt, die Lutz ihr immer wieder zuschanzte. Ob sie es wagen konnte, ein wenig Farbe für den Druck von Postkarten abzuzwacken? Was, wenn sie erwischt wurde? Aber wie groß war diese Gefahr überhaupt? Ganz genau wusste doch niemand außerhalb der Druckerei, wie viel Farbe man für den Druck von was benötigte. Und ihre Angestellten würden dichthalten – zumindest hoffte sie das …

Sollte sie das Wagnis eingehen oder es besser lassen? Sie brauchte dringend Bernadettes Einschätzung! Mimi ging die Hauptstraße von Münsingen in Richtung Rathaus entlang. Nur – wie offen konnte sie der Freundin, die ja schließlich auch Bürgermeisterin war, gegenüber überhaupt sein?, fragte sie sich, während sie durchs Fenster der Bäckerei Elisabeth und Renate Fromm zuwinkte. Seit sie die beiden für ihre Feldpostkarten fotografiert hatte, hatten sie sich ein wenig angefreundet. Viel konnten sie zwar in den jetzigen Zeiten nicht zusammen unternehmen, aber selbst wenn sie nur nach der Arbeit ein Stück gemeinsam spazieren gingen, hatten sie immer viel Spaß.

Sollte sie lieber Josefine in einem Brief um Rat fragen?, überlegte Mimi. Mehr als einmal hatten sie und ihre stille Teilhaberin sich in letzter Zeit in geschäftlichen Belangen besprochen. Sie dachten ähnlich und kamen immer schnell zu einem guten Ergebnis. Andererseits hatte Josefine in Berlin derzeit genügend eigene Probleme mit ihrem Fahrradhandel und …

Mimis Gedankengänge brachen abrupt ab, als sie in ungefähr zweihundert Metern Entfernung eine wogende Masse dampfender Schafsleiber auf sich zukommen sah. Ihre Miene hellte sich auf. Corinne war zurück? Eilig suchte ihr Blick die Herde nach der hochgewachsenen Frauengestalt mit blassroten Haaren ab.

Doch Corinne war nirgendwo zu sehen. Und auch von ihren Hunden fehlte jede Spur.

Da stimmte doch etwas nicht – Corinne hätte niemals freiwillig die Schafe allein gelassen! In dem Moment ging die Tür der Bäckerei auf, und Renate kam heraus. Auch sie schaute fragend auf die Schafherde. »Wo ist denn die Französin?«

»Keine Ahnung«, sagte Mimi, und ein ungutes Gefühl machte sich in ihr breit. »O Gott, Corinne muss etwas zugestoßen sein!«

Die Bäckerstochter wurde blass. »Du lieber Himmel!«

»Ich muss sie suchen, wahrscheinlich liegt sie irgendwo, ist verunglückt. Und das in ihrem Zustand!«, sagte Mimi aufgeregt.

Die Bäckerstochter öffnete die Tür zur Bäckerei erneut und schrie hinein: »Mutter, schließ den Laden zu, ein Notfall!« Und an Mimi gewandt: »Mutter wird Bernadette Bescheid sagen, und ich hole Doktor Martin! Er soll am besten gleich mit seinem Wagen kommen, dann sind wir gegen das Schlimmste gefeit.«

Mimi nickte dankbar. Wenn es darauf ankam, hielten immer alle zusammen. Tief Luft holend, begann sie, sich einen Weg durch die Schafe zu bahnen, die sich immer weiter in den Seitenstraßen verteilten.

Mimi fand Corinne ein paar hundert Meter vor dem Ortsanfang. Die Hirtin lag zusammengekrümmt auf dem Boden, ihr Gesicht war schweißgebadet. Als sie Mimi sah, flackerten ihre Lider kurz und schlossen sich gleich darauf. Ihr Mantel und ihr Rock waren blutdurchtränkt, ihr Bauch ragte nach oben. Die beiden Hunde flankierten sie links und rechts und schienen dadurch verhindert zu haben, dass die Schafe in ihrem Trott sie tottrampelten.

Angesichts der blutverschmierten Kleidung wurde Mimi vor lauter Angst so schlecht, dass sie fürchtete, ohnmächtig zu werden. Eine Frühgeburt!

Bereit, die beiden Wachhunde mit einem beherzten Tritt davonzujagen, trat Mimi näher an Corinne heran. Lieber Gott, mach, dass mit dem Kind alles in Ordnung ist, betete sie, während die Hunde freiwillig Platz machten – gerade so, als wären sie froh, die Verantwortung los zu sein. Mimi kniete sich neben die Schäferin und nahm ihre Hand. »Corinne… Was ist passiert?« Noch während sie sprach, fühlte sie Corinnes Puls. Er war unstet und schnell. Außer einem Stöhnen kam keine Antwort. Wo blieb der Wagen mit dem Arzt?, fragte sich Mimi und hievte Corinnes Oberkörper auf ihren Schoß, um sie wenigstens vom kalten Boden wegzubekommen. Unter ihren Rock zu schauen oder sie gar zu betasten traute sie sich nicht. Stattdessen zog sie ihren eigenen

Mantel aus und deckte Corinne damit zu. Die Hirtin stöhnte weiter, ihr Blick war glasig.

Mimi schaute unruhig zwischen dem Ort und dem eisig klaren Himmel hin und her. Warum kam Doktor Martin nicht? Und wo war der liebe Gott, wenn man ihn brauchte?

Es sei nicht nur eine Frühgeburt, sondern eine Sturzgeburt!, beschied Doktor Martin nach einem kurzen Blick unter Corinnes Rock. Das Kind liege schon im Geburtskanal. Eine oder zwei Presswehen würden reichen, dann wäre es geboren.

Mimi und Bernadette, die ebenfalls herbeigeeilt war, schauten sich fassungslos an.

»Aber… Wir dachten, Corinne könne sich zu Hause auf die Geburt vorbereiten. Das Kind sollte doch erst Mitte April zur Welt kommen!«, rief Bernadette.

»Die Mutter Maria hat es wenigstens noch in einen Schafstall geschafft – und Corinne soll ihr Baby hier draußen auf der kalten Straße zur Welt bringen?« Mimis Stimme kippte fast über vor Entsetzen.

»Sie jetzt noch irgendwohin zu transportieren ist unmöglich. Wir brauchen Decken und heißes Wasser, hier und jetzt! Und beides sofort«, sagte Doktor Martin streng, und selbst er, der sonst immer die Gelassenheit in Person war, wirkte auf einmal hektisch.

Mimi und Bernadette rannten los.

»Ist er nicht wunderschön?« Mit einer Liebe im Blick, wie sie nur die Mutter eines Neugeborenen haben konnte, schaute Corinne den kleinen Jungen in ihrem

Arm an. »Ich werde ihn Loup nennen. Er kann gar nicht anders heißen.«

»Loup?«, wiederholten Mimi und Bernadette wie aus einem Mund.

Es war Abend. Mutter und Kind lagen inzwischen geborgen und sicher in der warmen Stube auf dem Hof der Familie Weiß. Die Freude, dass beide die Geburt unbeschadet überstanden hatten, durchzog wie ein goldener Lichtstrahl das ganze Haus und füllte die Herzen der Frauen. Während Corinnes Schwiegervater noch mit den Schafen beschäftigt war, kochte seine Frau Mariele Suppe, Grießbrei und Tee und rannte aufgeregt zwischen Küche und Wochenbett hin und her. Mimi und Bernadette hingegen konnten sich nicht losreißen von Mutter und Kind. Sie lachten, und sie weinten im Wechsel. Corinnes Erzählung, wie sie die letzte Nacht verbracht hatte, gewärmt von der blutigen Karkasse eines verstorbenen Schafes, hatte ihr das eigene Blut in den Adern gefrieren lassen. Sie selbst wäre nie so tapfer gewesen …

»Loup heißt auf Deutsch Wolf«, sagte Corinne mit einem wehmütigen Lächeln.

Mimi und Bernadette tauschten einen Blick. Wie schön …

»Als Wolfram starb, schien mein Leben keinen Sinn mehr zu haben. Am liebsten wäre ich auch gestorben …« Corinne biss sich auf die Unterlippe.

Das wäre dir auch fast gelungen, dachte Mimi. Doch nun lagen in den Augen der jungen Mutter Stärke und Zuversicht.

»Aber diese Zeit ist nun endgültig vorbei! In der letzten Nacht, als ich mit den Schafen unter freiem Himmel fast erfroren bin, habe ich Gott geschworen, dass ich mit frohem Herzen weiterleben will, wenn er uns nur alle sicher nach Hause bringt.« Corinne schaute ernst von einer Frau zur anderen. »Loup ist Wolframs Vermächtnis an uns alle. In einer Zeit, die geprägt ist vom Sterben, soll dieses kleine Wunder hier uns jeden Tag daran erinnern, dass das Leben ein Geschenk ist. Und dass wir uns nicht unterkriegen lassen dürfen!«

*

Anton warf einen letzten Blick auf den Toten, den er gerade mit einer Schubkarre aus dem Krankensaal hierhergefahren hatte, und bekreuzigte sich. Dann bedeckte er ihn mit einem grob gewebten Leintuch. Versagen der inneren Organe. Wieder einer weniger, dachte er, während er eilig die Tür zu der Kammer, in der sie ihre Toten aufbewahrten, hinter sich zuzog. Kein Geruch war so aufdringlich und widerlich wie der von Leichen. Selbst noch auf dem Gang hatte Anton das Gefühl, den säuerlich-süßlichen Geruch nicht aus der Nase zu bekommen. Sein Blick fiel durch die schmutzigen schmalen Fenster nach draußen, wo eine strahlende Märzsonne so tat, als bekäme sie von dem ganzen Kriegselend nichts mit. Bald würde der Boden endlich bis in die Tiefe auftauen. Dann konnten sie die Toten, die sich seit Monaten in dem Lagerraum stapelten, begraben. Ein Großteil der Leichen wurde zwar verbrannt, doch auch die Krematorien hinter der deutschen Linie hatten nicht endlos Kapazitäten. Und so blieb ihnen nichts anderes übrig, als die Toten aufzubewahren, bis ein normaler Grabaushub wieder möglich war. Wer dazu verdonnert wurde, konnte einem jetzt schon leidtun, dachte Anton.

Er hatte die Türklinke zum Krankensaal schon in der Hand, als er innehielt. Was war nur aus ihm geworden? Anstatt die Toten zu betrauern, waren sie für ihn nur noch üble Geruchsquellen!

Das machte der Krieg aus einem, dachte er angewidert und resigniert zugleich. Aber verdammt, er versuchte ja, menschlich zu bleiben! Tag für Tag, jede einzelne Stunde, jede Minute versuchte er das. Es waren ja nicht nur die Toten im Lazarett, die einem so zu schaffen machten, sondern auch die Leichen, die in irgendeinem Graben verwesten, und die unzähligen umgekommenen Pferde. Ganz Frankreich stank nach dem Tod!

Hast du keine anderen Sorgen, als über dein ach so empfindliches Näschen nachzudenken?, verspottete er sich stumm. Und als wollte er sich selbst bestrafen, zwang er sich, besonders tief Luft zu holen. Er gehörte zu den Glücklichen – und das durfte er nie vergessen.

Seine zuversichtlichste Miene aufsetzend, trat Anton in den Krankensaal.

»Hey Anton, bringst du Post?«

»Nein, Kumpel, ist noch keine gekommen!«

»Anton, wann gibt's was zu essen?«

»Genau! Wir schieben mächtigen Kohldampf.«

»Kein Kohl! Heute ist Freitag, da käme ein schöner fetter Hering gelegen!«, rief ein anderer.

»Wie wär's mit Zwieback?«, gab Anton arglos zurück.

Kollektives Stöhnen ertönte aus den dicht gestellten Bettreihen links und rechts des Ganges.

Anton lächelte. Der Zwieback war so staubtrocken, dass jeder, der auch nur mehr als eine Scheibe davon aß, tagelang nicht mehr aufs Klo konnte. Entsprechend beliebt war das Gebäck.

Er ging zu dem einzigen Waschbecken, das es im Krankensaal gab, füllte eine Blechwanne mit eisig kaltem Wasser und schnappte sich ein graues müffelndes Handtuch und einen Waschlappen, von dem er hoffte, dass er nicht zur Schmutzwäsche gehörte.

So ausgerüstet lief er den langen Gang entlang, als einer der Ärzte ihn anhielt. »Was wird das?«, fragte er scharf.

»Der verwundete Kanonier im letzten Bett links... Ich möchte ihm beim Waschen helfen«, sagte Anton.

»Beim Waschen helfen? Habe ich das richtig gehört?«

Anton schwieg. Was für ein Mist – ausgerechnet jetzt musste er dem Arzt über den Weg laufen!

»Der Mann hat doch noch einen Arm, damit kann er sich sehr gut allein waschen. Und überhaupt – ein deutscher Soldat hat ein solches Verzärteln, wie du es hier treibst, nicht nötig. Oder glaubst du, ein Götz von Berlichingen hätte es zugelassen, dass ihm jemand die Achseln einseift? Der deutsche Soldat beweist seinen eisernen Willen auch dann noch, wenn er zu den Kriegsversehrten gehört!« Mit einem missmutigen Kopfschütteln und ohne ein weiteres Wort stapfte der Arzt davon.

Wütend sah Anton ihm nach. Was hatte es mit Verzärteln zu tun, wenn man einem Verletzten half? Nicht jeder, dem eine Granate ein Bein oder einen Arm abgerissen hatte, verfügte am Tag darauf gleich wieder über einen »eisernen Willen«. Viele waren verzweifelt.

Es fehlte ihnen an Lebensmut. Die Vorstellung, fortan als Krüppel leben zu müssen, brach so manchem zusätzlich noch das Rückgrat. Wenn er einem dieser Männer durch ein bisschen Hilfestellung die schwere Zeit erleichtern konnte, würde er das tun, ganz gleich, ob er sich einen Rüffel einhandelte oder nicht!

Am letzten Bett angekommen, stellte Anton die Blechwanne so schwungvoll am Boden ab, dass das Wasser über den Rand schnappte. »Wie wär's mit einer Morgentoilette? Also, ich bin bereit!« Einladend hielt er den nassen Waschlappen in die Höhe.

Noch während er sprach, drehte sich Johann Merkle mit dem Gesicht zur Wand.

»Johann, bitte ...« Anton runzelte die Stirn. Jeden Tag dasselbe Spiel. »Nun hilf doch ein bisschen mit! Es ist sinnlos, dass du dich dermaßen abkapselst. Der Arzt sagt, dein Stumpf ist gut verheilt und ...«

Johann Merkle fuhr so ruckartig herum, dass Anton erschrak. »Mein Stumpf!« Kleine Spuckefetzen flogen durch die Luft, so abfällig sprach er die beiden Worte aus. »Warum kannst du mich nicht einfach in Ruhe verrecken lassen?«

»Weil du nicht verrecken wirst!«, gab Anton genauso aufgebracht zurück. Johann war – von seiner Invalidität abgesehen – körperlich in einer wesentlich besseren Verfassung als fast alle anderen hier im Lazarett. »Ich weiß, wie du dich fühlst«, fuhr er sanfter fort. »Der Verlust eines Arms oder Beins wirft jeden aus der Bahn. Aber ...«

»Kein Aber!« Johann Merkles Miene war nur eine abschätzige Fratze. »Wenn du glaubst zu wissen, wie es sich anfühlt, einen Arm zu verlieren, dann ist das nichts als eine unverschämte Anmaßung. Gar nichts weißt du, mein Junge! Sonst wäre dir klar, dass mein Leben nichts mehr wert ist. Ich bin ein Krüppel und kein Mann mehr.«

»Kein Mann mehr – wie kommst du auf so einen Mist? Natürlich ist es schrecklich, dass du deinen rechten Arm verloren hast. Und wahrscheinlich hast du recht – ich weiß in Wahrheit nicht, wie man sich dabei fühlt. Aber es ist nur eine Frage der Zeit, bis du lernst, mit einer Hand genauso geschickt zu sein wie zuvor mit zweien. Wie kannst du da behaupten, dass dein Leben nichts mehr wert ist?«, gab Anton leidenschaftlich zurück.

Doch Johann Merkle, Gewerkschaftsführer aus Laichingen, Herzensbrecher und Charmeur, wandte erneut das Gesicht ab. »Spar dir deinen Trost für jemanden, der ihn brauchen kann. Bei mir ist nichts mehr zu holen. Ich bin fertig mit der Welt.«

24. Kapitel

Auf der Schwäbischen Alb,
Anfang Juli 1915

Die Sommersonne brannte gnadenlos vom Himmel. Wenn Corinne über die verbrannte Albhochfläche schaute, konnte sie sich fast nach Südfrankreich träumen – es fehlte nur noch das Meer! Das Lächeln, das ihr dieser Gedanke ins Gesicht zauberte, hielt nur kurz an – zu groß war die Sorge um Annabelle, eins ihrer Lieblingsschafe. Wie das trächtige Muttertier dastand und schwer atmete! Als ob ihm etwas die Luft abschnürte. War es eine mögliche Zwillingsgeburt, die Annabelle so zu schaffen machte?

Spontan beschloss Corinne, die kleine Mutterschafherde nach Hause in die kühle Scheune zu treiben. Vielleicht hatte ihr Schwiegervater eine Idee, wie man dem wertvollen Tier helfen konnte. Sie pfiff nach ihren Hunden, die vom Schatten einer Wacholderhecke aus die Herde träge im Blick hatten. Dann marschierten sie los.

Sie hatten die Hauptstraße von Münsingen schon zur

Hälfte passiert, als Annabelle vor der Werkstatt des Schusters tot zusammenbrach.

»Oh non«, murmelte Corinne. Und nun? Wegen der Hitze konnte sie das verendete Tier unmöglich hier liegen lassen, bis der Abdecker es abholte. Doch der Mann wohnte am anderen Ende des Ortes. Jemand musste ihm Bescheid geben, während sie die restlichen Schafe nach Hause brachte. Noch während sie sich hilfesuchend umschaute, öffnete sich zu ihrer Linken eine Haustür. Eine Frau mittleren Alters schaute heraus, ihre Haare waren verstrubbelt, gerade so, als hätte sie ein Mittagschläfchen hinter sich. Sie waren sich schon mehrmals im Krämerladen begegnet, kannten sich aber nicht so gut, als dass Corinne es gewagt hätte, die Frau um Hilfe zu bitten.

Die Frau zeigte auf Annabelle. »Ist das Schaf tot?«

Corinne nickte.

Die Frau verschwand wieder im Haus.

Eine zweite Haustür öffnete sich, ein Mann erschien. Er hatte ein Messer in der Hand. Im nächsten Moment erschien die Frau mit den strubbeligen Haaren erneut, auch sie war mit einem Messer bewaffnet.

»Ein verendetes Schaf können Sie nicht an den Truppenübungsplatz verkaufen, oder?«, sagte der Mann mit aggressivem Unterton.

»Genau!«, bekräftigte die Frau und leckte sich die Lippen.

Corinne runzelte die Stirn. Was ging die Leute das an? Doch sie wollte nicht unhöflich sein und sagte deshalb: »Ein Abdecker muss das Tier abholen und entsorgen.«

Der Mann schnaubte verächtlich. »Die Kosten können Sie sich sparen, das haben wir gleich!«

Was dann geschah, vergaß Corinne in ihrem Leben nie mehr.

Der Mann stürzte sich auf den Schafkadaver und durchtrennte mit hektischen Bewegungen Fleisch, Knochen und Sehnen an der Stelle, wo das linke Hinterbein begann.

»Was machen Sie da? Hören Sie sofort auf!«, schrie Corinne entsetzt, doch er schien sie gar nicht zu hören.

Corinne wollte den Mann am Arm von dem Kadaver wegziehen, als aus den umliegenden Häusern noch mehr Leute herausstürmten und sich mit großen und kleinen Messern auf das tote Schaf stürzten.

Der eine schnitt die Ohren ab, die drei verbliebenen Beine wurden abgehackt und blutige Stücke Fleisch aus dem Leib geschnitten. Ein alter Mann hielt mit zittriger Hand eine angeschlagene Tasse unter das Tier, um das ausfließende Blut aufzufangen. Zwei Frauen stritten sich darum, wer das Herz und wer die Leber bekam. Eine der Frauen war Sieglinde Maier, sie hatte Corinne zu Loups Geburt ein grau-weiß gestreiftes Babymützchen gestrickt und vorbeigebracht.

»Was soll das? Seid ihr verrückt geworden?«, schrie Corinne. Tränen liefen ihr übers Gesicht. Tränen des Entsetzens, der Abscheu, aber auch des Mitleids. Wie ausgehungert musste ein Mensch sein, um zu einer solchen Bestie zu werden?

Hilflos schaute sie zu, wie schließlich ihr Hirtenhund Achille dem wüsten Treiben ein Ende setzte, indem er sich mit seinem massigen Leib vor den Resten des toten

Schafes platzierte und es dann so hektisch abschleckte, als wollte er es dadurch wieder lebendig machen.

Schuldbewusst – mancher auch mit einem Anflug von Trotz in der Miene – stahlen die Leute sich davon, ein jeder sein gestohlenes Fleisch fest umklammernd.

Für einen langen Moment blieb Corinne reglos stehen. Noch immer weigerte sich ihr Geist zu verstehen, was ihre Augen gesehen hatten. Erst als die kleine Herde immer unruhiger wurde, wischte sie sich Rotz und Tränen aus dem Gesicht, dann gab sie ihrem Hund das Zeichen zum Aufbruch.

Wilhelm war nicht zu Hause, als sie mit den Muttertieren auf dem Hof ankam. Ihre Schwiegermutter war hinter dem Haus mit der Wäsche beschäftigt. Gut, dachte Corinne, so brauchte sie keine Fragen zu beantworten.

Nachdem sie die Schafe in einer der kühlen Scheunen untergebracht hatte, ging sie zu einem kleinen Pferch, in dem jene Tiere standen, die in den nächsten Tagen zum Schlachter gebracht werden sollten. Ihre Gefühle waren taub wie eine eingeschlafene Hand, als Corinne acht Tiere aussuchte.

Und dann schlachtete sie ein Tier nach dem anderen – würdevoll und professionell. Sie hatte gerade das achte Schaf mit Stricken fixiert, als hinter ihr die Stimme ihres Schwiegervaters ertönte.

»Du lieber Himmel, Mädle, was machst du denn da?«

Corinne ließ ihr Messer sinken. Am liebsten hätte sie ihm gar nichts von dem Vorfall erzählt. Aber wenn sie es nicht tat, würde er über fünf Ecken davon erfahren –

in einem Ort wie Münsingen konnte man nichts geheim halten. Vor allem nichts, was auf der Münsinger Hauptstraße stattgefunden hatte.

So emotionslos wie möglich schilderte sie, was sie erlebt hatte.

In Wilhelms Miene spiegelte sich zuerst Ungläubigkeit, dann Entsetzen, dann Wut. Er stieß einen wüsten Fluch aus und fuchtelte in Richtung der Fleischportionen, die sie schon auf einem Leiterwagen hergerichtet hatte. »Und was soll das?«

»Die Leute haben Hunger. Ich werde ihnen etwas zu essen bringen.« Seinen verständnislosen Blick ignorierend, tötete Corinne das achte Schaf mit einem einzigen scharfen Messerschnitt.

Am selben Abend noch ging sie in der Hauptstraße von Haus zu Haus und verteilte Portionen Lammfleisch. Ungläubig und beschämt zugleich nahmen die Menschen die Gaben an.

»Ich schäme mich so«, sagte eine der Frauen – es war die, die triumphierend mit dem Schafsherz davongegangen war.

»Ausgerechnet du als Fremde sorgst für uns?«, fragte eine andere ungläubig.

Wieder eine andere wollte unter Tränen wissen, warum Corinne das tat. »Nach dem, was heute geschehen ist …«, fügte sie hinzu, während ihre Wangen schamrot anliefen.

Corinne schaute die Frauen nur an. »In diesem Krieg haben wir schon so viel verloren – unsere Männer, unser Auskommen, unser ganzes altes Leben. Wenn wir jetzt auch noch unsere Würde verlieren, gehen wir vollends vor die Hunde. Das lassen wir nicht zu, *oui*?«

*

Juli hin oder her – warum konnte es nicht *einmal*, wenn sie sich zum Einkaufen anstellen musste, kühl sein oder gar regnen?, fragte sich Bernadette, während sie, Mimi und ein Dutzend anderer Frauen geduldig vor dem Lebensmittelladen warteten, bis sie an der Reihe waren, ihre Bezugsscheine gegen etwas Essbares einzutauschen. Ein schöner Landregen! Der erfrischte und den alten Staub wegspülte. Der sie reinwusch von Leid, Hunger und Sorgen – der wäre jetzt willkommen. Stattdessen flirrte die Luft schon kurz vor elf am Morgen vor Hitze.

Sonst war die große Hitze meist erst in der letzten Juliwoche gekommen, während der Hundstage, und in den Wochen davor war das Wetter eher unbeständig. Doch dieses Jahr war auch beim Wetter alles anders.

Wenn ihr nur nicht so schwindlig wäre ... Bernadette schaute sich vergeblich nach einer Möglichkeit um, sich kurz hinzusetzen. Wahrscheinlich war es nicht nur der Hunger, sondern auch der Mangel an Vitaminen, der ihr so zu schaffen machte. Außer Lammfleisch und Kartoffeln kam bei ihr fast nichts mehr auf den Tisch – inzwischen hätte sie ein Königreich gegeben für grüne Bohnen, gelbe Rüben oder einen knackigen Salat! Aber ihr Gemüsegarten lag ebenfalls mehr oder weniger brach, denn für sie normale Bürger gab es fast nirgendwo mehr Saatgut zu kaufen. Bernadette seufzte tief auf.

Mimi, die neben ihr stand und ihre Schwäche zu spüren schien, hielt ihr den Arm hin. Dankbar hakte Bernadette sich unter. Sich gegenseitig zu stützen, wenn eine von ihnen schwach war – das hatten sie in den vergangenen Monaten gelernt. Wahrscheinlich wäre das Leben noch viel anstrengender gewesen, wenn jede allein vor sich hin gewerkelt hätte. Heute zum Beispiel standen Mimi und sie auch für Corinne an, die mit Loup draußen auf der Schafweide war. Die bewundernswerte Corinne, dachte Bernadette nicht zum ersten Mal. Seit Loups Geburt hatte sie ihren Lebensmut endgültig wiedergefunden. Ihren Sohn trug sie meist in einem Brusttuch mit sich, und sie lachte und sang mit ihm, während sie von früh bis spät bei den Schafen war. Dass eine Frau eine derart passionierte Schäferin sein konnte, war für Bernadette immer noch ein Rätsel. Sie selbst vermochte mit den Tieren nach wie vor nichts anzufangen.

»Heute geht es ja wieder mal gar nicht voran«, murrte Mimi. »Dabei müsste ich dringend in die Druckerei.«

»Wollt ihr etwa noch mehr Lebensmittelkarten drucken? Das könnt ihr bald sein lassen, es ist ja regulär eh fast nichts mehr zu haben«, sagte eine Frau, die hinter Mimi und Bernadette stand und mitgehört hatte. Sie warf Mimi einen so unfreundlichen Blick zu, als wäre sie für das Bezugssystem verantwortlich.

»Und von dem bisschen, was wir auf die Karten bekommen, müssen wir auch noch unseren Männern was an die Front schicken. Wie soll das gehen?«, fragte Elfie Bäumler. »Diese verdammten Lebensmittelkarten sind unser aller Untergang.«

Bernadette und Mimi warfen der Frau einen mitfühlenden Blick zu. Seit Elfies Mann – einer von Mimis Druckern – an der Front war, musste Elfie sich nicht nur allein um den behinderten Sohn kümmern, sondern auch noch Nachtschichten in der Limonadenfabrik schieben, damit ihre kleine Familie überlebte.

»Wir stehen hier wegen einem Eckchen Butter und einem Kanten Brot an. Und anderswo gibt es genügend Leute, die sich einen feuchten Kehricht um Lebensmittelkarten scheren«, antwortete wieder eine andere bitter. »Schau dir doch die reichen Städter an, die mit ihren Automobilen auf die Schwäbische Alb kommen und gegen gutes Geld bei unseren Bauern die Lebensmittel aufkaufen, noch bevor sie hierher in den Laden gelangen!«

»Ja, auf dem Schwarzmarkt erhältst du alles, was das Herz begehrt. Du musst nur genug Geld haben. Oder andere Dinge zum Eintauschen«, ergänzte die Nächste.

»Eine Schweinerei ist das. Und völlig ungerecht!«, rief Elfie Bäumler. »Darum solltest du dich als Bürgermeisterin mal kümmern, Bernadette.«

Bernadette presste die Lippen aufeinander. Worum sie sich alles kümmern sollte …

Seit dem Frühjahr waren nicht nur die Preise für viele Lebensmittel staatlich festgelegt worden, sondern auch die Mengen, die der Einzelne davon beziehen konnte. Wer also ein Brot kaufen wollte, benötigte eine entsprechende Lebensmittelkarte dafür. Dasselbe galt für Fett, Mehl, Öl und Fleisch. Was sich in den Berliner und Stuttgarter Amtsstuben nach einem gerechten System anhörte, verärgerte jedoch in der Praxis nicht nur die Lebensmittelbezieher, weil die zugeteilten Mengen sehr mager waren, sondern auch die Bauern, Bäcker und Metzger. Denn die vom Staat festgelegten Preise waren teilweise so niedrig, dass die Bauern ihre Waren lieber auf dem Schwarzmarkt verkauften, als sie in den regulären Handel zu geben. Dazu kamen unsinnige Vorgaben von Büromenschen, die von Landwirtschaft keine Ahnung hatten und beispielsweise nicht wussten, dass Hühner nicht das ganze Jahr über regelmäßig Eier legten. Doch genau das – eine regelmäßige Eierbelieferung – wurde gefordert.

Statt noch mehr nicht praktikable Gesetze zu erlassen, sollten die Behörden besser dafür sorgen, dass jeder satt wurde, dachte Bernadette wütend. Wenn sie sah, wie schwach manche Frauen schon waren und wie ausgehungert die Kinder, wurde ihr ganz schlecht. Sie hatte Angst vor dem Tag, an dem der erste Münsinger an Unterernährung starb. Unwillkürlich wanderte ihr Blick an sich selbst hinab – auch ihr Rock hing an ihr wie ein Sack. Wenn sie ihn nicht mit einem Gürtel festhalten würde, würde er ihr glatt über die Hüften rutschen.

»Immer sagt man uns, wir müssen Opfer bringen fürs Vaterland. Schön und gut, aber sollte das Vaterland dann nicht auch dafür sorgen, dass wir bei Kräften bleiben?«, nahm eine der Frauen die Litanei wieder auf. Sie hieß Luitgard Authenrieth, hatte drei schulpflichtige Kinder und kein Einkommen mehr, seit ihr Mann gefallen war, wusste Bernadette. »An Ostern hatten wir nicht mal Eier auf dem Tisch, von einem fetten Osterlamm ganz zu schweigen. Das sah bei euch bestimmt ganz anders aus, nicht wahr, Bernadette?«, stichelte Luitgard giftig.

Bernadette stemmte beide Hände in die Hüften. »Natürlich haben wir an Ostern ein Lamm gegessen. Ist das etwa strafbar? Mir gehört immerhin ein Schäfereibetrieb, hast du das vergessen?«, erwiderte sie schnippisch. Sie hatte Mitleid mit Luitgard, aber deswegen ließ sie sich noch lange nicht alles gefallen.

Während Luitgard beleidigt die Lippen zusammenkniff, mischte sich Elfie Bäumler erneut ins Gespräch ein. »Für die Frage, was strafbar ist und was nicht, sind immer noch die Gesetzeshüter zuständig, nicht wir.«

Bernadette wollte schon angesichts so viel Nüchternheit aufatmen, als Elfie weitersprach: »Aber wenn ich sehe, wie abends des Öfteren ein seltsamer Rauch vom Hof deiner Französin aufsteigt, frage ich mich schon, was da vor sich geht. Vielleicht sollte man mal den Büttel vorbeischicken?« Sie schaute Bernadette unter hochgezogenen Brauen an.

Bernadettes Schwindel nahm schlagartig wieder zu. Gingen die Gerüchte, dass Corinne schwarzschlachten würde, immer noch durch den Ort?

Vor ein paar Wochen schon hatte Hartmut Braun, der Münsinger Büttel, vor ihrer Tür gestanden und sie ins Verhör genommen. Es hieß, ein paar Leute hätten von Corinne Lammfleisch bekommen. Laut deren Aussage stammte das Fleisch von einem kranken Schaf, das Corinne auf freiem Feld hatte notschlachten müssen. War das wirklich eine Notschlachtung gewesen, oder lag hier womöglich einen Fall von Schwarzschlachterei vor? Seine kleinen Augen noch mehr zusammenkneifend, hatte er Bernadette so durchdringend angeschaut, dass ihr ein Schauer über den Rücken gelaufen war.

Hartmut Braun und sie waren im selben Alter, hatten dieselbe Schule besucht. Aber schon als Kind hatte sie den stets ein wenig hinterhältig dreinschauenden Jungen nicht gemocht und ihm nicht über den Weg getraut. Daran hatte sich bis heute nichts geändert, auch wenn sie als Bürgermeisterin zwangsweise öfter mit ihm zu tun hatte.

»Warum hacken eigentlich immer alle auf Corinne herum? Weil sie eine Fremde ist?«, hatte sie entgegnet. »Als der Krieg begann, hieß es, Corinne sei eine ausländische Spionin. Nun behaupten die Leute, sie würde schwarzschlachten. Lächerlich ist das! Und überhaupt – warum kommst du damit zu mir? Sprich doch selbst mit meiner Geschäftspartnerin!« »Das würde ich sehr gern, Bernadette, aber deine Schäferin ist ja nie anzutreffen«, hatte er geantwortet.

»Weil sie bis spätabends mit den Schafen auf der Weide ist. Dass hin und wieder ein Schaf verendet, kann schon passieren, aber schlachten kann Corinne auf der Weide wirklich nicht. Dafür verbürge ich mich.«

Der Büttel hatte sie misstrauisch angeschaut, dann hatte er sich endlich getrollt.

Ein paar Tage später hatte sie Corinne auf die Sache angesprochen und eine derart umständliche Antwort bekommen, dass sie danach genau so schlau war wie zuvor. Sie, Bernadette, war an jenem Tag besonders erschöpft gewesen. Vielleicht war es besser, nicht alles ganz genau zu wissen?, hatte sie sich matt gefragt. Und so hatte sie nicht weiter nachgehakt.

Das war ein Fehler, dachte Bernadette nun. Als Bürgermeisterin war es ihre verdammte *Pflicht,* alles zu wissen.

»Jetzt reicht's aber!«, sagte Mimi neben ihr scharf. »Seht ihr nicht, wie Bernadette sich als Bürgermeisterin für uns alle aufreibt? Und Corinne anzugreifen finde ich auch schäbig von euch! Als junge Witwe mit Säugling hat sie es in diesen Zeiten schon schwer genug. Aber statt ständig nur herumzujammern, wie ihr es gerade tut, hilft Corinne, wo sie kann. Wenn ich nur daran denke, wie viele Leute sie schon mit hinaus auf die Wiesen genommen und ihnen gezeigt hat, was es alles Essbares in der Natur umsonst gibt! Angefangen bei Kräutern über Wurzeln bis hin zu Wildfrüchten, die wir bisher nur als Tierfutter kannten. Dank Corinne ist mein Speisezettel um einiges reicher geworden, und das auf ganz legalem Weg.« Herausfordernd schaute sie in die Runde. Keine der Frauen wagte es, ihr etwas zu entgegnen.

Bernadette grinste in sich hinein. Mimi war eine Respektsperson, so viel stand fest. Und *sie* war es auch! »Der Krieg fordert von uns allen große Opfer. Ob alles immer gerecht ist? Wahrscheinlich nicht. Doch wir Frauen sind stark! *Wie* stark – darüber wurde sogar ein Buch geschrieben. Nachdem es vor ein paar Tagen in der Zeitung eine Empfehlung dafür gab, habe ich es mir aus Ulm kommen lassen …« Noch während sie sprach, kramte sie aus ihrer Tasche das Buch hervor und hielt es in die Höhe. »›Der Krieg und die Frauen‹, so heißt es. Die Autorin Thea von Harbou, die übrigens auch von den Frauenverbänden hochgelobt wird, macht uns allen Mut, zum Beispiel hier…« Sie blätterte ein paar Seiten, dann las sie laut vor: »›Die Pflicht über alles – über Liebe, Hoffnung, Glück. Und das Liebste hergeben zum Schutz des Vaterlandes – das ist die Kriegspflicht der Frauen.‹« Bernadette ließ ihren Blick schweifen. »Das sollten wir bei aller Qual nie vergessen.«

Die Frauen schauten schuldbewusst fort, manch eine warf Bernadette jedoch auch einen wütenden Blick zu.

Bernadette ließ das Buch sinken und schluckte, um den bitteren Nachgeschmack, den das Zitat in ihrem Mund hinterlassen hatte, loszuwerden. Sie hatte gut reden! Sie hatte ja keinen Sohn oder Ehemann in den Krieg geschickt. Umso mehr stieß es ihr sauer auf, den Frauen, die solche Opfer brachten, solche Durchhalteparolen zuzurufen. Aber als Bürgermeisterin musste sie schließlich dafür sorgen, dass ihre Münsinger wie alle anderen Menschen im Kaiserreich auch moralisch durchhielten.

»Ach übrigens«, fügte sie versöhnlicher hinzu. »Die Schäferei braucht noch dringend Leute, die beim Heumachen helfen. Wer hat Lust und Zeit, sich ein bisschen dazuzuverdienen?«

Ein paar Frauen meldeten sich mehr oder weniger enthusiastisch.

25. Kapitel

Sie musste Corinne dringend warnen, dachte Mimi, während die Warteschlange ein gutes Stück voranrückte. Es war nur noch eine Frage der Zeit, bis sie beim Schwarzschlachten erwischt wurde, weil irgendeine missgünstige Person, die von Corinne nicht bedacht wurde, sie anzeigte. Vielleicht war es am besten, wenn die Französin das Ganze für einige Zeit ruhen ließ.

Noch immer überfiel Mimi ein Schauer, wenn sie daran dachte, wie Corinne überhaupt dazu gekommen war, heimlich Schafe zu schlachten. Ihr, Mimi, hatte sie es nur erzählt, weil …

Unruhe kam in der Warteschlange auf, und Mimis Überlegungen wurden jäh unterbrochen, als der Postbote auftauchte und sogleich von den Frauen umkreist wurde. Hände streckten sich ihm entgegen, Namen wurden genannt, die Blicke voller Sehnsucht.

So viele Millionen Briefe, dachte Mimi, während der Postbote Karten und hier und da auch einen Briefumschlag verteilte. Hoffentlich war auch einer von Anton dabei.

»Es geht ihm gut, schreibt der Fritz. Gott sei Dank!«, rief eine der Frauen und bekreuzigte sich. »Und so eine schöne Karte – finden Sie nicht auch, Frau Reventlow?« Freudestrahlend hielt sie Mimi die Feldpostkarte hin, auf der Soldaten zu sehen waren, die auf Baumstümpfen saßen, Schuhe polierten, Socken stopften oder eine Pfeife rauchten.

»Zacharias schreibt, ich soll seine Chefin grüßen. Auch er ist wohlauf, Gott sei Dank«, sagte Elfie Bäumler, und jedes bisschen Feindseligkeit war aus ihrer Stimme gewichen.

»Wie schön«, sagte Mimi gerührt. Ihr Blick fiel auf die Postkarte, die Elfie in der Hand hielt – sie zeigte Soldaten beim Holzhacken und beim Schnitzen kleiner Figuren. Alles sah so alltäglich, so harmlos aus, gerade so, als wären die Männer daheim fotografiert worden.

»Wenn ich diese Feldpostkarten sehe, könnte ich mich übergeben«, flüsterte Mimi Bernadette zu, während sie darauf wartete, dass der Postbote auch eine Karte für sie aus dem Sack kramte. »Das ist doch nie und nimmer die Realität! Das sind lauter gestellte Szenen, die uns suggerieren sollen: ›Alles nicht so schlimm, wir Soldaten haben Spaß!‹«

»Und wenn schon. Sollen sie etwa Schlachtszenen drucken?«, sagte Bernadette. »Im Fotoatelier gaukelst du den Leuten doch auch den schönen Schein vor.«

Mimi zuckte zusammen. Bernadettes Offenheit war nicht immer leicht zu ertragen. »Das kann man nun wirklich nicht vergleichen«, sagte sie rau und war froh, als der Postbote ihren Namen rief und ihr gleich drei Karten von Anton und einen Brief ihrer Mutter überreichte.

Zu Hause packte Mimi zuerst ihre Lebensmittel aus. Ein halbes Regal reichte, um sie zu verstauen. Dann schöpfte sie sich ein kühles Glas Wasser und trug es zusammen mit einem Margarinebrot hinaus in den Garten. Erst als sie an dem schmiedeeisernen Gartentisch saß, nahm sie fast andächtig Antons Karten in die Hand. Dieser Moment – kurz vor dem Lesen – war immer besonders schön. Um die Vorfreude noch ein wenig auszudehnen, schaute sie zuerst die Vorderseiten der Postkarten an. Zwei zeigten einen Soldaten, der mit geschultertem Gewehr irgendetwas ins Visier nahm. Es war ein gut aussehender Mann, seine Miene war konzentriert, aber entspannt – gerade so, als würde er bei einem Schützenfest um den Hauptpreis kämpfen.

Die dritte Postkarte zierte eine Gruppe junger Soldaten, die sich gegenseitig die Arme um die Schultern gelegt hatten. Sie verströmten jungenhaften Charme und Sorglosigkeit.

Fälschungen, alles Fälschungen, dachte Mimi angewidert. Die Soldaten mussten eine heile Welt vorgaukeln, die es mit Sicherheit an der Front nirgendwo gab. Und sie hier wurden mithilfe des schönen Scheins belogen. Das war nicht nur unredlich – das stieg ihr als Fotografin regelrecht sauer auf.

Sie würde Anton bitten, nur noch Briefe zu schreiben, und sie selbst würde auch keine dieser Postkarten mehr schicken, beschloss sie in dem Moment. Und wenn die jetzige Auflage ihrer eigenen Feldpostkarten verkauft war, würde sie auch keine mehr nachdrucken. Sollten doch die über zweihundert Postkartenverlage, die seit Kriegsbeginn wie Pilze aus dem Boden geschossen waren, sich damit eine goldene Nase verdienen!

Zufrieden mit ihrem Entschluss nahm sie eine Postkarte – Anton hatte sie mit der Nummer eins markiert – erneut zur Hand und las.

Liebe Mimi, ich hoffe, es geht dir gut. Erinnerst du dich – vor einem Jahr um diese Zeit waren wir noch ahnungslos und hatten große Pläne für die Zukunft! Wenn ich daran denke, welches Geschäft uns mit den Adventskalendern durch die Lappen geht, könnte ich mich grün und blau ärgern! Aber es kommen auch wieder andere, bessere Zeiten.

Mimi grinste. Sogar im Krieg dachte Anton noch ans Geschäft. Aber er hatte recht – vor einem Jahr waren sie noch unbeschwert gewesen… Sie legte die Karte, auf der nur noch ein Abschiedsgruß folgte, zur Seite und nahm die zweite in die Hand.

Apropos Pläne – wie steht es eigentlich um Bernadette und Lutz? Sind die beiden inzwischen ein Paar? Wie ich dich und deine Verkupplungskünste kenne, wahrscheinlich schon. Lutz hat mir gegenüber allerdings noch nichts davon erwähnt, und ich werde einen Teufel tun, ihn zu fragen. Auf meine Briefe antwortet er eh immer nur recht knapp, ich nehme mal an, dass er einfach nicht viel Zeit hat.

Mimi musste erneut schmunzeln. Manchmal war Anton, wenn es um die Privatangelegenheiten anderer ging, so furchtbar neugierig! Aber wenn sie ehrlich war, fragte sie sich auch manchmal, wie bei Bernadette und Lutz der Stand der Dinge war. Als Bürgermeisterin und

Lieferantin vom Soldatenlager hatte Bernadette mehrmals die Woche mit Lutz zu tun, das wusste Mimi. Aber ob diese Treffen über das Geschäftliche hinausgingen? Wenn man verliebt war, war man glücklich und sah auch so aus. Und das konnte man weder von der Schafbaronin noch von Lutz sagen…

Weil ausgerechnet du in Sachen Liebe eine Expertin bist, ging es Mimi sarkastisch durch den Sinn.

Die dritte Postkarte war persönlicher. Anton schrieb, dass es ihm gut gehe und dass er im Lazarett einen alten Bekannten getroffen habe. Es war ausgerechnet Johann Merkle aus Laichingen. Er sei schwer verwundet gewesen, nun aber auf dem Weg der Besserung.

Das ist gut, dachte Mimi, dann las sie den Rest.

Ich vermisse dich täglich, liebe Mimi. Der Gedanke, dass ich dich bald wiedersehen darf, ist das, was mich aufrechterhält.

»So geht es mir doch auch, lieber Anton…«, flüsterte Mimi. Sie würde ihm heute noch zurückschreiben! Von ihrer Abneigung gegen die Postkarten würde sie erzählen und dass sie ihn vermisste, so sehr vermisste…

Eilig ging Mimi zurück ins Haus und an ihren Schreibtisch. Vor ein paar Tagen hatte sie bei einem Spaziergang wunderschöne Mohnblüten entdeckt und ein paar davon gepflückt und zwischen den Seiten einer Enzyklopädie getrocknet. Davon würde sie dem Brief an Anton eine beilegen! Der rote Klatschmohn würde ihn an ihre gemeinsamen Wanderungen über die Schwäbische Alb erinnern und…

Abrupt hielt Mimi inne und schaute die fast durchsichtig zarte Blüte in ihrer Hand an. Getrocknete Blüten – schickte man die nicht nur seinem Liebsten? Blütenblätter, rot wie die Liebe... Und dass sie ihm ständig *Ich vermisse dich* oder *Ich denke täglich an dich* schrieb – war das eigentlich üblich unter Freunden? In ihrem letzten Brief hatte sie sogar geschrieben: *Du bist das Erste, woran ich morgens denke, wenn ich aufwache. Und dein Gesicht ist das Letzte, was mir durch den Sinn geht, bevor ich meine Augen schließe.*

Ein leicht hysterisches Lachen kam über ihre Lippen. Ich denke täglich an dich? Ich träume sogar von dir?

Konnte es sein, dass sie Anton schon seit Längerem Liebesbriefe schrieb?

Was für ein Blödsinn! Wahrscheinlich waren die Mangelerscheinungen durch das wenige Essen schuld an ihrem etwas überschwänglichen Schreibstil. Doch das seltsam aufgeregte Rumoren in ihrer Magengegend blieb, und es hatte nichts mit Hunger oder Angst oder anderen unangenehmen Empfindungen zu tun. Es war eher das leise Flattern der Verliebtheit, das sie empfand. Mimi, du spinnst, schalt sie sich, doch auch das half nicht.

Ihr Blick fiel erneut auf die rote Mohnblüte. Was, wenn sie Anton wirklich liebte und ihr das bisher nur noch nicht aufgegangen war?

26. Kapitel

Es war ein weiterer heißer Julitag. Die Luft über der Schwäbischen Alb funkelte golden, der Wind wehte den Duft von wildem Oregano und Knoblauch herbei, und hätte Corinne die Augen geschlossen, hätte sie sich wieder einmal einbilden können, in der Camargue zu sein. Doch für solche Träumereien hatte sie schon lange keine Zeit mehr. Nun, da auch noch ihre zwei jüngsten Schafhirten einzogen worden waren, musste in der Schäferei viel zu viel Arbeit von viel zu wenig Händen erledigt werden.

Kritisch ließ Corinne ihren Blick über die diversen Weidegatter schweifen, in denen sie brünstige Mutterschafe zusammengetrieben und eingepfercht hatte. In einem Gatter waren besonders wertvolle Tiere, im nächsten die jungen, die zum ersten Mal in ihrem Leben begattet wurden. Im dritten Pferch befanden sich Mutterschafe von eher durchschnittlicher Qualität. Das wäre schon mal geschafft, dachte Corinne und wischte sich den Schweiß aus der Stirn.

Die Böcke, die zu den Mutterschafen sollten, hatte Corinne vor ein paar Tagen ein paar Weiden entfernt ebenfalls schon eingepfercht. In den letzten Monaten hatten die Böcke nichts anderes zu tun gehabt, als zu weiden und untereinander ihre Kräfte zu messen. Nun, da der Sommerwind den Geruch der brünstigen Schafe zu ihnen herüberwehte, stampften sie voller Ungeduld mit den Hufen auf die ausgetrocknete Erdscholle. Corinne konnte ihre erregten Brunftschreie schon von weitem hören. Sie ging zu ihnen hinüber. Ein, zwei Gehilfen hätte sie heute wirklich gut brauchen können! Sie würde mit absoluter Härte und Konsequenz vorgehen müssen, um die Tiere im Zaum zu halten. Corinne war froh, Loup heute ausnahmsweise zu Hause bei seiner Großmutter gelassen zu haben. Ein Lächeln erhellte ihr Gesicht, wie immer, wenn sie an ihren Sohn dachte. Hoffentlich aß er brav seinen Brei aus Karotten und Pastinaken – stillen konnte sie ihn erst wieder heute Abend. Unwillkürlich strich sich Corinne über ihre schweren Brüste, die spannten und wehtaten. Konzentrier dich!, ermahnte sie sich, dann stieg sie zu den Böcken ins Gatter.

Sie kannte jedes Tier und seine Eigenheiten, und sie hatte auch schon eine ziemlich genaue Vorstellung davon, welcher Bock welche Eigenschaften vererben würde. Im Sommer vor zwei Jahren hatte Wolfram noch genau Buch darüber geführt, welchen Widder er welchem Mutterschaf zuführte. Das Ergebnis hatte sich dann auch sehen lassen können – im Frühjahr 1914 waren sie mit einer stattlichen Zahl kräftiger gesunder Lämmer beschenkt worden, die allesamt zu prachtvollen Tieren herangewachsen waren. Wenn sie in den kommenden Jahren in dieser Art weitermachten, würden sie bald die beste Wollqualität von allen bekommen!, hatte Wolfram glücklich gesagt.

Träume waren Schäume, dachte Corinne nun bitter. So gern sie Wolframs kluge und vorausschauende Zuchtplanung weitergeführt hätte – im Krieg musste sie schlicht schauen, dass so viele Mutterschafe wie nur möglich belegt wurden – ob dabei jede Paarung besonders glücklich und gelungen war, darauf konnte sie keine Rücksicht nehmen. Dass die Schafe, die sie heute begatten ließ, im Winter gebären würden, war auch alles andere als ihre Idealvorstellung. Aber das Kaiserreich benötigte schließlich Fleischnachschub.

Den Bock mit den stämmigen Beinen würde sie gleich in der ersten Gruppe mitnehmen, beschloss sie und begann, mit ihrem Hirtenstab das Tier aus dem Gatter hinauszubugsieren. Es folgte ein Bock, den sie Riesenschädel nannte. Beide waren von eher aufbrausendem Temperament und würden womöglich übers Gatter springen, wenn sie nicht als Erste an der Reihe waren.

Eine halbe Stunde später war sie mit der Gruppe Böcke bei den Mutterschafen angelangt. Sie hatte das Gatter von der ersten Weide noch nicht ganz geöffnet, als die Böcke schon lossprangen. Instinktsicher rannten sie zu den Mutterschafen, die besonders gut rochen, und beschnupperten diese intensiv. Riesenschädel hatte derweil schon das erste Schaf besprungen.

»Macht eure Arbeit gut, wir brauchen dringend Nachwuchs!«, rief Corinne den Böcken lächelnd zu, dann marschierte sie los, um die nächsten Widder zu holen.

Es war später Nachmittag, als Corinne von Weitem Bernadette und Mimi auf sich zukommen sah. Die beiden *Marraines* ihres Sohnes.

Die Silhouette der Fotografin war unförmig, so als trüge sie etwas. Hatte Mimi womöglich Loup dabei? Corinnes Herz machte sogleich einen Hüpfer. Doch zu ihrer Enttäuschung erkannte sie im nächsten Moment, dass Mimi lediglich ihre Kamera mitbrachte. Wollte Mimi den Sonnenuntergang fotografieren? Corinnes Blick wanderte über die Wacholderheide in Richtung Ort. Eigentlich hatte sie demnächst nach Hause aufbrechen wollen. Sie hatte Hunger und Sehnsucht nach ihrem Jungen …

»Wir haben eine Brotzeit dabei!«, rief Bernadette und hielt ein kleines, in Wachspapier eingewickeltes Päckchen in die Höhe. »Deine anderen Lebensmittel haben wir schon zu dir auf den Hof gebracht. Ich soll dich von Loup und der Oma grüßen, beiden geht es gut.«

»Gott sei Dank«, sagte Corinne. »Es ist erst das zweite Mal, dass ich den Kleinen bei ihr lasse, wir sind die Trennung noch nicht gewohnt.« Dankbar nahm sie das Vesperbrot von Bernadette entgegen und biss herzhaft hinein. Sie hatte den ganzen Tag über noch nichts gegessen.

»Du lieber Himmel, was ist denn mit diesen Schafen los? Sind die krank?« Mimi wies stirnrunzelnd in Richtung der drei Schafgatter, wo die Böcke mit hängenden Köpfen und glasigen Augen vor sich hin stierten. Manch einer sah aus, als würde er vor Erschöpfung im nächsten Moment tot umfallen.

»Krank? Nein. Die haben heute lediglich ihren vaterländischen Beitrag zum Krieg geleistet, indem sie so viele Schafe wie nur möglich begattet haben«, sagte Corinne grinsend. »Du willst doch nicht etwa von diesen müden Kriegern jetzt eine Fotografie machen, oder?«, sagte sie zu Mimi, die ihre Kamera zückte.

»Warum nicht – das gibt bestimmt einen netten Schnappschuss!«

Die Frauen lachten. Doch gleich darauf wurde Bernadette wieder ernst. »Corinne – wir müssen reden, und hier sind wir ungestört.« Sie zeigte auf den warmen Wacholderheideboden. »Setzen wir uns kurz hin.«

Corinne und Mimi tauschten einen Blick, folgten dann aber Bernadettes Aufforderung.

»Corinne – stimmt es, dass du schwarzschlachtest und mit dem Fleisch einen Teil der Leute im Ort versorgst?«

Corinne durchfuhr es heiß und kalt zugleich. Unter Bernadettes durchdringendem Blick zuckte sie hilflos mit den Schultern. »Schwarzschlachten ... So würde ich das nicht nennen. Hin und wieder erscheint mir ein Schaf etwas leidend, und dann ...«

»Corinne, lüg mich nicht an!«, unterbrach Bernadette sie barsch. »Ich will jetzt genau wissen, was du treibst.«

»Also gut«, fuhr Corinne auf, »ja, ich schlachte heimlich ein paar Schafe. Bei den Tausenden von Tieren, die wir besitzen, fällt das kaum auf. Und irgendjemand muss schließlich dafür sorgen, dass die Leute satt werden, oder nicht?« Herausfordernd schaute sie die Freundinnen an.

»Du weißt genau, dass wir das ganze Lammfleisch per Gesetz ausnahmslos im Soldatenlager abgeben müssen – wie es von dort aus weiterverteilt wird, ist nicht mehr unsere Angelegenheit«, rief Bernadette schrill. Mahnend fügte sie hinzu: »Corinne, Schwarzhandel ist kriegsschädigendes Verhalten und wird im schlimmsten Fall mit dem Tod bestraft!«

»Corinnes Hilfe hat doch mit Schwarzhandel nichts zu tun«, sagte Mimi entsetzt. »Sie ist hier für viele Menschen so etwas wie die Hüterin des Feuers geworden. Zu ihr kommen all diejenigen, die in großer Not sind, und das sind inzwischen so einige Familien im Ort.«

Corinne warf ihr einen dankbaren Blick zu. »Genauso ist es. Ich nehme kein Geld, keinen Goldring, gar nichts dafür an. Ich verschenke das Fleisch«, sagte sie zu Bernadette.

Diese seufzte auf. »Dass den Leuten geholfen werden muss, steht doch außer Frage. Ich will nur nicht, dass dir etwas passiert. Soll Loup etwa auch noch ohne Mutter aufwachsen?«

Corinne und Mimi stießen zeitgleich einen erschrockenen Zischlaut aus.

»Musst du so grob werden?«, fuhr Mimi die Schafbaronin an. Beruhigend tätschelte sie Corinnes rechte Hand.

»Tut mir leid, aber anders ist euch ja offenbar nicht beizukommen. Dass du von der Sache wusstest und mir nichts gesagt hast, finde ich übrigens unmöglich«, sagte Bernadette. »Wenn wir den Münsinger Bürgern wirklich helfen wollen, dann geht das nur, indem wir zusammenarbeiten. Und wir dürfen uns nicht in Gefahr bringen.«

Corinne runzelte die Stirn. Hatte sie gerade richtig gehört? »Und wie soll das bitte gehen?«

Mimi lächelte. »Wenn Bernadette so dreinschaut, hat sie meistens schon einen Plan.«

»Dass eins klar ist – von Schwarzschlachten möchte ich sowohl als Bürgermeisterin als auch als Inhaberin der Schäferei nichts hören«, sagte die Schafbaronin vehement. »Wenn ich helfe, dann auf andere Art …« Resolut schaute sie Corinne an. »Du kannst doch Wolle spinnen. Und stricken kannst du auch, oder?«

»Äh … ja?« Was für eine Frage war das denn, dachte Corinne und versteckte hinter ihrer vorgehaltenen Hand ein Gähnen. Nach dem Tag mit den triebhaften Böcken steckte ihr die Erschöpfung in sämtlichen Knochen. Ihr Geist hingegen war dafür umso wacher – dennoch konnte sie sich absolut nicht vorstellen, worauf Bernadette hinauswollte.

»Und du, Mimi?«

»Tut mir leid, aber mit Handarbeiten habe ich wirklich nichts am Hut.« Mimi lachte auf.

»Das wird sich jetzt ändern«, erwiderte Bernadette, und ein kleines, fast diabolisches Lächeln erschien auf ihrem Gesicht. »Ich habe nämlich vor, die gute alte Tradition der Spinnstuben in Münsingen wieder einzuführen.«

»Spinnstuben?«, wiederholten Mimi und Corinne wie aus einem Mund.

Einen Moment lang hatte Corinne das Gefühl, in einem abstrusen Traum gefangen zu sein. Die erschöpften Böcke, die untergehende Sonne, Bernadette, die mitten im Hochsommer vom Wollespinnen sprach …

Doch Bernadette winkte sie näher zu sich heran und sagte: »Die Idee ist mir auch erst vorhin gekommen, sie ist also noch ziemlich unausgereift. Falls ihr glaubt, sie könnte funktionieren, müssten wir das Ganze weiter ausfeilen…« Zögernd begann sie, ihre Idee zu formulieren. »Wichtig wäre lediglich, dass Lutz ebenfalls mitspielt«, endete sie bedeutungsvoll.

Corinne und Mimi schauten die Schafbaronin wie vom Donner gerührt an. So etwas Verrücktes hatten sie in ihrem Leben noch nie gehört. Corinne fragte sich, ob sie auch wirklich alles verstanden hatte. Kein doppelter Boden, dafür eine »doppelte Wand« spielte in Bernadettes Plan eine wichtige Rolle? In Momenten wie diesen hatte sie immer ein wenig Angst, dass ihre Deutschkenntnisse nicht ganz ausreichten. Eins hatte Bernadettes Rede jedenfalls schon geschafft – Corinnes körperliche Zerschlagenheit war verflogen. Nervös setzte sie sich auf, um dem Gespräch weiter zu folgen.

»Gar nicht schlecht, dein Plan… Damit würden wir gleich mehrere Fliegen mit einer Klappe schlagen«, kam es gedehnt von Mimi. »Etwas zum Anziehen brauchen die Leute mindestens so dringend wie Essen.«

»Und was ist mit dem Geruch?«, fragte hingegen Corinne. »Jedes Mal, wenn ich schwarzschlachte, bete ich, dass der Wind den Geruch nicht ausgerechnet in den Ort, sondern hinaus auf die Felder weht. Aber anscheinend sind nicht all meine Gebete erhört worden…«

»Es gibt doch Kräuter, die, wenn man sie verbrennt, besonders intensiv riechen. So wie Weihrauch in der Kirche. Du bist das Kräuterweib, Corinne, dass dir das nicht gleich eingefallen ist!«, sagte Bernadette.

Corinne runzelte die Stirn. »Aber was, wenn der Ortsbüttel dann durch *diesen* Geruch auf uns aufmerksam wird?«

Bernadette grinste. »Stellt euch mal vor, was er vorfindet…«

Corinne lachte schallend auf. Das Geräusch war nach den langen Monaten der Trauer und Sorge so ungewohnt in ihren Ohren, dass sie ein wenig zusammenzuckte. Kopfschüttelnd schaute sie ihre Geschäftspartnerin an und sagte noch immer lachend: »Bernadette, ich glaube, so ein Teufelsweib wie dich gibt's nur einmal!«

*

Was für ein schöner Tag das gewesen war, dachte Mimi lächelnd, als sie ihre Haustür aufschloss. Erst hatten sie Glück gehabt und im Lebensmittelladen alles bekommen, wofür sie Marken mitgebracht hatten. Dann hatte der Briefträger ihr gleich drei Postkarten auf einmal von Anton überreicht. Dann der schöne Spaziergang hinaus zu Corinne. Und als Krönung Bernadettes verrückter Plan!

Ein schöner Tag – durfte man das im Krieg überhaupt denken?, fragte sie sich gleich darauf stirnrunzelnd, während sie hinaus in den Garten ging, um Wäsche von der Leine zu nehmen. Vor einem Jahr – da hatte Anton recht – hatten sie viele schöne Tage erlebt! Sie hatten geschäftlich große Träume verwirklicht, und abends nach der Arbeit waren sie oft in der Natur gewesen. Wenn sie überlegte, wie alles heute aussah, konnte von »schön« eigentlich keine Rede sein: Anton, ihr Kompagnon – und vielleicht auch der Mann, den sie tatsächlich liebte – weit weg, den täglichen Gefahren des Krieges ausgesetzt. Sie allein mit allen Sorgen und Nöten. Ihre wunderbare Erfindung des Adventskalenders – gestorben wegen Mangels an Rohstoffen. Ihre Druckerei arbeitete nur noch auf Sparflamme, dass sie noch nicht ganz hatte zumachen müssen, war allein Lutz Staigerwalds Verdienst. Erst vor ein paar Tagen hatte er ihr wieder einen Auftrag vermittelt – Briefpapier, das im Briefkopf mit einem riesigen Eisernen Kreuz bedruckt war.

Mimi verzog den Mund. Eiserne Kreuze – allein der Anblick dieser Kriegsauszeichnung, die inzwischen inflationär auf alles, was auch nur eine einigermaßen glatte Oberfläche besaß, gedruckt wurde, machte sie inzwischen aggressiv. Ob Bonbons, Briefpapier oder Paradekissen – ohne das Eiserne Kreuz als Zierde ging scheinbar nichts mehr.

Wenn man all das zusammennahm, hatte sie eigentlich keinen Grund, auch nur einen Tag schön zu finden. Und dennoch blieb das Gefühl, heute einen guten Tag erlebt zu haben. Einen Tag der Erkenntnisse – auch wenn sie ihre Gedanken und Gefühle hinsichtlich Anton noch immer nicht ganz einordnen konnte. Einen Tag der Solidarität. Einen Tag, an dem sie und ihre Freundinnen wieder einmal ein kleines Stück über sich hinausgewachsen waren.

Noch immer vor sich hin lächelnd, ging Mimi zurück ins Haus. Wie gut die Wäsche duftete! Vielleicht waren es auch diese kleinen Freuden, die für ein Glücksempfinden sorgten? Wenn man morgens aufwachte, und einem die Sonne ins Gesicht schien. Der erste Biss von einem Butterbrot. Der Geruch, der nach einem warmen Sommerregen die Luft erfüllte. Wenigstens diese kleinen Dinge hatte der Krieg ihnen noch nicht genommen, dachte Mimi trotzig und stellte den Korb im Flur ab. Ihr Blick streifte dabei die Anrichte, auf der das Buch lag, das Bernadette ihr gegeben hatte. Vielleicht sollte sie tatsächlich mal wieder etwas lesen? Ganz eintauchen in eine Geschichte, sich verlieren in einer völlig fremden Welt – das hatte sie immer geliebt, doch in letzter Zeit hatte sie dazu kaum Muße gehabt. Sie nahm das Buch in die Hand und blätterte durch die Seiten.

... Die Frau fühlte in einer strahlenden Erkenntnis, dass dieses Volk in seiner bedingungslosen Kriegsbereitschaft auf einem Gipfel stand, den keiner überragte ...

Stirnrunzelnd blätterte Mimi weiter.

... die zentrale Bedeutung der Frau für ihre Männer und Söhne ... in der Erfüllung ihrer Opferpflicht liegt etwas wahrhaft Heroisches ...

Mimi ließ das Buch sinken. Was für ein Schwachsinn! Das konnte Bernadette doch nie und nimmer gut finden, dachte sie wütend. Sie, Mimi, war auch dafür, dass Frauen ihren Mann standen – nichts anderes taten sie alle seit Kriegsausbruch! Aber was diese Autorin von ihren Leserinnen forderte, war eine völlige Selbstaufgabe. Ein Zitat von Friedrich dem Großen, das Mimi einst auf dem Berliner Gymnasium gehört hatte, kam ihr in den Sinn: »Es ist nicht nötig, dass ich lebe, wohl aber, dass ich meine Pflicht tue.«

Hatte die Autorin vom Alten Fritz abgeschrieben? Nach ihren Worten sollten die Frauen mit einem Lächeln auf den Lippen auch noch ihre Söhne in den großartigen Krieg schicken, in dem alles erlaubt und alles möglich war. Kein Wunder, dass dieses Buch in den Tageszeitungen empfohlen wurde – solche opferbereiten Frauen, die den Krieg verklärten, waren genau das, was das Deutsche Kaiserreich im Augenblick am dringendsten brauchte. Aber wie konnten ausgerechnet Frauenverbände eine solche Lektüre empfehlen? In ihrem nächsten Brief würde sie ihre Mutter danach fragen, beschloss Mimi. Sie stopfte das Buch in ihre Tasche. Gleich morgen wollte sie es Bernadette zurückbringen.

Schlagartig waren Mimis frohe Gedanken an den Tag wie weggeblasen. Sie ging in die Küche, um sich etwas zum Essen zu machen. Doch kaum hatte sie Wasser für ein paar Kartoffeln aufgesetzt, spürte sie, dass sie gar keinen Appetit hatte. Rastlos ging sie in den Garten hinaus, dann wieder hinein ins Haus und fühlte sich dabei wie ein Tiger in seinem Käfig.

Kopfschüttelnd ging Mimi wieder in ihr Büro und zwang sich, sich an den Schreibtisch zu setzen. Wenn sie ein bisschen zur Ruhe kam, konnte sie vielleicht herausfinden, warum dieses Buch sie dermaßen aufgewühlt hatte.

Ja, es war Krieg, und die Uhren tickten anders! Was an Alltäglichem vor dem Krieg gegolten hatte, galt schon lange nicht mehr. Aber war das ein Grund, sich wie die Autorin von so vielen menschlichen Werten zu verabschieden?

Was war aus der Mutterliebe geworden? Eine Mutter wollte ihre Kinder beschützen und nicht selig lächelnd in den Krieg ziehen lassen, wie die Autorin es forderte. Und was war mit der Liebe zwischen Mann und Frau? Eine liebende Frau wollte ihren Mann beschützen wie eine Löwin! Wenn sie an Anton dachte – ihn freudig zu opfern, wäre ihr nie in den Sinn gekommen, im Gegenteil, sie hätte *alles* dafür getan, um ihn von der Front wegzuholen.

Mimis Blick fiel auf ihre Kamera. Als sie mit Bernadette zu den Weiden gegangen war, hatte sie sie spontan mitgenommen. Doch außer dem Foto von den erschöpften Schafböcken hatte sie nur noch ein weiteres geschossen – Bernadette und Corinne, wie sie sich auf dem Boden hockend einen Krug Wasser teilten. Beide Fotografien waren redlich und ehrlich. Keine Schäferidylle wie für ihren Schafkalender. Kein Picknick auf einer kunstvoll drapierten Decke mitsamt Weinkelchen und weiterer Dekoration so wie einst in Onkel Josefs Atelier.

Fast liebevoll strich Mimi über das schwarze kalte Metall der Kamera. *Ein* einziges Mal in ihrem bisherigen Leben hatte sie spontan auf den Auslöser gedrückt, damals, als sie in der Weberei von Herrmann Gehringer dem schlimmen Unfall beigewohnt hatte. Ansonsten hatte sie jede ihrer Aufnahmen durchdacht und arrangiert – auf ihre ganz persönliche Art. Statt den Männern nur einen Hut aufzusetzen und den Frauen einen Sonnenschirm in die Hand zu drücken, hatte sie ganz genau überlegt, welche Accessoires und welche Art der Inszenierung zu ihren Kunden passten. Sie hatte die Menschen aus ihrem Alltag holen, sie in eine völlig neue Lebenswelt versetzen wollen. Nicht nur ihre Modelle, sondern auch sie hatte viel Spaß bei dieser Art des Fotografierens gehabt. Schönheit hatte sie den Menschen schenken wollen – das waren immer ihr größter Wunsch und ihr Anspruch an sich und ihre Arbeit gewesen. Und es war ihr gelungen. Das durfte sie rückblickend mit Stolz behaupten.

Aber war diese Art der Fotografie heute noch zeitgemäß?, fragte sich Mimi nun. Die fotografischen Sitzungen für ihre Feldpostkarten waren auch reine Inszenierungen gewesen. Ihre Modelle hatten dabei viel Spaß, sie jedoch hatte das Gefühl gehabt, als würde sie durch diese Postkarten zu einer Fürsprecherin des Krieges werden. Immerhin wurde diese Art der Fotografie von den obersten Stellen gefördert, der Kaiser und seine Generäle wollten den schönen Schein. Aber musste sie ihn deshalb auch liefern?

Wenn sie es sich herausnahm, die Werte der Autorin des Buches infrage zu stellen, wäre diese kritische Haltung dann nicht auch angebracht, wenn es um ihre Arbeit als Fotografin ging?

Vielleicht war es an der Zeit, dass sie den ungeschönten Kriegsalltag mit all seinen Strapazen dokumentierte?, spann Mimi ihre Gedanken weiter. So wie sie es heute auf der Schafweide getan hatte. So wie sie einst den schrecklichen Unfall in Herrmann Gehringers Weberei fotografiert hatte – einfach die Kamera gezückt und auf den Auslöser gedrückt. Als Fotografin wieder ehrlich und authentisch sein.

Mimi spürte, wie Erregung in ihr aufstieg. Sie würde auf einem schmalen Grat wandeln, denn keinesfalls wollte sie jemanden in seiner Armut, seinem Kummer oder seiner Trauer vorführen. Konnte ihr diese Gratwanderung gelingen? Wenn sie mit Bedacht vorging, gewiss.

Geld würde sie mit diesen Fotografien allerdings nicht verdienen – wahrscheinlich würde nicht einmal jemand die Bilder sehen wollen. Und wenn schon, dachte Mimi trotzig. Für ihr Seelenheil war es einfach an der Zeit, dass sie wieder einmal neue Wege ging. Und das eigene Seelenheil – das war es am Ende doch, was zählte.

27. Kapitel

Schon am nächsten Tag war Mimi in Münsingen unterwegs und besuchte, mit einer auf die Schnelle von Bernadette erstellten Namensliste ausgestattet, die Häuser der Ärmsten, während Bernadette sich auf den Weg zum Truppenübungsplatz machte.

»Guten Tag, Frau Authenrieth, unsere Bürgermeisterin schickt mich. Wie Sie vielleicht schon mitbekommen haben, liegt Bernadette Furtwängler viel daran, unser Dorf gut durch den Krieg zu bringen.« Mimi lächelte gewinnend. Die Frau gehörte zu denen, die sich in der Warteschlange vor dem Lebensmittelladen noch so harsch gegen Bernadette gewendet hatte.

»Ach ja?«, sagte die Frau und schob sich mürrisch eine graue Haarsträhne hinters Ohr. Luitgard Authenrieth war blass, die Haut unter ihren Augen fast durchscheinend dünn. Obwohl es Hochsommer und heiß war, trug sie einen Wollschal um die Schultern. Laut Mimis Liste war sie die Mutter von fünf Kindern, allesamt im Schulalter.

»Dann soll unsere Frau Bürgermeisterin endlich mal dafür sorgen, dass ich meine Witwenrente kriege! Mein

Hugo ist im März gefallen, und noch immer habe ich keinen Pfennig von irgendjemandem bekommen. Meine Kinder und ich leben von Almosen. Ich würde ja arbeiten gehen, aber wo ich auch anklopfe, niemand hat was für mich…« Noch während sie sprach, schossen der Frau Tränen in die Augen.

Mimi biss sich auf die Unterlippe. »Das tut mir leid«, sagte sie sanft. »Aber dass Frau Furtwängler irgendeinen Einfluss auf die Rentenformalitäten hat, bezweifle ich. Doch Sie haben sicher auch mitbekommen, dass Bernadette Helfer für die Heuernte sucht – wäre das nichts für Sie?«

»Meinen Sie, die Frau Bürgermeisterin würde mich nehmen?«

Mimi nickte. »Warum nicht?«

Die Augen der Frau hellten sich auf, die Tränen versiegten. »Wenn's sein muss, arbeite ich Tag und Nacht. Und bei der Heuernte gibt es danach immer ein gutes Vesperbrot«, sagte sie sehnsüchtig. »Gleich nachher gehe ich zur Frau Furtwängler. Danke!«

»Vielleicht habe ich noch mehr gute Nachrichten«, sagte Mimi lächelnd. »Wenn die Ernte nämlich erst eingebracht ist, möchte unsere Bürgermeisterin eine Spinnstube für die Frauen im Dorf ins Leben rufen. Das Ganze soll auf Bernadettes Hof stattfinden, einmal pro Woche wollen wir dort gemeinsam handarbeiten. Dabei könnten Kindersachen und auch Mützen, Leibchen und Schals für Erwachsene hergestellt werden. Der Winter kommt bald genug, und dann sind wir alle froh, ein oder zwei neue wärmende Kleidungsstücke zu haben…«

Luitgard Authenrieth schaute Mimi gedankenverloren an. »Meine Mutter und Großmutter haben oft von den Spinnstuben erzählt. Die Frauen haben Lieder gesungen und sich gegenseitig geholfen, ein neues Strickmuster auszuprobieren. Es gab auch immer etwas Gebäck und heißen Tee für alle. Es waren wohl wirklich schöne Abende, ich habe mich immer gefragt, warum es so etwas nicht mehr gibt«, fügte sie wehmütig hinzu. Zum ersten Mal, seit sie Mimi die Tür geöffnet hatte, verlor ihr Gesicht seine Anspannung.

»Vielleicht ist jetzt die richtige Zeit, um diese schöne alte Tradition wiederzubeleben?«, sagte Mimi mit mehr Elan, als sie für sich selbst verspürte. Sie und stricken – das konnte sie sich immer noch nicht vorstellen.

Die Frau nickte. »Aber ich habe niemanden, der dann auf meine Kinder aufpasst«, sagte sie alarmiert. »Und Wolle hab ich auch nicht.«

Mimi winkte beruhigend ab. »Die Wolle spendiert Bernadette, sie hat ja genug. Und die Kinder bringen Sie einfach mit. Bestimmt gibt es auf Bernadettes Hof ein paar Lämmchen zum Streicheln.«

»Dann hab ich jetzt ja wenigstens einen Grund, mich auf den Herbst zu freuen«, sagte die Frau lächelnd und reichte Mimi die Hand. »Danke, dass Sie an mich gedacht haben. Richten Sie Frau Furtwängler aus, dass ich komme. Die alten Wintersachen von den Kindern sind so durchgescheuert, dass ich sie nicht mehr stopfen kann. Wenn ich nur für jeden eine neue Mütze und einen Schal stricken könnte …«

*

»Du kommst gerade richtig – darf ich dich zum Essen einladen?« Lutz Staigerwald warf einen Blick zur Wanduhr. Es war ein Uhr am Mittag, durch das geöffnete Fenster von Lutz' Amtszimmer erklang die Glocke des Offizierskasinos, die verkündete, dass das Mittagessen fertig war.

»Schon so spät? Wo ist nur wieder der Vormittag hin? Beim Essen wollte ich dich eigentlich nicht stören…« Bernadette hoffte, dass ihr Magen nicht ausgerechnet jetzt laut knurrte. Insgeheim hatte sie ihren Besuch bei Lutz in der Hoffnung auf eine warme Mahlzeit genau um diese Tageszeit eingeplant…

Lutz reichte ihr seinen rechten Arm. »Ich speise immer gern mit dir, das weißt du doch.«

»Es ist seltsam«, sagte Bernadette, als sie, an Lutz' Arm untergehakt, in Richtung Kasino gingen. »Ausgerechnet hier bei dir in der Kaserne spürt man vom Krieg am allerwenigsten. Es ist Betrieb wie eh und je.« Sie wies auf die vielen Soldaten, die zu Pferd oder zu Fuß in dem gepflegten Ambiente des Soldatenlagers unterwegs waren. Wie schön wäre es, jetzt mit Lutz einen Spaziergang über die Schwäbische Alb zu machen, schoss es ihr durch den Kopf. Arm in Arm. Ohne eine Sorge im Hinterkopf.

Lutz seufzte. »Ja, das stimmt – es herrscht Betrieb wie eh und je. Und doch ist alles anders. Denn nun kehren die jungen Burschen nicht wie einst nach ihrer Ausbildung in ihre Berufe als Schreiner, Kontorist oder Knecht zurück, sondern werden direkt an die Front geschickt.« Es schien, als wollte er noch etwas anfügen, doch er entschied sich fürs Schweigen.

Wie stand Lutz eigentlich zu alldem?, fragte sich Bernadette nicht zum ersten Mal. Lehnte er den Krieg in Wahrheit ebenfalls ab? Empfand er ihn als genauso sinnlos, wie sie es tat? War er im tiefsten Innersten gar ein Pazifist, so wie sie manchmal vermutete? Oder hatte er die beste Zeit seines Lebens, nun, da seine Arbeit hier noch um ein Vielfaches wichtiger geworden war?

Ihre Freundschaft hatte sich seit Kriegsausbruch weiter intensiviert, gleichzeitig hatte Bernadette das Gefühl, dass dies nur funktionierte, weil sie die ungeschriebenen Gesetze, die zwischen ihnen bestanden, nicht brachen. Eins davon lautete, dass sie ihre Gedanken zum Krieg weitgehend für sich behielten – nicht nur Lutz als oberster Kommandant des Soldatenlagers, sondern auch sie als Bürgermeisterin hatten schließlich offizielle Funktionen inne. Sie konnten demnach nicht einfach daherreden, wie ihnen der Schnabel gewachsen war, sondern mussten vielmehr eine gewisse Fassade wahren. Oder bildeten sie sich das nur ein? Wäre es nicht eher für sie beide erleichternd gewesen, miteinander abseits jeder politischen Vorgabe offen und ehrlich zu sein?

»Ich möchte dich um einen Gefallen bitten«, sagte Bernadette, nachdem sie zwei Mal Essen bestellt hatten. Die Zeit, in der die Offiziere unter drei Tagesessen wählen konnten, war längst vorbei.

»Schieß los!«, sagte Lutz und trank einen Schluck Weißwein.

Wie erschöpft er aussah, dachte Bernadette bestürzt. Kam es ihr nur so vor, oder waren seine Schläfen noch silbrig-grauer geworden? Mit Mühe widerstand sie dem Impuls, ihm den Arm zu streicheln.

Ein weiteres ungeschriebenes Gesetz zwischen ihnen – und dieses ging eindeutig eher von ihr aus – bestand darin, nicht über ihre Gefühle zueinander zu sprechen. Zwei offizielle Ämter, gute Freunde *und* ein Liebespaar? Das hätten sie in Bernadettes Augen nicht unter einen Hut gebracht. Dennoch spürte sie einen Hauch Bedauern. Doch gleichzeitig ging ihr durch den Kopf, dass sie jedes Mal, wenn sie einem Mann über das Freundschaftliche hinweg vertraut hatte, böse auf die Nase gefallen war. Und da sollte sie sich ausgerechnet romantischen Gefühlen gegenüber Lutz hingeben? Die Zeiten forderten genug von ihnen, da brauchte es nicht noch private Verwicklungen. Sie hob ihr Glas und nahm einen großen Schluck Wein, um sich Mut für ihr Anliegen anzutrinken.

»Du weißt, dass ich mir geschworen habe, Münsingen gut durch diese schweren Zeiten zu bringen. Bisher musste ich nur hier und da mal ein wenig mogeln, aber jetzt ist der Zeitpunkt gekommen, da ich die Gesetze gleich zwei Mal brechen muss. Lutz, ich kann nicht anders – so viele Familien haben nicht mehr genug zu essen! Und an vielem anderen fehlt es auch – an Kleidung zum Beispiel. Aus diesem Grund würde ich gern die Spinnstube wiederbeleben. Frauen sitzen des Abends zusammen, verspinnen Wolle, weben und stricken und sorgen so vor für den Winter. Dein Part würde darin bestehen, dass du …«

Nachdem sie mit ihren Ausführungen geendet hatte, schaute sie ihn mit gespielter Verzweiflung an. »Ich hätte dich wirklich gern aus der Sache rausgehalten, aber angesichts der heutigen Gesetze geht es ohne dich nicht.«

»Selbstverständlich stelle ich dir ein offizielles Schreiben für deine Zwecke aus.« Lutz schaute sie scharf an. »Aber wieso habe ich das Gefühl, dass du mir einen wichtigen Aspekt deiner sogenannten Handarbeitsabende verschweigst? Bernadette, ich helfe dir gern, aber einen Bären lasse ich mir nicht aufbinden, auch von dir nicht.«

Schuldbewusst wandte sie ihren Blick ab und war froh, als im selben Moment ein Schatten auf sie fiel und der Koch erschien, um ihnen höchstpersönlich das Essen zu bringen. Sie kannten sich nicht nur aus der Zeit, in der der Mann noch im Hirschen in Münsingen gekocht hatte, sondern schon aus Kindertagen.

»Ich binde dir keinen Bären auf, ich sage höchstens nicht alles«, bemerkte sie, nachdem sie mit dem Koch ein paar Worte gewechselt hatte und er wieder in die Küche gegangen war. Enttäuscht starrte sie auf ihren Teller. Ausgerechnet Lammgulasch! »Du hast schon genug Probleme am Hals, da brauchst du dir meine nicht auch noch zu borgen. Wenn mein Plan schiefgeht, kannst du immer noch ruhigen Gewissens behaupten, du hättest von nichts gewusst.«

»Dein Plan? Bernadette!« Es hätte nicht viel gefehlt, und Lutz hätte mit der flachen Hand auf den Tisch geschlagen. »Du sagst mir jetzt sofort, was du vorhast!«

Erkannte er nicht, dass sie ihn schützen wollte?, fragte sie sich entnervt. »Also gut. Mein Plan sieht vor, dass Corinne während der Handarbeitsabende in einem abgetrennten Teil der Scheune ein oder zwei Schafe schlachtet und wir den Frauen am Ende des Abends Fleischrationen für die Familie mitgeben. Oberste Prio-

rität ist, niemanden in Gefahr zu bringen, deshalb ...«
Nach und nach weihte sie ihn in mehr Details ein.

Lutz hörte zu. Er aß. Er stellte Fragen und schenkte Wein nach, als Bernadettes Glas leer war.

»Nun weißt du Bescheid«, endete sie und zuckte hilflos mit den Schultern.

»Du bist verrückt«, sagte er rau. »Bernadette, ihr bringt euch alle in Lebensgefahr! Wenn der Büttel euch erwischt, kann ich nichts mehr für dich tun, im Gegenteil – ich wäre mit schuld an eurem Tod, weil ich dich nicht von der Idee abgehalten habe. Und mich würden sie auch erhängen.«

»Genau deswegen wollte ich dir nichts sagen. Aber vielen Dank – deine Worte muntern mich mindestens so auf wie der Anblick einer riesengroßen Spinne frühmorgens in meinem Waschbecken«, fuhr sie auf. Sie schaute ihn mit wütend funkelnden Augen an. »Wäre es dir lieber, wenn ich einfach zuschaue, wie der halbe Ort nach und nach verhungert?«

Lutz Staigerwald schob seinen halb vollen Teller von sich. Sein Blick schweifte durch das Offizierskasino, dann wieder zurück zu ihr. »Was, wenn ich versuche, hier im Lager eine Art Armenspeisung zu organisieren?«

»Das würdest du tun?« Bernadette war baff.

Lutz zuckte mit den Schultern. »Mir war schon immer an einem guten Verhältnis zu Münsingen gelegen, das weißt du. Posaunenkonzerte, Kinoabende und Schützenfeste, wie wir sie früher für die Bewohner veranstaltet haben, sind derzeit nicht möglich, aber wir könnten hin und wieder ein gemeinsames Essen für die Leute veranstalten – was meinst du?«

»Das würde natürlich helfen. Aber als alleinige Maßnahme reicht es bei Weitem nicht aus, die Leute haben jeden Tag Hunger!« Auf einmal dröhnten die Gespräche an den Tischen um sie herum viel zu laut in ihren Ohren, roch das Lammgulasch zu intensiv, perlte der Riesling in ihrem Glas zu festlich. Bernadette holte tief Luft und sagte: »Gefahr hin oder her – ich muss tun, was ich tun muss. Und zur Not mach ich's auch allein.«

Wenn sie schon schwarzschlachteten, um den Hunger der Leute zu lindern, musste das Risiko, erwischt zu werden, ausgeschlossen werden – so lautete der erste Punkt von Bernadettes Plan. Der zweite war der, so vielen Leuten wie nur möglich zu helfen. Auch durften sie Neidern und Denunzianten keine Angriffsfläche bieten – gerade die mussten sie stattdessen mit ins Boot holen nach dem Motto »mitgehangen, mitgefangen«. Bernadette hoffte, dass dies nicht wörtlich zu nehmen war.

Nach ein paar weiteren Besprechungen begannen die drei Freundinnen mit den praktischen Vorbereitungen. Bis sie mit ihren Handarbeitsabenden anfangen konnten, musste Corinne das Schwarzschlachten unterlassen, auch wenn die Leute sie noch so sehr anbettelten, befahl Bernadette streng.

Corinne hielt sich daran. Zum einen war sie nach den langen Tagen auf der Weide froh, noch ein bisschen Zeit mit ihrem Sohn verbringen zu können, bevor sie ins Bett fiel. Zum anderen wollte sie sich ihrem Kind zuliebe auch nicht unnötig in Gefahr bringen. Und so saß sie abends mit Loup auf dem Schoß da und schrieb einfache Strickanleitungen für Leibwärmer und Handschuhe, dann strickte sie die Stücke nach. Die Modelle sollten bei den Handarbeitsabenden als Anschauungsmaterial dienen. Da sie, Corinne, in der Zeit anderweitig beschäftigt sein würde, mussten ihre Modelle so einfach gearbeitet sein, dass sie sich quasi selbst erklärten.

Mimi ging währenddessen von Haus zu Haus und sammelte alles an Material ein, was sie für das Verarbeiten von rohen Wollvliesen zu feiner Strickwolle benötigten: große Blechbottiche, in denen die fettigen, schmutzigen Vliese gewaschen werden sollten. Kardätschen, mit denen die Wolle gekämmt und von Dornen, Gras und anderem Schmutz befreit wurde. Körbe für die Rohwolle. Spinnräder, Spindeln, Strick- und Stopfnadeln.

Bernadette war auf ihrem Hof beschäftigt. In einer ihrer Scheunen sollten die Handarbeitsabende stattfinden. Damit ihr Plan aufging, musste die Scheune jedoch erst entsprechend hergerichtet werden. Und so baute Corinnes Schwiegervater, den die Frauen eingeweiht hatten, im hinteren Drittel der Scheune eine Art Zwischenwand ein. Da Wilhelm nur alte Holzbretter, die er von überall her zusammentrug, verwendete, wirkte die Wand am Ende so, als bildete sie die Rückwand der Scheune und wäre schon immer da gewesen. Keiner würde vermuten, dass diese Wand erst kürzlich hochgezogen worden war. Und noch weniger vermutete man, dass es hinter dieser Wand einen weiteren geheimen Raum gab. Doch genau dieser war das Herzstück von Bernadettes Plan.

Im vorderen und größeren Teil der Scheune richteten die Frauen ihre Spinnstube ein: mit Wäscheleinen, an denen sie die gewaschenen Wollvliese trocknen konnten. Lange Tische wurden aufgestellt, an denen die Frauen die Rohwolle kardieren und kämmen konnten. An diesen Tischen sollten auch die eigentlichen Handarbeiten stattfinden.

Am Ende dieses vorderen Scheunenteils stand ein großer Ofen. Darauf wollten sie in riesigen Kesseln die Wollvliese auskochen und von Fett und Schmutz befreien.

Den abgetrennten Scheunenteil stattete Bernadette ebenfalls mit einer Kochstelle aus, deren Rauch zog durch denselben Kamin ab wie der des anderen Ofens. Auf der Kochstelle standen ein Brühtrog und ein Waschkessel. Einen Meter weiter baumelten von der Decke Flaschenzug und Haken. Diverse Schlachtermesser, Sägen und Beile und ein großer Holzbock wurden nach und nach im Schutz der Dunkelheit herbeigeschleppt. Zu guter Letzt stapelte Bernadette noch Brennholz an einer der schmalen Seitenwände hoch. Das Feuer, das sie plante, wollte schließlich geschürt werden.

28. Kapitel

Bis Bernadettes verrückter Plan in die Tat umgesetzt werden konnte, vergingen fast drei Monate. Die Heuernte war vorüber, der Sommer ins Land gegangen, der Herbst kam auf dicken Wollsocken angeschlichen, als schließlich im Oktober 1915 der erste Handarbeitsabend stattfand.

»Ich möchte euch alle herzlich willkommen heißen! Wir Frauen tragen einen wichtigen Teil zum Gelingen des Krieges bei. Allerdings tun wir es auf unsere Art, nämlich, indem wir für warme Kleidung sorgen, sodass trotz diverser Engpässe niemand im kommenden Winter frieren muss.« Bernadette ließ ihren Blick über die fast fünfzig Frauen schweifen, die an den langen Tischen im vorderen Teil der Scheune Platz genommen hatten. Da war Elfie Bäumler, deren Mann vor dem Krieg in Mimis Druckerei arbeitete und die nun mit ihrem gelähmten Sohn allein war. Karla Wiedekind, deren Mann Karl vor einem halben Jahr gefallen war. Gekommen war auch Luitgard Authenrieth, und Bernadettes Schafschererinnen waren da, etliche Frauen des Gesangsvereins, Nachbarinnen, Bernadettes alte Magd Heidi…

»Dass in diesen Kriegszeiten ohne uns nichts mehr läuft – das haben die Herren in Berlin und anderswo längst erkannt. Ich sage euch, Frauen – wenn das so ist, dann wollen wir wenigstens nach unseren eigenen Spielregeln spielen!« Sie schaute herausfordernd in die Runde. War es richtig, was sie tat?, fragte dennoch eine leise Stimme in ihrem Innern.

Die Blicke der Frauen waren teils verwundert, teils sehnsüchtig, und sie saugten Bernadettes Worte auf wie ein Schwamm. Eigene Spielregeln? So etwas hatte schon lange keinen Platz mehr in ihrem Alltag, wo jede Tag für Tag nur zu funktionieren hatte.

»Wir geben uns nicht mehr mit dem zufrieden, was die hohen Herren uns als Ration zugestehen. Wir sorgen selbst für uns und unsere Liebsten.« Bernadette schaute erneut in die Runde. Noch ahnte keine der Frauen, wie doppeldeutig ihre Worte in Wahrheit waren. Sie zeigte auf den riesigen Stapel Vliese, die sie für die Spinnstube hergerichtet hatte. »Es liegt viel Arbeit vor uns. Bis aus diesen Vliesen Wolle zum Stricken geworden ist, haben wir alle Hände voll zu tun. Die Schafschererinnen können euch zeigen, wie man die Vliese mit der Kardätsche sauber kämmt. Heidi macht derweil ein Feuer, sodass wir die Wolle gründlich waschen und von Fett und Schmutz befreien können. Damit sich die Spinnräder aber heute schon drehen und ihr mit den Handarbeiten anfangen könnt, haben Corinne und ich in den letzten Tagen etwas vorgearbeitet.« Sie wies auf einen weißen, plüschig-weichen Berg von Schafwolle. »Diese Wolle könnt ihr verspinnen. Mimi Reventlow und ich teilen euch in Arbeitsgruppen ein, und dann kann's losgehen!«

Sie klatschte in die Hände wie eine Lehrerin, die ihre Klasse motivieren wollte.

»Und wann gibt's Kaffee und Kuchen?«, rief eine der Frauen.

Fröhliches Gelächter ertönte.

»Du meinst wohl Brennnesseltee und köstlichen Zwieback? Später, wenn wir was geschafft haben!«, gab Bernadette gutmütig zurück und erntete ein lautes Stöhnen. Der trockene Zwieback war inzwischen bei ihnen allen verhasst. Bernadette tauschte mit Elisabeth Fromm, die neben ihr stand, einen verstohlenen Blick. Von wegen Zwieback! Die Frauen würden Augen machen, wenn sie sahen, *was* es nachher gab!

Als die Bäckersfrau und ihre Tochter Renate erfuhren, was Bernadette plante, wollten sie unbedingt mit von der Partie sein. »Keine Angst, wir nehmen den Bedürftigen keine Wolle weg, sondern bringen unser eigenes Strickzeug mit«, hatte die Bäckerin eilig hinzugefügt. »Aber es macht bestimmt Spaß, miteinander zu handarbeiten! Ich spendiere auch gern ein paar Bleche Kekse – in einer ordentlichen Spinnstube muss es schließlich auch was Ordentliches zu essen geben, oder?«

Bernadette war begeistert gewesen.

»Wo ist eigentlich Corinne?«, fragte Elisabeth Fromm nun, während sie ihr Strickzeug auspackte. »Ich hätte erwartet, dass sie auch gern mitmacht.«

»Ihr Sohn kränkelt, sie kann leider nicht kommen«, erwiderte Bernadette mit gespieltem Bedauern.

Eine halbe Stunde später brannte das Feuer, kurz darauf begann das Wasser zu sieden, und es wurden die ersten ausgekämmten Vliese in die Waschtröge geworfen.

Corinnes Schwiegermutter Mariele saß an einem der Spinnräder, umringt von einem halben Dutzend junger Frauen, die genau zuschauten, um die Spinnkunst ebenfalls zu erlernen. Andere Frauen schauten sich Corinnes Modelle an – ein Schal, den man mithilfe von ein paar Knöpfen zu einer Art Jacke umwandeln konnte, hatte es ihnen besonders angetan. Wieder andere waren schon dabei zu stricken – Socken, Schals, Decken fürs Kindbett. Alles, was an Wolle da war, wurde verarbeitet. Die Stimmung war positiv, an den meisten Tischen sogar fröhlich. Dazu trug auch Mimi bei, die mit ihrer Kamera mal hier einen Schnappschuss machte, mal da eine Frau am Spinnrad fotografierte. »Solche alltäglichen Sachen sind dir eine wertvolle Glasplatte wert?«, fragten die Frauen Mimi lachend.

Bernadette half, plauderte, dirigierte. Zwischendurch hielt sie immer wieder unauffällig schnuppernd ihre Nase in die Höhe. Die Luft war erfüllt von den Kräutern, die sie am Rand der Feuerstelle auf ein paar Stückchen Kohle räucherten: bitter riechender Beifuß, herb duftender Thymian, harziger Salbei und andere Heilpflanzen, die Corinne auf ihren Weidegängen nach und nach gesammelt und getrocknet hatte. Nach Metzgerbrühe roch es hingegen nicht! Wenn es im hinteren Teil der Scheune genauso gut lief, dann ging ihr Plan voll auf, freute sich Bernadette stumm.

Sie hatte den Gedanken noch nicht zu Ende gedacht, als jemand heftig am Scheunentor rüttelte. Im nächsten Moment ging es auf, und vor ihnen stand mit grimmiger Miene Bernadettes alter Schulkamerad Hartmut Braun.

»Was geht hier vor?«, schnauzte der Münsinger Büttel ohne ein Wort der Begrüßung. Ein paar Frauen, die sich in der Nähe des Tores aufhielten, schauten verunsichert drein.

»Wonach sieht es denn aus?«, erwiderte Bernadette betont freundlich. »Wir handarbeiten, das siehst du doch, Hartmut!«

Der Blick des Polizisten wanderte verständnislos über die Dutzenden von Frauen hinweg zum Ofen und den Spinnrädern. Unwirsch schaute er dann erneut zum Ofen und von dort hinauf in Richtung Scheunendecke, wo der Rauch durch das Kaminrohr abzog.

Bernadette grinste in sich hinein. Der aufsteigende Rauch war mit Sicherheit im ganzen Ort sichtbar. Bestimmt hatte sich Helmut schon freudig die Hände gerieben bei der Vorstellung, sie beim Schwarzschlachten zu erwischen!

»Handarbeiten, aha. Und was stinkt hier so?«

»Das sind die Kräuter, mit denen wir Schädlinge wie Läuse oder Flöhe, die in den Vliesen sitzen, ausräuchern.« Verlauste Wolle – hoffentlich glaubte er diesen Unfug, dachte Bernadette, ließ sich aber ihre Ängste nicht anmerken.

Der Büttel hob die Brauen. »Und hättest du die Freundlichkeit, mir zu sagen, wo diese… verlauste Wolle herkommt?«

»Natürlich von meinen Schafen. Ich habe sie spendiert«, erwiderte Bernadette so beiläufig wie nur möglich.

»Also doch eine Straftat!« Helmut Braun schaute Bernadette triumphierend an. »Du weißt ganz genau, dass du deine gesamte Rohwolle ans Militär geben musst! Wolle ist ein wertvoller Rohstoff für Uniformen und Satteldecken!«

Unruhe kam unter den anwesenden Frauen auf, keine wollte in irgendetwas Verbotenes hineingezogen werden, das Leben war schon schwer genug.

Bernadette warf einen beschwichtigenden Blick in die Runde, dann schaute sie den Polizisten herausfordernd an und sagte: »Ach ja? Und dass die Zivilbevölkerung ebenfalls Wolle benötigt, ist dem Kriegsministerium gleichgültig? Mir als Bürgermeisterin ist es das nicht! Unsere Münsinger sollen im Winter warme Anziehsachen haben. Das wird doch auch in deinem Sinne sein, oder?« Noch während sie sprach, trat Mimi an sie heran und drückte unauffällig ihre Hand – eine kleine Geste, die Bernadette sehr wohl verstand. *Sei nicht zu forsch. Noch bist du – sind wir alle – nicht aus dem Schneider.*

Bernadette erwiderte den Händedruck kurz. *Hast ja recht …*

Der Büttel stieß empört die Luft aus. »In meinem Sinne? Reicht es nicht, dass du dich strafbar machst – willst du mich jetzt auch noch zur Vertuschung einer Straftat anstiften?«

»Helmut, Helmut …«, seufzte Bernadette auf. »Eigentlich müsste ich verärgert sein, weil du mir so etwas überhaupt zutraust. Aber du machst auch nur deine Arbeit, so wie wir alle. Nun, in diesem Fall kann ich dich jedoch beruhigen – ich habe eine offizielle Erlaubnis, über diese Vliese frei verfügen zu dürfen.« Sie zog das Schreiben, das Lutz Staigerwald ihr ausgestellt hatte, aus der Tasche und reichte es dem Büttel. Zu ihrer Freude las Hartmut Braun sogleich laut vor:

... muss ich 498 Vliese als minderwertigen Ausschuss ablehnen. Eine komplette Charge ist durch eine Unzahl von Kletten und stacheliger Dornen derart verunreinigt, dass eine sinnvolle Weiterverarbeitung unmöglich ist. Eine zweite Charge Vliese wiederum ist so störrisch, dass sie für Uniformen absolut unbrauchbar ist. Ich bitte Sie deshalb, diese zurückzunehmen und zu entsorgen beziehungsweise anderweitig darüber zu verfügen. Vielleicht können Privatpersonen etwas mit dieser minderen Qualität anfangen, das Militär jedoch nicht. Sollte die Qualität bei der nächsten Lieferung nicht deutlich besser sein, muss sich das Soldatenlager leider nach einem anderen Rohstofflieferanten im Bereich Rohwolle umsehen.

Gezeichnet
Lutz Staigerwald, Generalmajor

Fassungslos schaute der Polizist Bernadette an. »Du wolltest fast fünfhundert minderwertige Vliese ans Soldatenlager verkaufen? Schämst du dich nicht?«

Bernadette hob hilflos beide Hände. »Glaubst du, das wäre mir nicht auch peinlich? Es steht schließlich mein guter Ruf auf dem Spiel! Aber da fast alle Hirten im Krieg sind, habe ich Mühe, die Schafe überhaupt noch zu versorgen. Bei den Ersatzhirten kann es schon mal vorkommen, dass jemandem eine Herde ausbricht und in ein Gestrüpp voller Kletten und Dornen gerät. Die alle einzeln aus den Vliesen herauszuklauben, ist unmöglich, also habe ich sie halt so, wie sie sind, zum Lager gebracht.« Sie zuckte mit den Schultern. »Davon abgesehen ist unsere Albwolle von Natur aus störrisch, das weiß jeder. Wolfram wollte ja mit den französischen Zuchtschafen dagegen angehen, doch dann kam der Krieg…«

»Störrische Wolle? Heißt das, dass auch unsere Strickwaren störrisch und kratzig werden?«, ertönte plötzlich Mimis indignierte Stimme. »Ich dachte, wir stellen mollige und schöne Stücke her?«

Erstaunt fuhr Bernadette zu ihr um. Als sie sah, welche arrogante Miene die Fotografin aufgesetzt hatte, konnte sie sich ein Kichern gerade noch verkneifen. Ein kleines Ablenkungsmanöver zur rechten Zeit…

»Also wirklich, Mimi! Du solltest dankbar sein, überhaupt etwas Neues stricken zu können«, antwortete sie entrüstet.

Der Münsinger Polizist gab Bernadette Lutz Staigerwalds Schreiben zurück. »Undank ist der Welten Lohn, sag ich nur. Dann lass ich euch mal weiterarbeiten. Und nichts für ungut. Wie du schon sagtest – ich mache auch nur meine Arbeit.« Er lupfte seinen Hut, dann ging er davon.

Bernadette und Mimi schauten sich triumphierend und erleichtert zugleich an. »Das war der erste Streich…«, sagte Bernadette.

»Und der zweite folgt zugleich!«, ergänzte Mimi, und ihr Lachen hatte etwas leicht Hysterisches.

Es dauerte nicht lange, bis sich die Aufregung wieder gelegt hatte. Dass Bernadette die Ausschusswolle spendierte, fanden alle lobenswert. Nachvollziehen, was das Militär an den Vliesen auszusetzen hatte, konnten die Frauen nicht. Die paar Kletten ließen sich doch einfach herauskämmen!

Die Frauen arbeiteten Hand in Hand, tranken Tee und genossen die Backwaren aus der Bäckerei. Gegen zehn Uhr gesellte sich – völlig verschwitzt und mit roten Augen – Corinne zu ihnen. »Alles in Ordnung?«, raunte sie Bernadette zu. »Als ich durch die Wand hörte, dass der Polizist Ärger machen will, bin ich fast gestorben vor Angst.«

Bernadette, noch immer berauscht davon, wie gut ihr Plan aufging, winkte ab. »Hast du alles fertig?«

Die Französin nickte. »Ich habe die Päckchen nach deinen Mengenvorgaben gepackt.«

Bevor Bernadette wusste, was sie tat, schlang sie beide Arme um die ehemalige Konkurrentin. »Danke für alles!«, flüsterte sie ihr zu. »Ohne dich wäre ich verloren.«

Es war fast elf Uhr, als sich die Runde schließlich auflöste. Alle waren sich sicher, dass sie das lange Aufbleiben morgen früh bereuen würden, aber dafür war es ein besonders schöner Abend gewesen – darin waren sich alle einig.

Und gleich würde es noch schöner werden, dachte Bernadette. »Einen Moment noch«, rief sie. »Erinnert ihr euch daran, was ich vorhin gesagt habe? Dass wir uns nicht mehr mit dem zufriedengeben, was die hohen

Herren uns als Ration zugestehen? Dass wir selbst für uns und unsere Liebsten sorgen?« Noch während sie sprach, zog Corinne einen Leiterwagen herein, auf dem sich in Zeitungspapier gewickelte Päckchen stapelten, die alle mit einem Namen versehen waren. Kleinere Päckchen für kleine Familien, größere Päckchen für die Frauen, die mehr Münder zu stopfen hatten.

Die Frauen nickten unsicher. »Der Abend war so schön, kommt jetzt etwa doch noch ein Pferdefuß?«, fragte Elfie Bäumler und schaute Bernadette verunsichert an.

Bevor weiter Unruhe aufkam, sprach Bernadette eilig weiter. »Kein Haken und kein Pferdefuß, höchstens ein paar Schafshaxen«, sagte sie lächelnd. Ernster fuhr sie fort: »Meine Aufgabe als Bürgermeisterin ist es, so gut wie möglich für euch zu sorgen. Und deshalb ...« Sie ließ sich von Corinne das erste Päckchen reichen. »Deshalb bekommt jede von euch etwas mit nach Hause. Wir hatten nicht nur bei der Wolle Ausschuss, sondern mussten leider auch ein paar Schafe schlachten – alte Tiere, die den Winter eh nicht überlebt hätten.« Dass die Schlachtung zeitgleich mit dem Handarbeitsabend stattgefunden hatte, brauchten die Frauen nicht zu wissen, hatten Corinne, Mimi und sie beschlossen. Sollten sie eines Tages doch auffliegen, konnten die Frauen ruhigen Gewissens sagen, nichts gewusst zu haben. »Karla, das hier ist für dich. Elfie, das hier ist für dich und deine Familie ...« Sie las weitere Namen vor, dann sagte sie: »Am besten steckt ihr eure Päckchen gut ein.«

»Ich werd verrückt«, hauchte Elfie. »Fleisch kam bei uns seit Monaten nicht mehr auf den Tisch ...«

»Was für ein Segen«, flüsterte eine andere.

»Luitgard Authenrieth – das hier ist für dich. Und das hier ...«

Schließlich war der Wagen leer.

»Danke, Bernadette, das ist wirklich wunderbar«, sagte Elfie Bäumler mit leuchtenden Augen.

»Eine solche Bürgermeisterin gibt's wahrscheinlich nur einmal«, fügte eine andere hinzu.

Die anderen fielen in die Lobeshymnen mit ein. Bernadette, nun doch erschöpft von der ganzen Aktion, bat um Einhalt. »Dankt nicht mir, dankt dem lieben Herrgott, und das bitte ganz still und leise. Oder wollt ihr, dass unser Büttel uns weitere Besuche abstattet?«

Die Frauen schüttelten erschrocken den Kopf.

29. Kapitel

An der Westfront, September 1916

»Hier, noch etwas Reiseproviant!« Anton drückte seinem alten Bataillonskameraden Jakob Stempfle ein in Zeitungspapier gewickeltes Paket in die Hand. »Brot und Käse. Und sogar ein Stück Kuchen, alles aus dem Paket, das mir meine Mutter geschickt hat. Es ist schon verrückt – ein Leben lang habe ich es ihr nicht recht machen können. Aber seit ich an der Front bin, schickt sie mir Briefe und Essen«, plauderte er weiter, und seine betont frohgemute Stimme klang sogar in seinen Ohren falsch.

Jakob nahm das Paket ohne ein Wort des Dankes oder sonst einer Regung in Empfang. Dann starrte er durch das Fenster des Zugabteils nach draußen, wo auf dem Bahnsteig immer mehr Kriegsversehrte hergetragen oder -gefahren wurden. Die Glücklichen humpelten auf Krücken herbei.

Niemals unnötig die Deckung verlassen! Das wurde den Soldaten immer wieder eingeschärft. Aber auch im dritten Kriegsjahr unterschätzten viele die zerstörerische Gewalt der eingesetzten Waffen: Artillerie-Granatensplitter hatten Jakob in dem Moment getroffen und ihm große Teile seiner rechten Wange und Mundhälfte zerfetzt, als er sich während eines Gefechts am Boden kniend um einen verletzten Kameraden kümmerte.

Das Zugabteil füllte sich weiter. Anton atmete flach durch den Mund, um dem Gestank nach ungewaschenen Männerkörpern zu entgehen. Wie oft hatte er sich in den letzten zwei Jahren gewünscht, von hier wegzukommen! Doch heute war er froh, nicht unter den Reisenden zu sein.

Es war Mittwoch, der dreizehnte September 1916, und dies war allein von ihrem Lazarett aus schon der vierte Versehrtentransport in diesem Monat. Im August hatte es an ihrem Frontabschnitt mehrere heftige Gefechte gegeben mit vielen Toten und Schwerverletzten auf beiden Seiten. Die Ärzte kamen mit dem Operieren und Amputieren nicht mehr hinterher. Anfang September entschied die Lazarettleitung deshalb, die Härtefälle so schnell wie möglich in die Heimat zu schicken, auch wenn deren Zustand dies fast nicht zuließ. Sollten die Ärzte dort doch versuchen, die Leute wieder auf die Beine zu stellen, sie konnten hier schließlich nicht zaubern.

Auf dem Bahnsteig ertönte jetzt ein schriller Pfiff – das Zeichen dafür, dass der Zug sich in den nächsten Minuten in Bewegung setzen würde. Krampfhaft suchte Anton nach ein paar aufmunternden Worten zum Abschied. Er konnte Jakob doch nicht einfach so ziehen lassen! Er zwang sich, seinen Blick wieder auf den Versehrten zu richten. Sollte er etwas sagen wie »Auf ein

Wiedersehen, Kumpel«? Sollte er ihm alles Gute wünschen? Worthülsen! Nichts als Phrasen! Anton machte mit unterdrücktem Zorn einen Schritt zur Seite, um einen Kameraden auf Krücken vorbeizulassen.

»Kamerad, da ist noch ein Platz frei.« Anton wies auf den Platz neben Jakob.

Der Soldat streifte Jakob mit einem angewiderten Blick, dann humpelte er mit zusammengebissenen Zähnen weiter.

Jakob schaute dem Mann nach. »Bildet sich wohl ein, mit seinen zwei Stumpen was Besseres zu sein!«, röchelte er.

Anton musste genau hinhören, um die gutturalen Laute, die sein Kumpel ausstieß, verstehen zu können. Dass man mit so einer Gesichtswunde überhaupt noch sprechen konnte…

»Es würde mich nicht wundern, wenn der in dieselbe Anstalt kommt wie ich«, röchelte Jakob weiter. »Sein Anblick ist genauso wenig wie meine zerschossene Visage geeignet, um die Moral der Leute an der Heimatfront hochzuhalten. Sie würden merken, dass der Krieg vielleicht doch nicht so großartig ist, wie es immer heißt.« Er hustete.

Anton schwieg. Es war ein offenes Geheimnis, dass sich die Sanatorien, in die man die Gesichtsversehrten schickte, in einsam gelegenen Landstrichen befanden. Die armen Teufel wurden außerdem weder in der Kriegsindustrie eingesetzt noch nach einer Genesung wieder an die Front geschickt – zu grausam sei ihr Anblick für die anderen Soldaten. Und ihren Familien zu Hause wollte man sie wohl auch nicht zumuten…

»Es heißt, hier in der Stadt gäbe es eine Frau, die…«, hob Anton an, überlegte es sich dann aber anders. Welchen Sinn ergab es, Jakob von irgendwelchen Gerüchten zu erzählen? Und selbst wenn es die Frau mit den Masken, von der die Ärzte hinter vorgehaltener Hand redeten, tatsächlich gab – was würde es Jakob nutzen?

»Ich habe gehört, dass die Ärzte in dem Lazarett, in das du kommst, wahre Spezialisten im Bereich der Gesichtschirurgie sind«, sagte er stattdessen. »Es heißt, dass sie gerade bei Nasenprothesen sehr einfallsreich sind. Knochenteile aus einem Unterarm oder einer Rippe, Gelatine – bei ihren Operationen kommt alles Mögliche zum Einsatz!« Allein bei dieser Aufzählung verspürte Anton wieder einen Anflug von Übelkeit. Vorsichtig atmete er durch seinen Mund ein und aus.

»Einfallsreich – na, du machst mir Spaß! Die Vorstellung, dass irgendein Pferdemetzger meine zerschlagene Fresse als sein persönliches Versuchsfeld betrachtet, ist wirklich sehr tröstlich!« Ironie triefte nur so aus jedem Wort. »Und selbst wenn ich an jemanden gerate, der sein Handwerk versteht – ich werde für den Rest meines Lebens ein entstelltes Monster bleiben. Also ist es gut, dass ich in ein Heim komme, denn so wie ich aussehe, kann ich mich daheim nie mehr blicken lassen.«

Schweigend legte Anton seine Hand auf Jakobs Schulter und drückte sie. Dann ging er davon.

Verdammter Mist, dachte Anton erneut, als der Zug sich endlich prustend und schnaubend in Bewegung gesetzt hatte. Er wusste, dass Jakob nicht aus dem Fenster schauen würde, dennoch winkte er dem Zug hinterher, bis nur noch eine dünne Rußfahne zu sehen war.

Und nun? Zurück ins Lazarett? Normalerweise hätte sich Anton diese Frage nicht gestellt, schließlich wurde er dort dringend gebraucht. Die Verwundeten brauchten sein frohes Gemüt, seinen Optimismus und auch seinen Sinn für Situationskomik. Lachen, um nicht zu weinen – wenn nichts anderes mehr half, war das einzig probate Mittel.

Im Augenblick kümmerte Anton sich um einen jungen Burschen, der ein Bein verloren hatte. Der Junge hieß Michel und kam aus dem Allgäu. Und er träumte davon, nach dem Krieg seine Arbeit als Melker bei einem Milchbauern wieder aufnehmen zu können. Anton bezweifelte, dass dies möglich war, dennoch bestärkte er Michel in seinem Glauben, damit das kleine Fünkchen Hoffnung nur ja nicht erlosch.

Reden, immer nur reden, dachte Anton resigniert. Sicher, es war wichtig, dass jemand den Versehrten ein Ohr schenkte und ihnen Mut zusprach. Aber wie viel lieber hätte er dem Jungen ganz praktisch geholfen! Indem er mit Michel zum Beispiel das Gehen an Krücken trainierte oder andere Bewegungsabläufe, die der Melker in seinem Alltag brauchen würde. Aber es gab keine Gehhilfen mehr, und der Nachschub aus der Heimat ließ auf sich warten.

So viele Schicksale. So viel Leid und Hoffnungslosigkeit. So viel Angst. Und so wenig, was er, Anton, tun konnte.

Vielleicht war es vor allem diese Hilflosigkeit, die ihn so erschöpfte. Zögernd ließ er seinen Blick schweifen.

Heute war sein freier Tag, der erste seit langer Zeit! Normalerweise setzte er sich dann sofort hin, um Mimi zu schreiben. Doch in letzter Zeit drückte er sich immer öfter davor. Das Leid, dem er täglich begegnete, wollte er ihr beim besten Willen nicht zumuten. Und sehr viel mehr hatte er nicht zu erzählen.

Sollte er den Tag für einen kleinen Bummel durch das kleine Städtchen nutzen, vor dessen Bahnhof er sich befand? Dann würde er Mimi vielleicht mal etwas anderes schreiben können. Offiziell war es ihnen, den deutschen Soldaten, zwar verboten, in die Stadt zu gehen. Aber wenn er vorsichtig war und sich unauffällig unter die Leute mischte, würde ihm schon nichts passieren. Außerdem bot ihm das Rote-Kreuz-Emblem auf seinem Ärmel einen gewissen Schutz, ihm traten die Leute weniger misstrauisch entgegen wie anderen, bewaffneten Soldaten.

Es war ein sonniger Tag, wenn auch schon eine leichte herbstliche Schärfe in der Luft lag. Der Weg vom Bahnhof in die Stadt hinein war nicht weit, rasch war Anton an dem kleinen Marktplatz angekommen. Ein paar Marktleute mit ihren Leiterwagen hatten sich eingefunden, um ihre Waren feilzubieten. Äpfel, Birnen, Pilze – das Angebot war erschreckend klein. Die Zivilbevölkerung litt genauso Hunger wie die Soldaten auf beiden Seiten. Anton ging zu einem der Stände, hielt einem alten Mann ein paar Münzen hin und zeigte auf einen Apfel. Erschrocken wehrte der Alte ab – das war viel zu viel Geld, besagte seine Gestik.

»Ist schon recht«, sagte Anton und ging davon. Dass der Alte sein Feind war und es ihm, Anton, offiziell verboten war, mit ihm zu fraternisieren, war ein geradezu lächerlicher Gedanke. Nach über zwei Jahren Krieg wusste doch keiner mehr, wer wofür und gegen wen kämpfte. Die Welt war verrückt geworden, nicht mehr und nicht weniger! Anton biss in seinen Apfel.

Im nächsten Moment kam ihm eine Idee. Was, wenn er versuchte herauszufinden, ob es diese Frau mit den Masken tatsächlich gab?

Spontan ging er zurück zu dem alten Mann. »*Une question, s'il vous plaît*«, sagte er. Halb deutsch, halb französisch radebrechend und unter Verwendung seiner Hände versuchte er dann, sich verständlich zu machen.

»*La Anglaise?*« Der Alte runzelte die Stirn.

Anton zuckte mit den Schultern. Ob die Frau Engländerin war, wusste er nicht. Dann versuchte er, der Wegbeschreibung des Markthändlers zu folgen. Vorbei an dem Café auf der linken Seite des Marktplatzes, hinein in die kleine Gasse mit dem Kopfsteinpflaster, an deren Ende dann rechts abbiegen …

Keine zehn Minuten später stand Anton vor einem schmucklosen Eckhaus mit hohen, oben oval abgerundeten Fenstern. Auf einem Schild aus weißem Stein stand *Theresa Power – Sculptur*. Dann gab es die Frau also tatsächlich, dachte Anton aufgeregt. Dem Namen nach war sie Engländerin und Bildhauerin ebenfalls, wenn seine Schlussfolgerung aufgrund der englischen Berufsbezeichnung richtig war. Er atmete einmal tief durch, dann klopfte er an.

Es dauerte einen Moment, bis ihm jemand die Tür öffnete. Eine ältere Frau mit grauem Dutt, die eine weiße

Schürze ähnlich der einer Schwesterntracht trug, öffnete ihm die Tür. Als sie ihn sah, runzelte sie die Stirn. »Yes?«

»My name is Anton Schaufler. I'm german. I heard from … this!« Er machte eine weit ausholende Handbewegung, mit der er das Haus einschloss.

Die Frau schaute ihn ratlos an.

»Äh …«, sagte er. Während seiner Arbeit im Pigalle in Berlin hatte er zwar ein paar Brocken Englisch gelernt, aber um sich zu unterhalten, reichten sie nicht aus. Hilflos zeigte er mit dem Zeige- und Mittelfinger erst auf das Rote-Kreuz-Emblem auf seiner Uniform, dann auf seine Augen und dann auf den Raum hinter der Frau. *»Can I look?«*

Im nächsten Moment erschien eine zweite Frau. Sie war jünger, Anton schätzte sie auf Mitte dreißig. Auch sie trug eine Schürze, allerdings war diese aus Gummi. In der einen Hand hatte sie eine Zange, in der anderen eine Rolle Draht.

»Sie wünschen?«, fragte sie kurz angebunden und zu Antons Überraschung in akzentfreiem Deutsch. Sie hatte dunkle Haare, wache Augen und strahlte so viel Energie aus, wie Anton es schon lange nicht mehr erlebt hatte. Und sie erinnerte ihn irgendwie an Mimi.

Unsicher trat er von einem Bein aufs andere und stellte sich erneut vor. »Ich habe von Ihnen gehört – wäre es möglich, dass ich …« Verlegen brach er ab. Was fiel ihm ein, hier einfach so hereinzuschneien? England und Deutschland lagen im Krieg miteinander, welche Motivation sollte die Bildhauerin haben, seine Neugierde zu befriedigen?

»Sie gehören zum Sanitätsdienst?« Die Engländerin schaute ihn scharf an.

Er nickte erleichtert. Scheinbar machte auch sie feine Unterschiede, genau wie er.

»Ich arbeite nicht für die Deutschen! Und wenn Sie denken, dass Sie hier spionieren können, liegen Sie ebenfalls falsch. Meine Arbeit kann sowieso niemand kopieren«, kam es wie aus der Pistole geschossen.

Bevor Theresa Power ihm die Tür vor der Nase zuschlagen konnte, hob Anton eilig beide Arme in einer kapitulierenden Geste. »Ich will nicht spionieren, ehrlich! Mich interessiert lediglich, wie Sie den Menschen helfen. Tag für Tag sehe ich bei uns im Lazarett die schlimmsten Verstümmelungen. Und als ich vor ein paar Tagen gehört habe, dass es jemanden gibt, der Masken für die Gesichtsversehrten herstellt, konnte ich das erst gar nicht glauben. Ich komme gerade vom Bahnhof, wo ich einen Freund in den Zug gesetzt habe – auch ihm wurde das halbe Gesicht weggeschossen.« Anton verstummte und zuckte mit den Schultern.

Theresa Power biss sich auf die Unterlippe und schaute ihn weiter prüfend an. Anton sah regelrecht, wie es hinter ihrer Stirn arbeitete. Auf einmal war es ihm wichtig, dass er Gnade vor dieser Frau fand – warum, hätte er nicht sagen können. Er wagte ein scheues Lächeln. »Es wäre mir wirklich eine große Ehre, Ihnen ein wenig bei der Arbeit zusehen zu dürfen. Und… ich weiß nicht, ob ich das als Feind sagen darf, aber im Grunde sitzen wir doch alle im selben Boot, *right*?«, sagt er händeringend.

Die Engländerin schnaubte leise. In dem kleinen Geräusch lagen gleichermaßen Spott und Resignation. »Also gut, kommen Sie herein!« Sie tippte ihn auf seinen Oberarm, die kleine Berührung war ungewohnt und schön zugleich.

Während Anton der Bildhauerin einen schlauchförmigen Flur entlangfolgte, in dem es seltsam roch, sagte sie: »Meine Arbeit ist sehr aufwendig, an einer Gesichtsmaske arbeite ich viele Tage lang. Unzählige Arbeitsschritte und meine ganze Bildhauerkunst sind nötig, bis eine Maske Gestalt annimmt. Gerade findet eine Anprobe statt – ich passe einem französischen Kriegsversehrten seine Maske an. Dieser letzte Feinschliff dauert fast länger als alles andere.«

Bei der Vorstellung, was er gleich zu sehen bekommen würde, schlug Antons Herz schneller.

An der Tür zu ihrer Werkstatt hielt Theresa Power nochmals inne. »Umschauen dürfen Sie sich, aber Sie werden sicher verstehen, dass ich keine Zeit habe, Ihnen irgendetwas zu erklären. Und bitte fassen Sie nichts an!«

»Das ist doch selbstverständlich«, sagte Anton erleichtert und dankbar zugleich. »Im wahren Leben bin ich Inhaber einer Druckerei, technische Abläufe sind mir nicht ganz fremd. Bestimmt wird sich mir einiges selbst erklären.« Es interessierte ihn sehr, woher Theresa Power so gut Deutsch konnte, aber nicht einmal das wagte er zu fragen. Bei der Anprobe zuzuschauen traute er sich ebenfalls nicht, auch wenn er es noch so spannend fand.

Auf den ersten Blick sah Theresa Powers Werkstatt so aus, wie man sich eine Künstlerwerkstatt für Holz, Stein oder Metall vorstellte: An den Wänden entlang gab es verschiedene Arbeitsplätze, die mit Werkzeugen aller Art ausgestattet waren – Hammer, Messer, Stemmeisen, Schnitzwerkzeuge. An einem Arbeitsplatz standen Säcke mit Gips, in einer Holzkiste auf dem Boden stapelten sich Gipsabdrücke. Und damit hörten die Gemeinsamkeiten mit einer gewöhnlichen Künstlerwerkstatt auf. Denn bei den Gipsabdrücken handelte es sich um Abdrücke menschlicher Gesichter, wie Anton fasziniert feststellte. Bestimmt wurden mit ihrer Hilfe die späteren Kupfermasken hergestellt, kombinierte er und dachte sogleich: Welch beeindruckende Fotografien Mimi hier würde machen können! Allein der Kontrast zwischen den weißen Gipsmasken und der dunklen Holzkiste war gut festzuhalten und wirkte kunstvoll.

An der Werkbank daneben stand ein Mann und tauchte einen Gegenstand in eine Wanne, die Anton bei näherem Hinsehen als galvanisches Bad identifizierte. Es hätte ihn interessiert, welche Art von Elektrolyten der Mann verwendete, doch er hielt sich nicht länger auf, sondern ging zum nächsten Arbeitsplatz. Dort saß die ältere Frau mit dem Dutt und mischte auf einer Palette verschiedene Farben an – Braun- und auch Rosétöne, die allesamt der menschlichen Hautfarbe sehr nahekamen. Als ihre Palette voller Farbtupfer war, begann die Malerin unter Antons fasziniertem Blick, eine Gesichtsmaske aus feinstem Kupfer mit einem hellen Hautton zu grundieren. Bestimmt waren die Rosétöne für die Wangenpartie bestimmt, dachte Anton, und dann schoss ihm durch den Kopf: Wenn das Alexander sehen könnte, der würde staunen!

Sofort runzelte er die Stirn. Warum fiel ihm der alte

Freund ausgerechnet jetzt ein? Seit Kriegsausbruch hatte er nichts mehr von ihm gehört. Wegen seines verletzten Beins war er gewiss nicht eingezogen worden. Ob es ihm gut ging?

Anton schüttelte sich, als wollte er sich von den düsteren Gedanken wie von Spinnweben befreien. Mit einem Kloß im Hals trat er dann an einen großen hölzernen Ständer in der Mitte des Raumes, auf dem Gesichtsmasken aus hauchdünnem Kupferdraht befestigt waren. Alle waren menschlichen Gesichtern nachempfunden und wirkten so lebensecht, dass Anton ein Schauer über den Rücken lief. Fast war ihm, als starrten ihn ein Dutzend Gesichter an! Die Masken befanden sich in verschiedenen Fertigungsstadien. Einige mussten noch bemalt werden. An anderen fehlten offensichtlich noch Teile, an wieder andere waren schon Drähte gelötet, mit denen die Maske vermutlich später am Kopf des Trägers befestigt wurde. So wie Theresa Power es hinten in der Werkstatt gerade tat…

Verflixt, er *musste* jetzt einfach sehen, wie das vonstattenging! Anton ging auf leisen Sohlen zu dem Werkstattbereich, in dem die Anprobe stattfand. Im Schatten eines Raumpfeilers blieb Anton stehen, zwei Meter von der Bildhauerin und ihrem Modell entfernt, das vor einem Spiegel stand. Theresa Powers war so in ihre Arbeit vertieft, dass sie Anton nicht zu bemerken schien. Ihre Stirn in tiefe Falten gelegt, ruckelte sie hier an der Maske, zog da an einem Draht, verschob die Maske ein Stück nach oben, dann wieder nach unten, ständig halb in Englisch und halb in Französisch vor sich hin murmelnd. *»Très bon… And now… Very good… Bien…«*

Anton blinzelte verwirrt, während sich sein Blick mit dem des Gesichtsversehrten im Spiegel traf. Der Mann sah – ja, er fand kein anderes Wort dafür – normal aus!

»Das gibt's doch nicht, das ist ja Zauberei!«, platzte es aus Anton heraus, noch bevor er sich besinnen konnte.

Theresa Powers Blick schoss zu ihm herüber.

Jetzt wirft sie mich raus, dachte Anton zerknirscht. Doch dann bemerkte er, wie glücklich die Bildhauerin aussah. »Sieht er nicht gut aus?«, fragte sie fröhlich. *»Maintenant vous êtes encore un bel homme!«,* sagte sie und zeigte auf den Spiegel.

Der Mann schaute von Theresa auf sein Spiegelbild und wieder zurück. Ungläubig befingerte er die Kupfermaske, die wie eine zweite Haut auf sein Gesicht modelliert worden war. Zwei Tränen rannen aus den Ausschnitten der Maske, hinter denen sich die Augen befanden. *»Merci«,* flüsterte er.

»Ich kann es einfach nicht fassen«, sagte Anton, nachdem der Mann gegangen war. Zu seiner Überraschung hatte Theresa Power ihn nicht hinausgeworfen, sondern ihm eine Tasse Tee angeboten. Es war feiner Schwarztee – eine Kostbarkeit –, doch im Augenblick hatte Anton weder einen Sinn für den herben Duft noch für den würzigen Geschmack. Nie würde er die glücklichen Augen des Mannes vergessen! Spontan nahm er Theresa Powers Hände und drückte sie. »Sie haben gerade ein Wunder vollbracht. Dass so etwas überhaupt möglich ist …« Er verstummte. Ein solches Wunder hätte er Jakob auch gewünscht.

Ihre Hände weiter in den seinen lassend, lächelte Theresa melancholisch. »Ja, *diesem einen* Soldaten habe ich tatsächlich zu einem neuen Leben verholfen. Und einem paar weiteren Dutzend werde ich ebenfalls helfen können.« Sie zeigte auf den Ständer mit den Gesichtsmasken. »Jede davon schenkt ihrem Träger ein neues Leben. Ein Leben innerhalb der Gesellschaft. Ein Leben ohne Ausgrenzung. Aber was ist mit den Abertausenden von Kriegsversehrten, denen nicht geholfen wird? Die nach den Grauen des Krieges auch noch unter der Grausamkeit ihrer Mitmenschen leiden müssen?« Sie seufzte tief auf. »Wenn mein Tag nur mehr Stunden hätte! Oder wenn ich eine Zwillingsschwester hätte, die mein Metier genauso gut beherrscht! Aber meine Arbeit lässt sich leider nicht vervielfältigen. So gesehen ist das, was ich tue, nur ein Tropfen auf dem heißen Stein …«

Die Bildhauerin hatte leider recht, dachte Anton, als er auf dem Weg zum Lazarett war. Die Wunder, die in Theresas Werkstatt stattfanden, ließen sich nicht duplizieren. Dennoch waren sie so viel mehr als ein Tropfen auf dem heißen Stein! An dieser Stelle hatte er der Künstlerin heftig widersprochen. »Sie können vielleicht nicht die Welt retten, aber für jeden einzelnen Versehrten, dem Sie helfen, ändert sich die ganze Welt«, hatte er gesagt. Und hinzugefügt, dass sie für ihn eine Heldin sei. Dass er sie zudem äußerst attraktiv fand, hatte er für sich behalten.

Während er die letzten Häuser der kleinen Stadt hinter sich ließ, kam ihm auf einmal der junge Michel in den Sinn, der, im Krankensaal an seine Pritsche gefesselt, vom Kühemelken träumte.

»Für jeden, dem geholfen wird, ändert sich die ganze

Welt«, murmelte Anton vor sich hin. Diesen Gedanken durften sie, das Sanitätspersonal im Lazarett, angesichts des immer größer werdenden Meers an Leid nie vergessen. Und mit diesem Gedanken kam ihm gleich ein weiterer: Wenn es ihm gelänge, irgendwo ein paar Holzleisten oder Bretter aufzutreiben, konnte er für Michel ein Paar Krücken bauen. Oder vielleicht auch eine Gehhilfe, wie sein Jugendfreund Fritz Braun einst eine für Mimis Onkel Jakob gebaut hatte. Das wäre für Michel hilfreicher als alle tröstenden Worte zusammen! Dann würde er, Anton, mit ihm das Gehen trainieren können, und vielleicht wurde Michels Traum, seinen alten Beruf wieder ausüben zu können, tatsächlich wahr.

Abrupt kehrte Anton um und ging zurück zum Haus der Bildhauerin. Sie selbst erschien nach seinem Klopfen an der Tür.

»Ja?« Ihre Miene drückte Erstaunen und Ungeduld zugleich aus.

»Eine Frage nur – kennen Sie jemanden, bei dem ich Holz kaufen kann, um eine Gehhilfe zu bauen?«

Sie schaute ihn an, und in ihrem Blick lag auf einmal Anerkennung. Sie nannte ihm eine Adresse.

»Da wäre noch etwas …«, sagte er, nachdem er sich bedankt hatte. »Glauben Sie … Also … Meinen Sie, es wäre möglich, dass ich Sie einmal auf ein Glas Wein einlade?«

30. Kapitel

Münsingen auf der Schwäbischen Alb,
September 1916

Angewidert starrte Mimi auf die Tasse in ihrer Hand, die sie mit in die Druckerei genommen hatte. Zichorienkaffee – bestimmt würde sie davon wieder Bauchweh bekommen. Was hätte sie für eine Tasse echten Bohnenkaffee gegeben! Tiefschwarzer Kaffee, der einen aus dem Drei-Uhr-nachmittags-Tief herausholte, weil er neue Lebensgeister weckte… Mimis Seufzer war so abgrundtief, dass er ihr einen erstaunten Seitenblick von Siegfried Hauser einbrachte. Er wartete neben ihr darauf, dass sie sich zu dem Plakat äußerte, das sie gerade aus einer der Druckerpressen geholt hatten.

Durch Arbeit zum Sieg! Durch Sieg zum Frieden! stand in großen Lettern darauf geschrieben. Zu sehen waren ein Soldat und eine Frau auf einem Rübenacker, die sich symbolisch die Hände reichten.

Mimi schnaubte. Sie konnte diesen ganzen Propagandaquatsch nicht mehr sehen. Haltet durch! Haltet durch! Das oder Aufrufe zum Kaufen von Kriegsanleihen – mehr fiel der Obrigkeit anscheinend nicht mehr ein.

»Für die mindere Papierqualität ist der Druck erstaunlich gut geworden, weiter so«, sagte sie und reichte Hauser das Plakat wieder. »Meine Mutter ist zu Besuch, wir haben uns über ein Jahr nicht gesehen. Kommen Sie für den Rest des Tages allein zurecht?«

Siegfried Hauser nickte.

Der September war eigentlich immer ihr liebster Monat gewesen, dachte Mimi, während sie über den Hof in Richtung Haus ging. Doch dieses Jahr konnte sie sich weder an der Süße des Spätsommers erfreuen, noch hatte sie Freude an den filigranen Spinnweben, die man nun allmorgendlich sah, sobald man aus dem Haus trat. Und das sattwarme Licht, durch das die Schwäbische Alb wie ein goldgetränktes Meer wirkte, ließ Mimi auch kalt.

Über zwei Jahre dauerte dieser verdammte Krieg nun schon, und sie hatte alles so satt! Der ewige Hunger. Das ständige Improvisieren. Die Angst, dass das Geld in den nächsten Tagen vollends ausging. Die staatlichen Druckaufträge, für die sie eigentlich dankbar sein musste, die sie aber aus ganzem Herzen hasste. Genauso, wie sie inzwischen das Briefeschreiben an Anton hasste.

Sein letzter Brief hatte seltsam euphorisch geklungen, er hatte von einem Besuch in einem Bildhaueratelier geschrieben, der ihn auf die Idee brachte, Krücken zu bauen. So ganz hatte sie die Zusammenhänge nicht verstanden und auch nicht, was daran so erfreulich sein sollte, aber über seinen frohgemuten Schreibstil hatte sie sich dennoch gefreut.

Nur was um alles in der Welt sollte *sie* ihm schreiben?, dachte sie, während sie ihren Schlüssel ans Schlüsselbrett hängte und weiterging, um nach ihrer Mutter zu schauen. Dass ihre Freude über deren Besuch rasch in Sorge umgeschlagen war, weil Amelie nur noch ein Strich in der Landschaft war? Sollte sie ihm schreiben, dass sie selbst auch ihre Röcke alle paar Wochen enger nähen musste, weil sie ihr sonst über die Hüften rutschten?

Erst kürzlich hatte Bernadette bei einer Versammlung gesagt, sie sollten sich in ihren Briefen mit negativem Gejammer zurückhalten – dies würde die Soldaten an der Front demoralisieren. Aber was war mit Wut? War dieses Gefühl in den Briefen noch erlaubt? Dann würde sie Anton schreiben, dass sich ein schlauer Schreiberling in der Samstagsausgabe der Zeitung darüber echauffiert hatte, dass Frauen nun in die Positionen von Vorgesetzten drängen würden. Drängen – allein die Wortwahl hatte sie schon wütend gemacht. *Sie* hatte sich weiß Gott nicht darum geschlagen, Anton, ihren Buchhalter Karl-Heinz Frenzen und seit Neuestem auch noch ihren Illustrator Steffen Hilpert, der zum Landsturm eingezogen worden war, zu ersetzen! Und auch Bernadette hatte sich nicht darum gerissen, Bürgermeisterin zu werden. Und Josefine in Berlin wäre es ebenfalls zehn Mal lieber, ihr Geschäft mit ihrem Mann gemeinsam zu führen. Ihnen jetzt vorzuwerfen, dass sie für die Männer in die Bresche sprangen, war eine Frechheit. Wäre sie nicht ständig so erschöpft gewesen, hätte sie dem Herrn Journalisten einen Leserbrief geschrieben, der sich gewaschen hatte!

Der Brief an Anton würde warten müssen, beschloss Mimi, dann atmete sie tief durch. Genug der schlechten Laune, von irgendwo musste sie jetzt ein Lächeln herzaubern, da Amelie selbst auch ziemlich niedergeschlagen zu sein schien.

Vielleicht würde sie der Besuch von Bernadette und Corinne heute Abend ein wenig aufmuntern. Mimi spürte, wie auch in ihr ein Hauch von Freude aufkam. Ohne ihre Freundinnen wäre alles noch unerträglicher, so viel stand fest.

»Ich bin wieder da!«, rief sie, erhielt jedoch keine Antwort. Ihre Mutter hatte die Küchenschränke mit frischem Zeitungspapier auslegen wollen. Bestimmt war sie so vertieft in ihre Arbeit, dass sie nichts hörte. Mimi steckte ihren Kopf in die Küche. »Mutter?«

Der Stapel Zeitungspapier, den Amelie zuvor so liebevoll gebügelt hatte, lag noch auf dem Küchentisch. Seltsam, dachte Mimi. Dann legte sie im Ofen Holz nach und stellte einen Topf mit Kartoffeln auf.

»Mutter?« Auch im Wohnzimmer traf sie ihre Mutter nicht an.

Hatte Amelie sich hingelegt? So entkräftet, wie sie wirkte… Mimi ging nach oben. Zaghaft klopfte sie an die Tür des Gästezimmers und war froh, Amelie am Fenster sitzen zu sehen. Sie ruhte sich offenbar aus und genoss den schönen Blick auf die Alblandschaft, die man von hier oben über das Dach der Druckerei hinwegsehen konnte.

»Ich koche Kartoffeln für heute Abend, vielleicht können wir uns vorher jede eine abzwacken, wenn sie gar sind. – Mutter?«, sagte Mimi, als von dieser keine Antwort kam. Stirnrunzelnd trat sie auf Amelie zu und erschrak zu Tode. »Mutter!«

Sie konnte sich nicht daran erinnern, Amelie jemals weinen gesehen zu haben, nicht einmal bei Beerdigungen oder anderen Trauerfällen. Doch jetzt weinte Amelie so sehr, dass ihre Schultern bebten. Hilflos kniete sich Mimi neben sie. »Was ist denn? Ist etwas mit Vater?«

Zu ihrer Erleichterung schüttelte Amelie den Kopf, ihr Weinen ließ jedoch nicht nach. »Ach Mimi«, schluchzte sie, und die beiden Worte hörten sich so mutlos an, dass Mimi auch die Tränen kamen.

Irgendwann hatten sich Mutter und Tochter wieder gefangen. Mimi nahm Amelie an der Hand und führte sie wie ein Kind die Treppe hinab in die Küche, wo die Kartoffeln munter vor sich hin kochten. Mimi schöpfte für jede eine Tasse Kartoffelsud ab, in den sie noch ein paar fein gehackte getrocknete Kräuter streute.

»Trink«, sagte sie sanft zu ihrer Mutter. »Eine feine Suppe, die wird uns guttun.«

Amelie schaute erst auf das milchig trübe Kartoffelwasser, dann auf Mimi. Und beide Frauen mussten lachen.

»Was für ein Mist!«, sagte Mimi kopfschüttelnd. »Und nun erzähl – was ist los?«

Amelie schaute sie an. »Dein Vater überlegt, sich zur Ruhe zu setzen.«

»Was?« Mimi, die gerade ihre Tasse zum Mund führen wollte, erschrak so sehr, dass sie einen Schluck Kartoffelwasser verschüttete und sich damit die linke Hand verbrühte. »Aber… warum? Papa, der sein Leben lang so glühende Predigten gehalten hat? Der immer für seine Schäfchen da war, will ausgerechnet jetzt die Segel streichen?«

Amelie nickte traurig. »Franziskus erträgt es einfach nicht mehr, sonntags auf der Kanzel zu stehen und den Gläubigen Durchhalteparolen zuzurufen. Dieses ganze Gerede davon, dass der Krieg ›eine Prüfung Gottes‹ sei.« Sie verzog missmutig den Mund. »Der liebe Gott hat damit nichts zu tun. Aber wehe, Franziskus würde etwas in dieser Art von sich geben, da wäre was los! Erst kürzlich ist ein Kollege aus Waldshut unehrenhaft aus dem Kirchendienst entlassen worden, weil er von der Kanzel herab den Kaiser kritisiert hat. Bevor es so weit kommt, will er selbst gehen, sagt Franziskus.«

»Dass Vater sich nicht den Mund verbieten lassen will, kann ich gut verstehen«, sagte Mimi heftig. Ihr lieber Papa – sie war immer so stolz auf ihn gewesen!

»Das allein ist es ja nicht. Schon seit längerer Zeit haben wir Mühe, uns mit der evangelischen Kirche zu identifizieren. Du müsstest mal hören, wie sich manche Kollegen deines Vaters allsonntäglich ereifern«, fuhr Amelie bitter fort. »Da sitzen Frauen in der Kirche, die haben den Mann verloren und einen Sohn, vielleicht auch zwei. Die wissen nicht, wovon sie leben sollen. Sie wünschen sich ein wenig Beistand und Trost. Stattdessen steht da ein Herr Pfarrer auf der Kanzel und predigt vom ›Opfertod‹ und davon, dass es einzig darum ginge, die Nation zu erhalten. Und dass derjenige, der sein Leben dafür nicht freiwillig opfert, kein guter Christ sei. Manche von diesen Nationalkonservativen sind regelrecht fanatisch!«

Mimi, die schon seit Längerem nicht mehr in der Kirche gewesen war, schwieg.

Amelie seufzte. »Du kannst dir vorstellen, wie schockiert ich war, als Franziskus das erste Mal davon sprach aufzuhören. Aber inzwischen denke ich, dass es vielleicht wirklich das Beste ist.« Sie hob resigniert die Schultern.

»Und wo wollt ihr leben? Das Pfarrhaus müsst ihr dann ja verlassen.« Mimi konnte immer noch nicht glauben, was sie gerade gehört hatte. »Ihr könnt jederzeit hierherziehen, wenn ihr wollt. Mein Haus ist groß genug.«

Amelie nahm Mimis linke Hand und strich sanft über die Stelle, wo sich eine Brandblase bildete. »Es ist lieb, Kind, dass du dir Sorgen machst. Aber wir werden im Pfarrhaus wohnen bleiben. Es ist inzwischen an vielen Stellen marode – im Bad regnet es durchs Dach, der Kitt an sämtlichen Fenstern ist so brüchig, dass der Wind hindurchpfeift. In der Küche löst sich der Linoleumboden auf. Die Kirchenverwaltung hat keine Lust, sich in der derzeitigen Mangellage mit diesen Renovierungen herumzuschlagen. Sie geht davon aus, dass es langfristig günstiger ist, für den nächsten Pfarrer ein neues Domizil zu suchen. Deshalb hat man uns das Haus zu einem reellen Preis angeboten. Und da wir ja noch über die Erbschaft von Vaters Tante verfügen …«

»Das ist gut«, sagte Mimi erleichtert. Wie hieß es immer? Einen alten Baum verpflanzt man nicht. »Aber …«

»Kein Aber!«, fuhr Amelie ihr über den Mund, dann

stand sie auf und ging zum Küchenschrank, um Teller und Besteck herauszuholen. »Gleich ist es sieben – hast du nicht gesagt, da kommen deine Freundinnen?«

»Dieses Jahr freue ich mich zum ersten Mal in meinem Leben auf den Winter«, sagte Bernadette, als sie bei einer Tasse Kräutertee zusammensaßen. Die Kartoffeln waren längst gegessen – ganz hatten sie den Hunger der Frauen nicht gestillt, was aber keine zu sagen wagte.

»Mir graust es vor dem Winter wie noch nie, wie kann man sich auf die Kälte und Dunkelheit freuen?« sagte Corinne, die wie immer ein Strickzeug auf dem Schoß hatte.

»Weil ich dann endlich wieder etwas Ordentliches zum Anziehen habe«, sagte Bernadette und zog eine Grimasse. »All meine Sommersachen sind verschlissen. Meine Röcke und Kurzarmblusen sind so oft geflickt, dass ich gerade noch Lumpen daraus machen kann. Ach, ich würde so gern mal wieder nach Reutlingen fahren und mir bei einem Stadtbummel etwas Schönes, Neues zum Anziehen kaufen!« Sie stieß einen abgrundtiefen Seufzer aus.

Mimi, die zusammen mit ihrer Mutter einen Strang Wolle zu einem Knäuel aufwickelte, nickte. »Und dann in einem Café eine heiße Schokolade trinken. Mit Sahne darauf!«

Amelie stöhnte. »Kinder, ist das nötig? Jetzt muss ich sicher den Rest des Abends über an heiße Schokolade denken.«

Die Frauen kicherten.

Wenigstens war ihre Mutter nun ein wenig von den Sorgen daheim abgelenkt, dachte Mimi. »Falls es ein Trost ist – in meinem Schrank sieht es nicht besser aus«, sagte sie. »Und nicht genug damit, dass ich nur noch in alten Lumpen herumlaufe – die Haare habe ich mir auch schon ewig nicht mehr schneiden lassen. Zum Glück schickt Clara Berg mir hin und wieder eine gute Seife, sonst müsste ich meine Haare mit der muffigen Kernseife waschen.«

»So wie wir es tun«, sagte Bernadette vorwurfsvoll und erntete Gelächter.

Mimi schaute von einer zur anderen. »Was haltet ihr davon, wenn wir heute Abend unseren eigenen Friseursalon eröffnen? Ich spendiere eine Rosenseife von Clara! Wir waschen uns die Haare, schneiden die Spitzen und frisieren uns gegenseitig.« Noch während sie sprach, wanderte ihr Blick zum Ofen. »Das Feuer ist noch gut genug, ich müsste bloß rasch Wasser aufstellen …«

Die Frauen schauten sich unsicher an. »Rosenseife?«, kam es sehnsüchtig von Corinne.

»Eine Haarwäsche könnte nicht schaden. Aber meinen Zopfkranz flechte ich selbst! Ihr könntet das nämlich nie so gut wie ich«, sagte Bernadette lächelnd, dann wandte sie sich an Amelie. »Und was könnten wir für Sie tun, gnädige Frau?«

Amelie hob geziert die Brauen. »Einmal Löckchen, bitte!«

Mimi erhob sich und stellte einen riesigen Topf mit Wasser auf. Einer Laune folgend, ging sie in die Speisekammer und holte eine von den beiden Flaschen Wein, die sie eigentlich für Antons Heimkehr hatte aufheben wollen. Aber eine Flasche würde für die Wiedersehensfeier auch reichen. Hier und jetzt galt es ebenfalls, etwas zu feiern – nämlich das Leben und ihre Widerstandskraft!

»Wisst ihr, wonach ich mich auch noch sehne?«, sagte Amelie, nachdem Mimi jeder Frau ein Glas Wein eingeschenkt hatte. »Nach Musik! Einmal wieder durch einen Park laufen und einem Kurkonzert lauschen. Oder in netter Gesellschaft die Kammermusik eines Streichquartetts genießen so wie in den guten alten Zeiten.« Mit schwärmerischer Miene nippte sie an ihrem Wein.

»Und ich sehne mich nach einem Tanzabend – was völlig verrückt ist«, sagte Mimi. »Denn bisher habe ich als ledige Frau Tanzveranstaltungen meistens gemieden. Höchstens auf einem Erntedankfest habe ich mal getanzt. Oder beim Heumondfest in Laichingen …«

»Oh, in Südfrankreich haben wir getanzt, dass der Boden bebte!«, sagte Corinne, und ihr aufgekratztes Lachen hielt Mimi davon ab, in wehmütige Erinnerungen zu verfallen.

»Bei uns in der Camargue gibt es so viele volkstümliche Tänze voller Lebensfreude, ach …« Sie seufzte laut auf.

»Frieden.« Bernadette schaute zwischen den Frauen hin und her. »Bringen wir es doch auf einen einfachen Nenner – wir sehnen uns nach Frieden.«

Mimi und die anderen nickten gedankenvoll. Wie sehr musste sich erst Anton nach Frieden sehnen, dachte sie, und ihr Wein schmeckte plötzlich sauer.

»Aber leider ist Frieden nicht in Sicht, stattdessen feiern wir demnächst die dritte Kriegsweihnacht. Ich mag gar nicht daran denken, wie traurig das wieder für die meisten Münsinger wird«, stöhnte Bernadette.

»Letztes Jahr im Winter hatten wir die Spinnstube, die hat wenigstens einmal in der Woche für ein wenig Wärme, Lachen und Abwechslung gesorgt. Mutter, hättest du gedacht, dass ich mal freiwillig handarbeiten würde?«

Amelie lachte auf. »Ob ihr's glaubt oder nicht – sogar bei uns in der Stadt treffen sich die Frauen wieder wie früher zum gemeinsamen Handarbeiten. Um die paar Reihen, die dabei gestrickt werden, geht es den wenigsten. Wir genießen einfach das Gefühl, uns in der Gemeinde geborgen zu fühlen.«

»Und das werden wir den Münsinger Frauen dieses Jahr auch wieder bieten«, sagte Bernadette resolut. »Gleich nach der Ernte beginnen wir wieder mit der Spinnstube und auch dem Schlachten, und das machen wir bis Ende Februar!« Sie warf Corinne einen Blick zu. »Hoffentlich finde ich jemanden, der deine Arbeit übernimmt, nun, wo du unbedingt wieder auf die Winterweide willst.«

»Von wollen kann keine Rede sein«, sagte Corinne traurig. »Ich würde auch lieber hier bei euch und Loup bleiben. Aber der letzte Winter hier oben war so hart – dieses ewige Bangen, ob das Futter für alle Tiere reicht. Und fast jeden Tag lag eins der Schafe tot auf der Weide, das möchte ich nicht noch einmal erleben. Wenn ich mit tausend Schafen runter ins Tal gehe, kommen diese Tiere wenigstens gut über den Winter.«

Amelie klatschte in die Hände. »So ist es recht – nur nicht unterkriegen lassen!«

»Ich glaube, das Wasser ist heiß genug. Wer mag als Erste ihre Haare waschen?«, sagte Mimi und hielt einladend eine Schöpfkelle Wasser in die Höhe.

Corinne, die ihren Zopf bereits aufgeflochten hatte, trat ans Waschbecken und begann, mit Mimis Hilfe ihre Haare einzuseifen.

»Apropos nicht unterkriegen lassen«, sagte Mimi, während der Duft von Rosen die Küche erfüllte. »Ich würde so gern meine Adventskalenderproduktion wiederaufnehmen! Nicht im großen Stil, sondern nur ein Druck mit einigen hundert Exemplaren, sodass jedes Kind hier im Ort einen bekommt. Gerade jetzt ist Weihnachten noch wichtiger für die Menschen als sonst. Die Farben dafür könnte ich sicher irgendwie abzwacken, ohne dass Lutz oder sonst jemand es mitbekäme…« Gespannt schaute sie zu Bernadette hinüber, die gerade die Nadeln aus ihrem Haarkranz löste. Doch der erwartete Einspruch der Freundin blieb aus.

»Und warum tust du es nicht?«, fragte Amelie.

Mimi zuckte mit den Schultern. »Nun, wo sie auch noch unseren Illustrator eingezogen haben, habe ich niemanden mehr, der mir neue Motive zeichnet. Und die alten passen nicht in die jetzige Zeit, da habe ich ganz andere Vorstellungen.«

»Dann mal doch selbst! Du bist doch künstlerisch begabt«, sagte Bernadette, während sie Corinnes Platz am Waschbecken einnahm.

»Das habe ich ja schon versucht.« Mimi griff in die Schublade des Küchentischs und holte ein paar Zettel heraus.

»Hier, ein Engel – er sieht aus, als hätte er einen

Buckel. Und da, der Knecht Ruprecht – das könnte genauso gut ein Briefträger sein. Und diese Spieluhr ...« Sie tippte auf ein unförmiges Gebilde.

»Welche Spieluhr?«, sagte Amelie trocken. »Tut mir leid, Kind, aber mir scheint, das Talent zu zeichnen hast du wohl nicht von deinem Onkel Josef geerbt.«

Und wieder lachten die Frauen. Mimi lachte gutmütig mit.

»Du kennst doch so viele Leute, gibt's denn niemanden, der dir helfen könnte?«, fragte Bernadette vom Waschbecken aus.

Mimis Miene wurde nachdenklich. »Doch, es gibt tatsächlich jemanden ...«

31. Kapitel

Langenargen am Bodensee, September 1916

»Möchtest du ein Wiener Schnitzel oder doch lieber eine Bodensee-Forelle, Paon?«

»Das Schnitzel«, sagte Paon geistesabwesend, ohne seinen Blick von dem Panorama, das sich vor dem Fenster des Restaurants bot, abzuwenden. Diese Landschaft! Die Nähe der Berge zum Wasser, die vielen Spiegelungen ...

»Und darf ich dir ein Glas Wein dazu bestellen, mein Lieber?«, versuchte Mylo, mit erhobener Stimme gegen den Lärm in dem vollständig besetzten Restaurant anzukämpfen.

Paon riss seinen Blick vom Fenster los. Er wies erst auf die bunte Gästeschar, die sich mittags um zwölf hier im Restaurant eingefunden hatte, dann nach draußen auf den glänzenden See. »Findest du nicht, dass heute ein Tag für Champagner ist?«, rief er exaltiert, und ein Gefühl von Freude und Freiheit durchfuhr ihn.

Mylo zog erstaunt die Brauen hoch, dann gab er seine Bestellung bei der Bedienung auf, die geduldig wartend und mit einer blütenweiß gestärkten Schürze neben dem Tisch stand. »Mir wäre es lieber, es wäre nicht ganz so viel Trubel«, sagte Mylo und warf dem Nebentisch, an dem fünf Damen champagnertrinkend immer lauter kicherten, einen missfälligen Blick zu. »Du weißt, dass wir noch etwas Wichtiges zu besprechen haben, bevor wir zurück zu unserer Gastgeberin gehen.«

»Nachdem ich in den letzten Monaten kaum etwas anderes getan habe, als in meinem Atelier Schlachtszenen zu malen, empfinde ich den Trubel hier sehr belebend«, sagte Paon und prostete den Frauen am Nebentisch zu. »Und was deine Schnapsidee angeht – ein weiteres Gespräch darüber, dass ich den armen Franz Marc künstlerisch beerben soll, würde mir nur die gute Laune verderben. Und das wäre schade, denn ich kann mich nicht daran erinnern, mich jemals irgendwo so wohlgefühlt zu haben wie hier«, fügte er hinzu. Früher hätte er sich nie getraut, eine von Mylos Ideen als Schnapsidee zu bezeichnen, schoss es ihm durch den Kopf. »Der See, die Nähe der Berge … Hier liegt etwas Elektrisierendes in der Luft!« Schon wanderte sein Blick wieder durch die großen Panoramafenster nach draußen. Die Sonne tauchte den Kamm der Bergkette auf der anderen Uferseite in goldenes Licht … Wie würde es sich wohl anfühlen, von ebenjenen Bergen auf den See hinabzuschauen? Und mehr noch – wie würde es sich anfühlen, hier zu leben?

Als sie gestern angereist waren, war es schon dunkel gewesen. Paon hatte zwar von der Kutsche aus, die sie vom Bahnhof zur Villa ihrer Gastgeberin brachte, den See ein-, zweimal erblicken können. Schon da hatte er ein aufgeregtes Kribbeln verspürt, schließlich war er noch nie am Bodensee gewesen. Doch die Großartigkeit der Landschaft hatte sich ihm erst heute früh beim Frühstück und dem anschließenden Spaziergang am See entlang erschlossen.

Dass sie überhaupt hier waren, hatten sie einer von Paons treuesten – und auch anstrengendsten – Kundinnen zu verdanken. Eine kleine Auszeit vom öden Kriegsalltag täte sicher gut, hatte Susanne Morgental, Ehefrau des Reifenfabrikanten Gustav Morgental, gemeint, als sie sich am vergangenen Wochenende in Mylos Haus ein paar von Paons Gemälden angeschaut und das größte davon auch gekauft hatte – allerdings erst, nachdem Paon den Himmel in einem satteren Blau gemalt hatte, damit er besser zu ihrer blausamtenen Chaiselongue passte. »Wir besitzen eine Villa in Langenargen, und ich reise am Montag dorthin – wollen Sie mich nicht für ein paar Tage besuchen kommen? Gern organisiere ich auch eine kleine Ausstellung für Sie – ich habe viele kunstbegeisterte Freunde am See«, hatte sie Paon und Mylo gefragt.

»Wie soll das gehen?«, hatte Paon gefragt und an den Brief von Mimi Reventlow gedacht, der vor zwei Tagen gekommen war und in dem sie ihn auf die Schwäbische Alb einlud. Seit Kriegsausbruch fuhren nur noch wenige Züge, man musste schon viel Glück – oder Beziehungen – haben, um überhaupt reisen zu können, ob auf die Schwäbische Alb oder an den Bodensee.

Susanne Morgental hatte hingegen nur lässig abgewinkt. Mit dem genügenden Kleingeld war das Reisen nun wirklich kein Problem, der Tourismus am Bodensee stünde in einer noch nie da gewesenen Blüte. Sie sollten sich keine Sorge machen, ihr Mann würde mit Freuden zwei Zugfahrkarten erster Klasse nach Lindau organisieren, wo dann am Bahnhof ihr Chauffeur sie abholen würde. Paons Gemälde würde sie ebenfalls auf ihre Kosten an den See bringen lassen.

Paon fand zwar die Gespräche mit Susanne Morgental über die Kunst im Allgemeinen und seine Gemälde im Besonderen immer sehr anstrengend, dennoch war er sich mit Mylo schnell einig gewesen, dass sie das Angebot annehmen würden. Sie brauchten dringend neue Kundschaft. Und die Aussicht darauf, einmal etwas anderes zu sehen als den Stuttgarter Talkessel und die immer gleichen Bürgerhäuser, war zudem sehr verführerisch.

Seit längerer Zeit vermittelte Mylo nun schon Ausstellungen mit Paons Schlachtengemälden. Kunst stand seit Kriegsbeginn hoch im Kurs, und mit Paons Bildern konnte eine Gastgeberin einerseits ihre patriotische Gesinnung unter Beweis stellen und andererseits für ein wenig Unterhaltung und Abwechslung im tristen Kriegsalltag sorgen. Kaum ein Gast sagte jemals eine solche Einladung ab. Entsprechend groß war das Gedränge, und Paons Bilder verkauften sich schnell. Was sollten die reichen Leute mit ihrem Geld sonst auch anfangen?

Die Gastgeberinnen, in deren Villen Paons Ausstellungen stattfanden, tischten stolz mehrgängige Menüs auf, als gäbe es weder Hunger noch Lebensmittelkarten. Mit Geld bekam man auf dem Schwarzmarkt alles! Dennoch machten manche sich einen Spaß daraus, feinste Speisen wie Kaviar, Edelfisch oder Wildbret mit einfachen Beilagen wie Pellkartoffeln, Senftunke oder Brot zu kombinieren und dazu gute Weine zu servieren. Und wenn sie dann beim Essen zusammensaßen, lauschte die Stuttgarter Gesellschaft gern Paons Schilderungen, wie er unter Lebensgefahr die Westfront besucht hatte, um seine Gemälde so realitätsnah wie möglich zu malen. Kurz gesagt – der Rubel rollte, und sie hatten eine gute Zeit, wenn auch ein Tag dem anderen sehr ähnelte. Nachdem feststand, dass sie Susanne Morgentals Einladung folgen würden, hatte Paon es kaum erwarten können, endlich einmal aus der Stadt hinauszukommen. Der Einladung der Fotografin hatte er in diesem Moment keine weitere Beachtung geschenkt – wer fuhr schon auf die Schwäbische Alb, wenn er das Schwäbische Meer haben konnte?

Die Bedienung brachte den Champagner. »Auf unsere kleine Reise!«, sagte Paon zu Mylo, während ihre Gläser klirrend aneinanderstießen. Der Champagner rann perlend seine Kehle hinab, sein hefeartiger Duft vermischte sich mit dem des Seetangs, der vom nahen Ufer zu ihnen heraufwehte. Tief atmete Paon die erfrischende Mischung ein. »Und noch ein Toast auf unsere tapferen deutschen Soldaten!«, sagte er, und seine Miene verfinsterte sich, wie immer, wenn er an den Krieg dachte. »Was hätte ich darum gegeben, auch dienen zu dürfen«, murmelte er vor sich hin.

»Schon wieder die alte Leier?«, sagte Mylo entnervt. »Du kannst froh und dankbar sein, dass dieser Krug an dir vorübergegangen ist. Als Künstler spielst du eine sehr viel wichtigere Rolle, als du es als einfacher Soldat je hättest tun können. Mit deinen Gemälden zollst du der Tapferkeit der deutschen Soldaten den allergrößten Tribut! Mit deinen epochalen Gemälden machst du den Zivilisten immer wieder aufs Neue bewusst, wie stark und opferbereit der deutsche Soldat ist und wie stolz wir auf unser Reichsheer sein dürfen.«

Paon seufzte auf. »Du hast recht. Ich brauche mich nicht zu schämen. Ich trage tatsächlich meinen Part zum Gelingen dieses Krieges bei, indem ich ihm in seiner ganzen Größe einen künstlerischen Ausdruck verleihe.« Es war nicht das erste Mal, dass sie dieses Gespräch führten, im Gegenteil – wann immer er, Paon, an sich und seiner Rolle zweifelte, rückte Mylo alles wieder zurecht.

»Und wenn du jetzt noch bereit wärst zu einer künstlerischen Hommage auf den braven gefallenen Franz Marc, würde dir die Kunstwelt im ganzen Kaiserreich noch mehr zu Füßen liegen. Der Blaue Reiter ist tot – es lebe der Blaue Reiter!«, sagte Mylo theatralisch. »Wie wichtig es ist, dass man als Künstler feine Legenden um seine Gemälde spinnt, hast du schon bei deinen Pfauenbildern erfahren. Du liebst die Farbe Blau doch so sehr, von daher weiß ich wirklich nicht, warum du dich so dagegen sträubst, hie und da ein blaues Pferd in deine Bilder zu malen.«

»Blaue Pferde waren Marcs Kennzeichen! Würde ich jetzt, nach seinem Tod, damit anfangen, käme ich mir vor wie ein Leichenfledderer.« Paon schnaubte angewidert. Als Mylo das erste Mal mit dieser Idee auf ihn zugekommen war, hatte er geglaubt, sein Mentor würde sich einen Scherz mit ihm erlauben. Doch Mylo war es ernst gewesen – er war überzeugt davon, dass Paons

Gemälde kombiniert mit einzelnen Motiven von Franz Marc reißenden Absatz fanden.

»Aber stell dir doch nur mal vor, was dies für interessanten Gesprächsstoff liefern würde«, versuchte Mylo sein Glück erneut.

»Mylo, bitte! Ich habe es wirklich nicht nötig, einen anderen Künstler zu kopieren«, sagte Paon. Sein Wiener Schnitzel wurde serviert, die Kruste glänzte goldbraun und duftete nach guter Butter. Mit Appetit schnitt sich Paon ein Stück Fleisch ab, es zerging förmlich auf seiner Zunge. Dann schaute er Mylo an. »Gleich ist es eins, um drei beginnt die Vernissage bei Frau Morgental – reicht uns die Zeit noch für eine kleine Bootsfahrt?«

Angesichts des prächtigen Septemberwetters hatte Susanne Morgental spontan beschlossen, die Vernissage von Paons Bildern auf ihrer Terrasse direkt am See stattfinden zu lassen. Auf den groben Holzständern, eilends von einem von Frau Morgental engagierten Schreiner zusammengezimmert, und vor der Kulisse des Sees wirkten Paons Schlachtengemälde noch epochaler – die Leiber der Pferde, die vom Kugelhagel silbern funkelnde Luft, die blutrot getränkten Speerspitzen der Infanteristen.

Paon ließ sich feiern. Er sprach mit den Gästen, beantwortete Fragen, stieß mit einem Glas Sekt an. Die Stimmung war gelöst, alle Gäste in Kauflaune, die Häppchen schmeckten. Was für ein Unterschied zu der Weltuntergangsstimmung, die Mimi Reventlow in ihrem Brief vom Leben auf der Schwäbischen Alb geschildert hatte, schoss es Paon kurz durch den Sinn.

Doch bevor er weiter darüber nachdenken konnte, wie unterschiedlich die Menschen in Kriegszeiten lebten, verwickelte ihn schon wieder jemand in ein Gespräch. Am Ende des Nachmittags waren tatsächlich alle Bilder verkauft.

»Was für eine Schau!«, sagte Susanne Morgental mit vor Aufregung glühenden Wangen. »Ich wusste, dass Sie bei meinen Schweizer Freunden gut ankommen würden. Die Leute rund um den Bodensee sind neuen Künstlern gegenüber immer sehr aufgeschlossen, das Klima hier weckt in uns allen das Feine, Künstlerische!«

»Dass hier eine ganz besondere Stimmung herrscht, spüre ich auch«, sagte Paon mit glänzenden Augen. Eigentlich hatte er angenommen, dass ihn der lange Tag an der frischen Luft müde machen würde, doch das Gegenteil war der Fall – er fühlte sich so frisch und munter wie schon lange nicht mehr. Lag es am leisen Plätschern des Sees? Oder daran, dass das Wasser sich vor seinen Augen optisch fast im Minutentakt veränderte? Zogen Wolken über den Septemberhimmel, wurde das Blau gräulich. Fuhr ein Schiff vorbei, begann sich das Wasser weiß zu kräuseln. Und nun, in der untergehenden Sonne, wirkte er so romantisch, dass es Paon nicht gewundert hätte, wenn am Ufer eine Seejungfrau dem Wasser entstiegen wäre. Jetzt den Zeichenblock und die Aquarellfarben nehmen, sich irgendwo am Ufer einen ruhigen Platz suchen und die untergehende Sonne einfangen, dachte er sehnsüchtig und gleich darauf: Warum nicht? Doch bevor er sich verabschieden konnte, legte Susanne Morgental ihre fein manikürte Hand auf seinen Arm. »Da wäre noch etwas, sehr verehrter Paon …«, sagte sie gedehnt. »Darf ich Ihnen meinen Ballsaal zeigen, in dem Ihre Ausstellung eigentlich hätte stattfinden sollen? Er reicht über das gesamte zweite Stockwerk.«

»Sehr gern, gnädige Frau«, sagte Paon. Sie wohnten nicht nur umsonst in der Morgental-Villa – nun hatte er ihr auch noch den Verkauf von siebzehn Gemälden zu verdanken. Da konnte er ihr die kleine Bitte unmöglich abschlagen. Außerdem war die Sicht vom zweiten Stock auf den See sicher fantastisch.

»Ein Deckengemälde im Stil von Michelangelo – das wünsche ich mir!« Wie ein Zauberer, der ein Kaninchen aus dem Zylinder gezogen hat und auf Applaus wartet, breitete Susanne Morgental ihre Arme weit aus. »Falls Sie sich fragen – das Maß des fertigen Gemäldes würde zehn mal siebzehn Meter betragen, also hundertsiebzig Quadratmeter insgesamt. Jetzt sind Sie sprachlos, nicht wahr?« Triumphierend schaute sie erst Paon, dann Mylo an. »Ich weiß, von solch einem Auftrag träumt ein Künstler wahrscheinlich sein Leben lang …«

Ja, dachte Paon. Nur war es ein immerwährender Albtraum.

»Wahrscheinlich haben Sie es längst erkannt – das Gewölbe, das wir in unseren Ballsaal haben einbauen lassen, hat exakt dieselbe Form wie das der Sixtinischen Kapelle.«

»Wie raffiniert, gnädige Frau, ich als Architekt weiß einzuschätzen, wie aufwendig eine solche Konstruktion ist«, sagte Mylo und hob Susanne Morgentals rechte Hand zu einem angedeuteten Handkuss. »Ich nehme an, Sie haben schon genaue Vorstellungen die Deckenbemalung betreffend?«

Paons Kopf fuhr zu seinem Freund und Förderer herum – war Mylo wahnsinnig geworden?

Ihre Gastgeberin nickte stolz. »Ich möchte die Schöpfungsgeschichte gemalt bekommen, und zwar vor dem Hintergrund des Bodensees. Adam soll Eva sozusagen im Wasser einen Apfel reichen, der…«

Ein paar hundert Kilometer entfernt schossen sich die Menschen gegenseitig tot, und hier schwadronierte Frau Morgental von einer Unterwasserversion der Schöpfungsgeschichte. Wie verrückt war das denn?, fragte sich Paon, während Susanne Morgental ihre Wünsche bis auf den letzten Pinselstrich schilderte. Schamvoll kam ihm die Flasche Champagner in den Sinn, die er so überschwänglich geordert hatte. Verdammt, er war keinen Deut besser als diese Frau!

»…Geld spielt übrigens keine Rolle und Zeit ebenso nicht. Benötigen Sie ein Jahr, ist es gut. Benötigen Sie zwei Jahre, dann soll es so sein. Nun, was meinen Sie – ist das nicht grandios?«, endete sie, und ihr Blick war nun fast fiebrig vor Aufregung.

»Äußerst grandios«, sagte Paon, und sein ironischer Unterton war nicht überhörbar. »Doch leider stehe ich für eine solche Auftragsarbeit nicht zur Verfügung.«

»Bist du verrückt, solch ein Angebot auszuschlagen?«, zischte Mylo, kaum dass sie allein in ihrem Zimmer waren. »Davon abgesehen, dass dieser Auftrag für Gesprächsstoff in ganz Europa sorgen wird, würde dich dieses Honorar zu einem reichen Mann machen! Du könntest dir davon wahrscheinlich selbst ein Haus am See leisten!«

Ein Haus am See? Einen Moment lang zögerte Paon, ehe er antwortete: »Haben wir nicht in der Kunstschule gelernt, wie sehr Michelangelo seinen Auftrag in der Sixtinischen Kapelle gehasst hat? Sogar als Totgeburt hat er sein Bild bezeichnet«, erwiderte er dann. »Genauso würde ich es hassen, jahrelang an der Decke hängend irgendwelche pseudoheiligen Gemälde zu pinseln! Doch halt – ich könnte ja zwischendurch auch mal ein blaues Pferd, einen gelben Hund oder einen roten Fuchs à la Franz Marc auf die Leinwand bannen! Langweilig wäre mir also nicht.« Sarkasmus triefte aus seinen Worten.

»Wie kann man nur so undankbar sein?«, spie Mylo ihm entgegen. »Ich will doch nur dein Bestes!«

»Ach ja?«, sagte Paon spitz und hätte am liebsten gefragt, ob Mylo damit seinen fünfzigprozentigen Anteil an seinem, Paons, Honorar meinte. Immer wenn er nicht so spurte, wie Mylo wollte, wurde er als undankbar beschimpft. Doch langsam zog diese Nummer nicht mehr, die Zeiten hatten sich schließlich geändert.

Während er einen Erfolg nach dem anderen feierte, hatte Mylo als Architekt seit Kriegsbeginn so gut wie keine Aufträge mehr erhalten. Baumaterial war zwar noch immer erhältlich, wenn man über Beziehungen verfügte, aber es mangelte schlicht an Handwerkern, die einen Auftrag hätten ausführen können. Anfangs war es Paon gar nicht bewusst gewesen, dass sie beide quasi nur noch vom Verkauf seiner Bilder lebten. Und als es ihm klar wurde, hatte er nichts dagegen einzuwenden. Mylo war schließlich sein Lehrer, sein Förderer, sein bester Freund. Mylo hatte ihn aufgenommen, als er noch ein armes, unbekanntes Talent gewesen war. Mylo hatte ihn erst zu dem gemacht, was er heute war – ein talentierter Jungstar der Kunstszene. Da war es doch nur rechtens, dass Mylo die Hälfte seiner Honorare kassierte. Und dass er ihn antrieb, immer schneller zu malen, hatte er ebenso akzeptiert.

»Paon, bitte…«, kam es nun sanfter von Mylo. »Ein solcher Auftrag würde deinen Namen nochmals in völlig andere Sphären katapultieren. Wer hat schon je die Chance, ein Gemälde in der Größe von hundertsiebzig Quadratmetern zu malen?«

»Als ob es darauf ankäme«, erwiderte Paon heftig. »Ständig verlangst du von mir, das zu malen, was gerade Publikumsgeschmack ist. Und wehe, ich brauche mal einen Tag länger für ein Bild! Was ist eigentlich aus der künstlerischen Freiheit geworden, die ihr uns allen in der Schule gepredigt habt?«

Mylo lachte auf. »Da hast du wieder einmal nur mit halbem Ohr zugehört. Denn genauso, wie wir die künstlerische Freiheit predigten, legten wir Wert darauf, euch zu vermitteln, dass ihr von eurer Kunst einmal leben können müsst. Und das gelingt dir besser als jedem anderen deiner ehemaligen Klassenkameraden. Du hast großes Glück, mein Junge!«

Paon nickte nachdenklich, dann trat er an den Schrank und zog seinen Koffer hervor. »Du hast recht. Und deshalb ist es an der Zeit, mit dem Champagnertrinken aufzuhören und stattdessen etwas von diesem Glück zurückzugeben. Und zwar an die Frau, die mir dieses Glück einstmals erst ermöglicht hat!«

32. Kapitel

An der Westfront, Oktober 1916

»Glaubst du, du schaffst es, bis zu dem Baum dort hinten zu gehen?« Anton reichte Michel die Krücken, die er für ihn hergestellt hatte. Es war ein kühler, aber trockener Tag, und so hatte Anton spontan beschlossen, die Gehübungen mit dem jungen Allgäuer nach draußen zu verlegen. Inzwischen tat er alles, um dem Mief des Krankensaals auch nur für kurze Zeit entgehen zu können.

Michel schaute skeptisch von Anton zu dem Baum. »Das sind mindestens zweihundert Meter. Glaubst *du*, dass ich es schaffe?«

»Klar!«, sagte Anton forsch. In den letzten zwei Wochen hatten sie viel geübt – kleine Strecken, Wendungen, das Aufstehen und wieder Hinsetzen –, nun war es an der Zeit, dass Michel beim Gehen Ausdauer lernte. »Wenn du wieder mit deinen Kühen arbeiten willst, musst du auch den ganzen Tag auf den Beinen sein.«

»Und ob ich das will! Ich sehe mich im Geist schon mit der Wilma, der Selma und allen anderen hinaus auf die saftig grünen Wiesen hinter unserem Dorf ziehen.

Wenn der Krieg vorbei ist, musst du mich unbedingt mal besuchen kommen, du glaubst gar nicht, wie schön es bei uns im Allgäu ist. Und schöne Mädchen haben wir auch! Eine gefällt mir besonders, sie heißt Gretel. Und sie hat versprochen, auf mich zu warten…«, sagte Michel, und Anton bemerkte, dass dessen Augen verdächtig glitzerten. Die Stunden der Sehnsucht – die kannten sie alle, dachte Anton mit wehem Herzen. Doch man tat gut daran, sich ihnen nicht ganz hinzugeben. Sonst war man schnell verloren.

»Los jetzt!«, sagte er in betont militärischem Befehlston, bevor Michel in Tränen ausbrechen konnte.

Zielstrebig und mit konzentrierter Miene marschierte der Junge los.

Anton zog Mimis Brief aus der Hosentasche. Er war vor einer Stunde angekommen, und am liebsten hätte er ihn sofort gelesen. Doch Michel konnte seine tägliche Übungsstunde immer kaum erwarten, und Anton hatte es nicht übers Herz gebracht, zu spät zu kommen.

Er warf noch einen kurzen Blick auf seinen Schützling, der sicher, wenn auch schwerfällig über den Hof des Lazaretts lief. Dann setzte er sich auf eine leere Munitionskiste, die sie als Bank benutzten, und begann zu lesen.

Brief 83/1916
Münsingen, im Oktober 1916

Lieber Anton,

ich freue mich so sehr für dich, dass es dir gelungen ist, noch mehr Holz aufzutreiben! Bestimmt werden deine

Krücken und Gehhilfen dringend benötigt. Wenn ich daran denke, wie dankbar Onkel Josef damals war, als der Fritz und du mit eurer praktischen Gehhilfe angekommen seid … Weißt du noch, damals, als Josef vor lauter Gram wegen Alexanders Unfall von der Leiter gefallen ist und sich das Bein brach?

Anton lächelte traurig. Und ob er das noch wusste. Im nächsten Moment traf ihn fast der Schlag, denn er las:

Apropos Alexander – stell dir vor, seit drei Tagen ist er hier bei mir zu Besuch.

Alexander war in Münsingen? Wie denn das? Und Mimi tat einfach so, als würde sie übers Wetter schreiben? Stirnrunzelnd las Anton weiter.

Lieber Anton, jetzt bist du baff, nicht wahr? Ich hatte dir ja schon vor einiger Zeit geschrieben, dass ich gern eine kleine Auflage neuer Adventskalender herstellen würde. Außer Alexander ist mir niemand eingefallen, der mir bei der Gestaltung helfen könnte, und ich selbst bin im Zeichnen ja leider völlig untalentiert. Also habe ich Alexander spontan einen Brief geschrieben. Ehrlich gesagt habe ich nicht daran geglaubt, dass er mir überhaupt antworten würde. Er ist ja jetzt so berühmt, dass sogar die Zeitungen über ihn und seine Schlachtengemälde berichten …

Schlachtengemälde! Anton schnaubte. Wie kam man nur auf die Idee, eine Schlacht zu malen?

… Und da wir beide so lange keinen Kontakt mehr zu ihm hatten, war ich mir wirklich unsicher …

Anton sah Mimis ratloses Schulterzucken an dieser Stelle regelrecht vor sich. Er hatte ihr nie erzählt, wie unangenehm das letzte Treffen zwischen ihm und Alexander verlaufen war und wie abfällig der alte Freund sich über Mimi geäußert hatte. Und nun war Alex bei ihr?

Wie so oft, wenn er einen Brief von zu Hause las, fühlte sich Anton isoliert und abgeschnitten vom wahren Leben. Er las weiter: *Umso größer waren mein Erstaunen und meine Freude, als Alexander mir antwortete, dass er kommen würde. Ich habe ihn in deiner Wohnung untergebracht und hoffe, dass dir das recht ist.*

Und wenn nicht?, fragte Anton sich stumm. Er hätte doch eh nichts dagegen tun können. Schmerzhaft biss er sich auf die Lippe, als könnte er dadurch dem Gefühl der Ohnmacht entkommen.

»Soll ich mal ums komplette Lazarett rumlaufen?«, rief Michel ihm über den Hof hinweg zu.

Anton schaute auf. »Lieber nicht, das wird zu viel. Du musst dich langsam steigern. Komm zurück!« Eilig las Anton weiter. Später, wenn seine Schicht vorbei war, würde er den Brief nochmals in Ruhe lesen. Und nochmals und nochmals …

Anton, du glaubst nicht, wie gestelzt unser Wiedersehen war. Ach, was habe ich mir in diesem Moment gewünscht, dich an meiner Seite zu haben! Dir wäre es sicher viel schneller gelungen, Alexander aus der Reserve zu locken. Er kam mir unglaublich gehemmt und gefangen vor. Und affektiert! Dabei – sollte Kunst nicht eigentlich befreien?

»Für mich bist du Alexander! Deinen Künstlernamen kannst du hier ablegen«, habe ich ziemlich streng zu ihm gesagt.

Anton grinste. War ja klar, dass Mimi dieses Paon-Getue nicht mitmachen würde.

Das hat er zwar akzeptiert, aber ich glaube, im tiefsten Innern fühlt er sich heutzutage tatsächlich mehr als Paon denn als Alexander aus Laichingen. Wann immer ich über sein Heimatdorf und die Menschen dort zu reden beginne, klappt er zu wie eine Auster, es ist ganz schrecklich. Er hat seit Ewigkeiten nicht mehr seiner Mutter oder seinen Schwestern geschrieben! Er würde ihnen schließlich Geld schicken, und das nicht zu knapp, das wäre ja immerhin etwas, hatte er hitzköpfig erwidert, als ich meinte, Eveline würde sich über einen Brief sicher sehr freuen. Und dass er nun ein völlig neues, anderes Leben führen würde. Finanzielle Unterstützung wäre ja schön und gut, antwortete ich ihm, aber wo bleibt die Liebe zur Familie?

Weißt du was, Anton, mir kommt es so vor, als hätte Alexander mit seiner Vergangenheit völlig abgeschlossen. Sie ist für ihn nicht mehr als ein schwarzer Fleck oder eher noch ein düsteres Loch, in das er nicht fallen mag.

Antons Miene verfinsterte sich. Genau diesen Eindruck hatte er bei seinem letzten Treffen mit dem alten Freund in Stuttgart auch gehabt – vor ziemlich genau drei Jahren war das gewesen. In Laichingen ging zwar immer alles seinen selben langweiligen Gang – aber ein Grund, sich für seine Herkunft zu schämen, war die traditionsreiche Leinenweberstadt gewiss nicht!

»Warum schaust du so grimmig – das war doch schon ziemlich gut, oder?«, sagte Michel. Schweißgebadet und mit zitterndem rechten Knie stand er vor Anton. Dann erst sah er den Brief in dessen Hand. »Hoffentlich keine schlechten Nachrichten aus der Heimat?«

Anton schüttelte den Kopf. Er klopfte auf den Platz neben sich. »Ruh dich ruhig kurz aus. Gleich machen wir noch ein paar Kräftigungsübungen für deine Arme.«

Michel setzte sich auf die Munitionskiste, dann hob er seine Krücken in der Art eines Gewichthebers hoch und sagte: »Am besten fang ich gleich damit an!«

Anton lächelte. So ungeduldig der Jungspund auch war – den Schluss von Mimis Brief musste er noch rasch lesen.

Als ich am Tag von Alexanders Anreise ins Bett ging, konnte ich ewig nicht einschlafen. War es womöglich ein Fehler, dass ich ihn hergebeten habe?, hab ich mich ständig gefragt.

Er hätte Alexander den Marsch geblasen, sich so affektiert aufzuführen, dachte Anton wütend.

»Guck mal, da vorn!« Michel zeigte auf die Streuobstwiesen vor ihnen, die zwischen der deutschen Frontlinie und dem Lazarett lagen. Die kleinen Äpfel und runzeligen Birnen, die auf den Bäumen wuchsen, waren ungenießbar, hatten Anton und seine Kameraden schon im ersten Sommer hier an der Front enttäuscht feststellen müssen. In Friedenszeiten brannten die Bauern aus der Gegend mit dem Obst aromatische, scharfe Schnäpse. Jetzt aber verfaulten die Früchte an den Bäumen.

Irritiert wandte Anton sich zu Michel um. »Ich sehe nichts.«

»Unter dem alten Apfelbaum, im hohen Gras – da sitzt doch ein Hund, oder?«

Anton kniff die Augen zusammen, um besser sehen zu können. Da war tatsächlich ein Hund. »Wo kommt der denn her? Vor uns liegt die Front!«

»Hier ist er aber nicht vorbeigekommen, das hätte ich bemerkt«, sagte Michel. »Irgendwie sieht das Vieh unförmig aus, findest du nicht? Als ob er einen Buckel hat... Vielleicht geht's ihm nicht gut?«

Anton seufzte. »Ich weiß ja um dein großes Herz für Tiere. Aber wir können jetzt nicht auch noch anfangen, uns um jedes dahergelaufene Vieh zu kümmern!«

Michel nickte. »Schon klar. Ich schau einfach mal kurz nach dem Burschen. Du kannst ja solange deinen Brief weiterlesen.« Noch während er sprach, stemmte er sich auf seinen Krücken hoch.

»Lass das besser, vielleicht hat er die Tollwut«, sagte Anton, doch Michel stakste bereits davon.

»Dann mach doch, was du willst«, murmelte Anton und las weiter.

Meine Erleichterung war riesengroß, als Alexander dann doch relativ schnell in unser Arme-Leute-Leben hineinfand. Keine Klagen über das knappe und einfache Essen, kein Gejammer darüber, dass ich noch nicht heize – dabei sind die Nächte schon empfindlich kühl. Nur als ich ihm die Bogen mit dem billigen Ersatzpapier zum Zeichnen hingelegt habe, hat er einen eigenen Zeichenblock hervorgeholt, aus allerfeinstem Papier. Dass es so etwas überhaupt noch zu kaufen gibt, war mir nicht bewusst...

Tja, mit genug Kleingeld und Beziehungen, dachte Anton spöttisch.

Er hilft mir sogar im Haushalt, stell dir vor!

Anton hob die Brauen. Der feine Pfau beim Geschirrspülen oder Badputzen? Diese Vorstellung fiel ihm tatsächlich schwer.

Gleich in den ersten beiden Tagen bin ich mit ihm durch den Ort spaziert und habe ihn einigen Leuten vorgestellt. Wir waren bei Bernadette, Corinne und auch bei Lutz im Lager! Als Alexander hörte, dass Corinne demnächst auf die Winterweide aufbricht und ihren Sohn bei den Großeltern zurücklassen muss, hat er spontan ein wunderschönes Porträt von ihr und Loup gezeichnet. Wir alle haben ihm dabei über die Schulter geschaut. Als er das Bild dann Corinne schenkte, kamen mir fast die Tränen vor Rührung und den anderen auch!

Erst den arroganten Künstler geben und sich dann bei den Leuten einschmeicheln, dachte Anton und konnte nichts gegen die spitzen Stiche der Eifersucht tun, die sein Herz durchbohrten.

Inzwischen glaube ich, dass Alexander die Zeit hier oben auf Alb richtig guttut. Gleich nach seiner Ankunft habe ich ihm übrigens angeboten, mich zu duzen in der Hoffnung, dass ihn das ein wenig lockerer macht. Ich hoffe auch immer noch, dass er ein wenig aus seinem Leben erzählt, bisher ist er sehr verschlossen. Er mag zwar erfolgreich sein, aber glücklich ist er nicht, so viel steht für mich fest!

Dafür malt er die schönsten Adventskalender-Motive. Engel, die mit einer leuchtenden Aureole ihren Segen erteilen. Tannenbäume im Wald, geschmückt mit Äpfeln und glänzenden Kugeln, nicht mit Eisernen Kreuzen aus Pappe! Und viele weitere Motive, die den Kindern Hoffnung schenken sollen.

Ach Anton, ich bin so glücklich! Weihnachten steht für Hoffnung, Glaube und Liebe. Am liebsten würde ich ganz viele Kalender drucken, doch die Maschinen sind einerseits mit Propagandamaterial belegt, und andererseits könnte ich auch gar nicht so viel Druckerfarbe wegmogeln. Aber dafür, dass jedes Münsinger Kind einen von unseren Kalendern bekommt, dafür werde ich sorgen!

Selbst in diesen schweren Zeiten dachte Mimi noch an die anderen. Anton spürte, wie der Kloß in seinem Hals immer dicker wurde.

Im nächsten Moment ertönte ein ohrenbetäubender Knall, und Michel wurde vor Antons Augen in die Luft geschleudert und in tausend Stücke gerissen.

»Eine Bombe! Wer kommt auf die Idee, einem Hund eine Bombe umzuschnallen? Und wie und von wem wurde sie überhaupt gezündet? So etwas kann doch nur eine Bestie tun!«

Anton lief rastlos in Theresas Küche hin und her. Tränen strömten über sein Gesicht. Er, der sich nicht daran erinnern konnte, wann er das letzte Mal geweint hatte, scherte sich nicht darum. Nicht Michel. Nicht Michel. Das durfte einfach nicht sein, ging es ihm wieder und wieder durch den Kopf.

Anton war der einzige Zeuge des feigen Attentats gewesen. Nachdem er unter Schock stotternd seine Aussage bei der eilig herbeigerufenen Militärpolizei gemacht hatte, hatte er sich davongeschlichen. Weg, nur weg von hier!, war sein einziger Gedanke gewesen. Weg von den Apfelbäumen, in deren Ästen Fetzen von Michels Leiche hingen.

Nach wie vor war es ihnen verboten, die Soldatenunterkunft zu verlassen. Doch Anton scherte sich schon lange nicht mehr um Verbote. Wenn er Theresa sehen wollte, ging er zu ihr, basta!

Sie waren kein Liebespaar, das nicht. Aber in den letzten Wochen waren sie füreinander wichtiger geworden, als sie es sich vielleicht einstehen wollten. Wann immer Anton sich loseisen konnte, ging er zu ihr. Dann tranken sie Tee, kochten etwas oder saßen auf ihrer alten, verschlissenen Chaiselongue und hielten sich im Arm. Manchmal küssten sie sich auch, doch mehr war bisher nicht geschehen. Anton wusste, dass der eine oder andere Arzt eine Liebschaft hier im Ort hatte, aber war solch ein Verhältnis im Krieg überhaupt möglich? Für Anton nicht. Ob dies mit Mimi zu tun hatte oder vor allem mit ihm selbst, wusste er nicht. An manchen Tagen war das Bedürfnis, Theresa ganz fest zu umarmen, sie zu küssen, ihr die Kleider vom Leib zu reißen und Liebe mit ihr zu machen, fast unerträglich groß. Doch bisher hatte er sich zusammenreißen können, und er war sich ziemlich sicher, dass es ihm weiter gelingen würde. Theresa war wie Mimi – keine Frau für eine Nacht. Und hier an der Front hatten sie nicht einmal eine Nacht, höchstens gestohlene Minuten oder Stunden.

Theresa, die am Herd stand und eine Suppe kochte, schaute Anton an und sagte: »Ihr seid die Feinde – hast du das vergessen? Anschläge aus der Zivilbevölkerung kommen immer wieder vor. Ihr geht mit den Leuten ja auch nicht gerade zimperlich um.«

Anton hielt mitten im Schritt inne. Dieser beiläufige Ton. Diese Selbstverständlichkeit, mit der sie ihre Bemerkung vortrug. Wie kann man nur so kaltblütig sein?, wollte er sie anschreien. Doch tief drinnen wusste er, dass Theresa nur das tat, was sie alle taten, Tag für Tag: die eigene Seele schützen. Wenn sie jedes Mal beim Leid der anderen vor Mitleid zerfließen würden, wären sie längst selbst nicht mehr zu retten gewesen.

Mit den schwerfälligen Bewegungen eines alten Mannes ließ er sich auf die Ofenbank neben dem Fenster fallen. Normalerweise wäre ihm beim würzigen Duft der Selleriesuppe, die Theresa kochte, das Wasser im Mund zusammengelaufen. Doch heute würde er keinen Bissen hinunterbekommen, so zugeschnürt war seine Kehle.

Jetzt würde Michel nie mehr die grünen Wiesen seiner Heimat sehen. Nie mehr würde er beim Melken einen Kuhschwanz ins Gesicht bekommen. Und das Mädchen, das ihm so gut gefiel, musste sich nun einen anderen suchen. Verdammt, warum nur hatte er den Jungen nicht davon abgehalten, zu dem Dreckskköter zu gehen?

Theresa schaute ihn vom Herd aus scharf an. »Mach dir bloß keine Vorwürfe!«, sagte sie, als könnte sie Gedanken lesen.

Anton stierte vor sich hin. Im nächsten Moment begann er, unkontrolliert zu zittern. Er zitterte so sehr, dass seine Füße auf dem Boden aufschlugen, als würden sie mit Stromschlägen gefoltert. Seine Zähne klapperten.

Theresa ließ ihren Kochlöffel fallen, kam zu ihm herüber und schlang ihre kräftigen Arme so fest um ihn, dass es fast wehtat. Sie sagte nicht »Alles wird gut«, sie machte keine beruhigenden Geräusche. Sie hielt ihn einfach nur, während Antons Gedanken in seinem Kopf genauso zitterten wie sein Leib. Verdammt, sie konnten Michel nicht mal anständig beerdigen …

Irgendwann ließ das Zittern nach. Und Anton spürte, wie müde er war. Müde vom Krieg, müde vom Leben, müde von dem aussichtslosen Kampf, den sie kämpften. Gegen den Feind. Gegen sich. Gegen den Wunsch, einfach aufzugeben.

»Immer wenn du denkst, du hast alles gesehen, passiert etwas, was noch schlimmer ist als alles zuvor«, flüsterte er, noch immer an ihre Schulter gelehnt.

Die Engländerin nickte, sagte aber weiterhin nichts. Anton war froh darum. Er löste sich aus ihrer festen Umarmung, schaute sie an.

»Wenn der Krieg vorbei ist – wie sollen wir das alles hier vergessen? Ob unsere Lieben zu Hause uns dabei überhaupt helfen können?« Unwillkürlich fiel ihm Theresas Ehemann ein, der Earl, der bei der Luftwaffe seinen Dienst versah und von dem sie hin und wieder erzählte. Er, der dieselben Grauen erlebt hatte, würde Theresa wahrscheinlich verstehen. Aber würden die Münsinger ihn auch verstehen?

»Wenn du mich fragst, kann uns niemand helfen«, sagte Theresa nüchtern. »Wie sollen sie je verstehen, was wir hier gesehen haben? Wie sollen sie unsere Angst nachempfinden können? Die Angst, immer und überall die Angst.« Sie schaute Anton aus ihren großen, ernsten und gleichzeitig so lebhaften braunen Augen an. »Woher sollen sie all das wissen? Sie können es nicht.« Sie machte eine kleine resignierte Handbewegung. »Und wir haben kein Recht, dies von ihnen zu erwarten. Genauso wenig haben wir das Recht, sie mit unseren Gräuelgeschichten zu belasten. Was an der Front geschieht, muss an der Front bleiben. Das ist zumindest meine Meinung.«

Anton strich Theresa eine Haarsträhne aus dem Gesicht. »Und was ist mit all den Briefen? Der Sehnsucht? Ist das etwa nach Kriegsende alles nichts mehr wert?« Was würde eigentlich aus ihnen beiden werden?, ging es ihm durch den Kopf. Würden sie Freunde bleiben, nach dem Krieg? Oder würde jeder seines Weges gehen, auf Nimmerwiedersehen?

»Nach Kriegs*ende*?« Die Bildhauerin lachte bitter auf. »Uns alle hier werden die Gräuel des Krieges ein Leben lang begleiten. Ich sage dir – nur wenn wir tot sind, werden wir das Ende des Krieges gesehen haben.«

33. Kapitel

Münsingen auf der Schwäbischen Alb,
November 1916

»Meine Fotografien aus den letzten zwei Jahren anschauen – willst du dir das immer noch antun?«, fragte Mimi Alexander lächelnd beim Frühstück. Obwohl es schon nach acht Uhr war, erwachte der Tag draußen gerade erst in einem bleichen Grau.

Es war Alexanders letzter Tag bei Mimi. Morgen, am 7. November, würde er wieder nach Stuttgart fahren. Dringende Aufträge warteten auf ihn, hatte sein Freund und Förderer Mylo ihm fast jeden zweiten Tag geschrieben. Wenn Mimi Alexanders Miene beim Lesen richtig gedeutet hatte, waren die Briefe mit jedem Mal strenger und fordernder geworden. Es war Alexander scheinbar nicht leichtgefallen, den wachsenden Druck zu ignorieren.

»Und ob ich das will«, erwiderte Alexander. »Nach den ganzen gemalten Engeln, Kerzen und Tannenbäumen freue ich darauf, mal wieder etwas künstlerisch Wertvolles für Erwachsene zu sehen.«

Mimi sah ihn liebevoll an. Seine Wangen wirkten lange nicht mehr so blass, sein Gesicht nicht mehr so verkniffen wie bei seiner Ankunft – so gesehen hatte sein Besuch hier auf der Schwäbischen Alb ihm genauso geholfen wie ihr. Und wie immer, wenn sie an den Adventskalender dachte, durchströmte sie ein warmes Gefühl des Glücks und der Dankbarkeit. Dank Alexanders Malkünsten war er so schön geworden!

»Also gut, du wolltest es so«, sagte sie lachend. Sie stand auf, ging zur Anrichte, holte ihr aktuelles Fotoalbum und reichte es Alexander, der sich die Hände an der Hose abwischte, bevor er das Album nahm. »*Erwachsen* mögen meine Fotografien sein, aber künstlerisch wertvoll? Ich fotografiere lediglich das, was rings um mich herum ist.«

Während er Blatt für Blatt umschlug, schenkte Mimi sich eine weitere Tasse Kräutertee ein. Es war das erste Mal, dass jemand diese Fotografien sah – nicht einmal ihrer Mutter hatte sie sie gezeigt. Wozu auch? Sie alle teilten den Kriegsalltag, die Motive waren nichts Neues, für niemanden.

»Die Fotografien sind nichts Besonderes, sie zeigen einfach nur den ungeschminkten Kriegsalltag hier im Dorf. Mir ist es wichtig, authentisch zu fotografieren. Freud, Leid, Tapferkeit, Wut… all die widersprüchlichen und anstrengenden Gefühle wollte ich festhalten.« Sie machte eine unwirsche Handbewegung. »Aber im Grunde sind die Fotografien unnütz, zumindest kann ich kein Geld damit verdienen, ich mache sie einfach, weil ich Lust darauf habe.« Und um an manchen Tagen nicht wahnsinnig zu werden, fügte Mimi stumm hinzu und spürte zu ihrem Erstaunen, dass sie unwillkürlich den Atem anhielt, wenn Alexanders Blick länger auf einer Fotografie verweilte und er immer wieder mal eine Seite zurückblätterte. Wenn es sich nur um ihren persönlichen Zeitvertreib handelte, warum war ihr sein Urteil dann so wichtig?

Eine steile Falte grub sich in seine jugendlich glatte Stirn, und Mimi wurde immer unruhiger. So schlecht waren die Fotografien doch auch wieder nicht!

Endlich schaute er auf. »Ein kleiner Zeitvertreib? Das hier ist die ungeschminkte Wahrheit über den Krieg! Und künstlerisch wertvoll sind die Bilder auch. Hier, die lange Schlange vor dem Lebensmittelgeschäft – du hast die Fotografie exakt im goldenen Schnitt angelegt. Und da, die Schafweide. Wie die Sonne deine Freundin Corinne und das Mutterschaf mit ihrem Lamm beleuchtet, während die eine Wolke am Himmel den Rest der Landschaft ins Dunkel taucht – was für ein unglaublicher Effekt! Als hättest du extra einen Scheinwerfer aufgestellt.«

»Da hatte ich mit den Lichtverhältnissen wirklich Glück«, sagte Mimi bescheiden.

»Glück!« Er lachte schallend auf, und Mimi stellte fest, dass sie den Webersohn noch nie so hatte lachen sehen.

»Das hier hat mit Glück nichts zu tun, dafür aber umso mehr mit handwerklichem Können, einem guten Auge und einem Gespür für den Moment. Wenn ich diese Bilder anschaue, bewegen sie mich zutiefst. Jede Fotografie erzählt eine Geschichte. Von tapferen Frauen, von mutigen Frauen, von Mutterliebe« – er zeigte auf eine

Fotografie von Corinne und ihrem Sohn –, »vom harten, entbehrungsreichen Leben auf der Alb …« Unter seinem rechten Auge zuckte die Haut nervös. »Ich frage mich gerade, ob es einem meiner Bilder jemals gelungen ist, den Betrachter derart in den Bann zu ziehen.«

Nun war es Mimi, die auflachte. »Wer von uns hat denn dauernd erfolgreiche Ausstellungen? Und über wen schreiben die Zeitungen glühende Lobeshymnen? Alexander, du bist ein berühmter Maler geworden! Natürlich ziehen deine Gemälde den Betrachter in den Bann.«

»Woher willst du das wissen? Du hast doch noch keins meiner Gemälde gesehen«, sagte er, halb spöttisch, halb vorwurfsvoll klingend.

Mimi runzelte die Stirn. »Das stimmt nicht ganz, in einem Zeitungsartikel über dich war eine Fotografie von einem deiner Schlachtengemälde abgebildet. Außerdem kenne ich dich und deine Intensität«, sagte sie. »Du lebst dafür, Maler zu sein. Und wenn ich dich richtig einschätze, würdest du sogar dafür sterben …« Ein Schatten fiel über ihr Gesicht, als sie an den Vorfall im Sommer von 1911 dachte, damals, als Alexander in der Scheune ihres Onkels beim Holzhacken fast sein Bein verlor. Ein Unfall? Oder doch Absicht, um durch die Verletzung dem verhassten Beruf als Weber zu entgehen? Der Gedanke war zu schrecklich, als dass sie ihn je weitergesponnen hätte. Aber einmal hatte sie Anton, der bei dem Vorfall zugegen gewesen war, dennoch darauf angesprochen. Eine Antwort hatte sie nicht bekommen.

Alexander zerpflückte das letzte Stück Brot auf seinem Teller, als wollte er Enten am Teich füttern. »Ich weiß nicht, ob es je meine Intention war, Menschen mit meinen Gemälden zu bewegen. In den ersten Jahren in der Kunstschule wollte ich einfach nur lernen, lernen, lernen.« Er schaute Mimi an, und seine Augen leuchteten. »Ich war so fasziniert von den Farben, den Techniken! Alles saugte ich auf wie ein Schwamm. Dann kamen meine ersten künstlerischen Gehversuche in Form von kleinen Aquarellen, gefälligen Stadtansichten in Öl. Und dank Mylos unerbittlichem Anspruch an exakte Linienführung, Lichtgebung und andere technische Finessen wurde ich in der Beziehung recht schnell besser …«

»Höre ich da ein Aber mitklingen?«, sagte Mimi.

Alexander wischte sich die Brotbrösel von der Hand und schaute sie an. »Meine Gemälde sind technisch gut, vielleicht sogar herausragend gut. Und schön anzusehen sind sie ebenfalls – Mylo legt immer großen Wert darauf, dass ich gefällige Motive wähle, selbst meine Schlachtengemälde müssen auf ihre Art *schön* sein. Aber haben sie eine Seele? Drücken sie irgendwelche Gefühle aus – das, was tief in mir drinnen vorgeht? Mir kommt es immer mehr so vor, dass es einzig darum geht, den Geschmack meiner Käufer zu treffen und so viel Geld wie möglich zu verdienen.« Er schnaubte missmutig.

Mimi lachte erneut auf. »Ist das nicht der ewige Zwiespalt, in dem sich jeder Künstler befindet? Schau mich an – ich muss auch Propagandaplakate und Brotmarken drucken! Glaubst du, das macht mir Spaß? Viel lieber würde ich mich meinen Adventskalendern und anderen schönen Dingen widmen. Den Menschen Schönheit zu schenken – das war immer *meine* Intention!« Sie atmete tief durch. Dank Alexanders wunderschönen Zeichnungen würde ihr dies zu Weihnachten endlich wieder gelingen. »Aber jeder von uns muss Geld verdienen – am Hungertuch nagen wir oft genug.« Sie zeigte auf den kleinen Brotkanten, das halb leere Marmeladenfässchen, das winzige Stück Margarine auf dem Frühstückstisch. »Das eine tun und das andere nicht lassen – so lautet meine Devise. Vielleicht kann sie auch für dich gelten? Was würdest du denn malen wollen, wenn du völlig frei wärst in deiner Entscheidung?«

Alexander zuckte mit den Schultern. »Genau kann ich das nicht einmal benennen. Als ich kürzlich am Bodensee war, hat mich die Seelandschaft sehr fasziniert. Wasser und Spiegelungen – daran würde ich mich mal gern versuchen. Und daneben gibt es ein paar Themen, die mich schon lange begleiten und über die ich immer wieder nachdenken muss. Schuld und Sühne zum Beispiel. Wer ist schuld am Tod meines Vaters? Und warum müssen so oft unschuldige Menschen für etwas sühnen, was sie gar nicht verbrochen haben?«

Schuld und Sühne? Mimi, die mit diesem Thema nichts anfangen konnte, sagte dennoch: »Die heutige Malerei bietet so viel Spielraum, auch im abstrakten Bereich. Und Kunst darf ruhig ein bisschen provozieren – findest du nicht?«

Alexander lachte. »Mit Provokationen kann man aber auch gewaltig auf die Nase fallen. Vor Jahren einmal habe ich ein eisblaues Kreuz gemalt – es sollte für die Gefühlskälte stehen, die die Kirche Menschen in Not gegenüber an den Tag legt. Deswegen wäre ich fast von der Kunstschule geflogen! Hätte Mylo sich damals nicht so für mich eingesetzt, wäre meine Karriere zu Ende gewesen, noch bevor sie begonnen hatte.«

Mimi hob die Brauen. Von diesem Vorfall wusste sie nichts. »Und was brachte dich auf die Idee mit dem blauen Kreuz?«

»Weißt du noch, damals, als mein Vater starb und der feine Herr Pfarrer meine Mutter mit den Worten ›Der liebe Gott wird schon für dich sorgen!‹ abspeiste? Ich lag damals mit meiner Beinverletzung noch auf der Krankenstation, Mutter hat mir erst später davon erzählt. Sie hat sich so gedemütigt und allein gelassen gefühlt!«

Für jemanden, der nichts mehr von seinem Heimatort und seinem Elternhaus wissen wollte, beschäftigte sich Alexander noch ziemlich intensiv mit der Vergangenheit, dachte Mimi. »Hör zu, Alexander, du bist doch ein freier Mensch. Du bist wohlhabend, hast einen Namen in der Kunstszene. Warum versuchst du nicht einfach, all diese Gefühle und Gedanken auf die Leinwand zu bringen und damit auch ein wenig die Vergangenheit zu verarbeiten?« Sie schaute ihn aufmunternd und herausfordernd zugleich an und sah, wie es hinter seiner Stirn rumorte. Da er schwieg, sprach sie weiter: »Nur weil du dir einen Namen mit Stadtansichten und Schlachtengemälden gemacht hast, heißt das doch noch lange nicht, dass du es dein Leben lang machen musst! Vincent van Gogh, Paul Gauguin, Rembrandt – sie alle haben im Laufe ihres Lebens einen Wandel vollzogen. Und wahre Kunstkenner wissen dies, deine Kunden werden deine Gemälde auch dann lieben, wenn du dich künstlerisch in eine andere Richtung entwickelst.«

»Wenn du dich da mal nicht täuschst. Der wohlhabenden Stuttgarter Bürgersfrau ist vor allem wichtig, dass ein Gemälde farblich zu ihren Möbeln passt! Ob ich mich auf der Leinwand irgendwelchen ungelösten inneren Konflikten annähere, interessiert sie reichlich wenig«, sagte Alexander ironisch. »Und was Mylo dazu sagen würde, wenn ich auf einmal damit anfinge, meine Kindheit und Jugend ›künstlerisch aufzuarbeiten‹, weiß ich auch schon. Er ist der Ansicht, dass man am besten einen Schlussstrich unter das Vergangene zieht.« Er klang wütend und verzweifelt zugleich.

»Wann ist das Vergangene schon je wirklich vergangen?«, sagte Mimi sanft. »Ich glaube, Frieden kann ein Mensch nur finden, wenn er sich mit seiner Vergangenheit aussöhnt. Denn das Gewesene hat uns ja erst zu demjenigen gemacht, der wir heute sind.«

»Das mag für meisten Menschen gelten, nicht aber für mich. Ich bin erst zu dem geworden, der ich bin, als ich alles Hinderliche hinter mir gelassen habe«, sagte Alexander, und Mimi sah förmlich, dass er zuklappte wie eine Auster, an die man zu fest getippt hatte. Gespräch beendet, dachte sie.

Sie reckte ihre Arme in die Höhe. Ein leises Knacken ertönte in ihrer Nackengegend. »So, und nun muss ich dringend in die Druckerei«, sagte sie. »Außerdem bekomme ich bloß wieder Hunger, wenn wir länger hier sitzen bleiben. Mein Magen knurrt, als hätte er heute noch nichts gehabt.«

Sie versuchten sich beide an einem Lachen.

An diesem Abend konnte Mimi lange nicht einschlafen. Es war nicht der Gedanke an Alexanders Abschied, der ihr zu schaffen machte. Sie hatten eine gute Zeit gehabt, dafür war sie dankbar. Und sie hatte das Gefühl, als wären Antons Freund und sie sich in den letzten Tagen so nahegekommen wie noch nie zuvor. Aber warum war Alexander so befangen, wenn es um seine Herkunft ging? Warum hatte er keinen Kontakt mehr zu seiner Familie? Warum hatte er kein einziges Mal nach Anton, seinem besten Freund gefragt? Wann immer sie etwas von ihm erzählte, hatte er zwar zugehört, sich aber nie dazu geäußert. Warum sprach er nie über Laichingen? Verband er wirklich nur schreckliche Erinnerungen wie die an den Selbstmord seines Vaters damit? Was war mit den guten Zeiten – hatte er die wirklich vergessen? Wenn sie allein an den Tag dachte, als sie in Onkel Josefs Fotoatelier die Aufnahmen der Schulabgänger gemacht hatte! Sie hatten so viel Spaß dabei gehabt… Allein, wie sich Christel, Antons damalige Freundin, mit den Requisiten herausgeputzt und sich wie ein Filmstar aufgeführt hatte! Sich im Bett von einer Seite auf die andere drehend, schmunzelte Mimi vor sich hin.

Und dann die solidarische Aktion damals, als Alexanders Besuch der Kunstschule auf der Kippe stand. Fast alle in Laichingen hatten irgendwie mitgeholfen, um Evelines Familie über Wasser zu halten, nur damit Alexander nicht in die Weberei musste, sondern nach Stuttgart gehen konnte. Hatte er auch das aus seiner Erinnerung gestrichen?

Je länger Mimi wach lag, desto mehr Fragen irrten durch ihren Kopf. Es war zwei Uhr morgens, als sie es nicht länger im Bett aushielt. Im Nachthemd tappte sie hinüber in ihr Büro, wo sie in einem riesigen Schrank ihre Sammlung früherer Fotografien und Glasplatten aufbewahrte. Sie musste nicht lange suchen, wusste genau, wo die Kiste mit den Laichinger Aufnahmen stand. Sie ging damit zurück ins Bett, wo sie im Schein ihrer Nachttischlampe die Fotos ansah.

Hier – die Atelieraufnahme von Alexanders Schwestern! Es waren so entzückende und brave kleine Mädchen gewesen. Und der Schnappschuss, den sie von Eveline in Onkel Josefs Garten gemacht hatte, als sie und ein paar Frauen ein spontanes Kaffeekränzchen abgehalten hatten. Was war das für ein schöner Tag gewesen! Mimi kramte weiter in der Kiste und fand die Aufnahmen von Alexander und seinen Kameraden beim Schulabschluss. Alle waren so aufgeregt gewesen…

Und dann die Konfirmations-Fotografien, die Herrmann Gehringers Missfallen erregt hatten: Vincent Klein mit einem Globus in der Hand. Fritz Braun, der sehnsüchtig auf eine Landkarte starrt. Ein Mädchen, das so gern Onkel Josefs Bollenhut aus dem Schwarzwald aufgesetzt hätte, sich aber nach dem Einspruch ihrer Mutter mit Mimis feiner Strickjacke zufriedengeben musste. Alexander, der völlig in sich versunken etwas malte…

Wunderbare Momente, festgehalten von ihrer Kamera. Einen Moment lang schloss Mimi die Augen, erfüllt von einer tiefen Dankbarkeit dafür, dass sie den schönsten aller Berufe ausüben durfte.

Im nächsten Moment kam ihr eine Idee. Was wäre, wenn sie eine Collage für Alexander anfertigte, bestehend aus Bildern seiner Familie und früherer Wegbegleiter? Vielleicht würde es ihm helfen, das dunkle Loch, das er anstelle seiner Vergangenheit im Herzen trug, zu füllen?

Für einen Augenblick starrte sie noch auf die Kiste mit den Fotografien, dann stand sie abrupt auf und zog sich in Windeseile an. Es war kurz nach zwei – um halb zehn ging Alexanders Zug, davor wollten sie ein letztes Mal zusammen frühstücken. Wenn sie die Collage noch fertig bekommen wollte, musste sie sich beeilen!

*

Mit zwiespältigen Gefühlen packte Alexander seinen Koffer. Einerseits tat es ihm leid, Antons Wohnung verlassen zu müssen. Er hatte sich wohlgefühlt in der hübschen, schlichten Einrichtung, die Anton für sich gewählt und die mit der Opulenz in Mylos Villa so gar nichts gemein hatte. Dazu keine Termine, keine Kunden, mit denen man parlieren musste, kein Gemälde, das bis zu einem bestimmten Zeitpunkt fertig werden musste. Dafür lange Spaziergänge, angenehme Gespräche mit Mimi und das Malen der kindlichen Adventskalendermotive – angesichts all dessen hatten er die zwei Wochen wie herausgelöst aus Zeit und Raum empfunden. Und Anton hatte er sich nach langer Zeit auch mal wieder nahegefühlt.

Andererseits freute er sich auf Stuttgart und darauf, endlich wieder an einer Leinwand stehen zu dürfen. Mimis Worte zur Freiheit eines Künstlers klangen noch immer in ihm nach. Bis zum Jahresende würde er kein einziges Schlachtengemälde mehr anfertigen, sondern sich diversen Studien von Bergen und Seenlandschaften widmen, hatte er beschlossen.

Auch auf Mylo freute er sich. Auf dessen feinsinnigen, teilweise spitzzüngigen Bemerkungen. Auf seinen Sinn für Situationskomik. Auf sein Lob ...

Einen tiefen Seufzer der Zufriedenheit ausstoßend, schloss Alexander seinen Koffer. Er schaute sich noch ein letztes Mal um, dann ging er hinaus in den Hof, wo Mimi, die ihn unbedingt zum Bahnhof begleiten wollte, schon auf ihn wartete.

»Hier, das ist für dich! Mein Dankeschön für deine großartige Hilfe«, sagte sie und drückte ihm einen größeren festen Umschlag in die Hand.

Alexander stellte seinen Koffer ab. »Das wäre nicht nötig gewesen. Ich freue mich, wenn dank der Kalender so viele Kinderaugen glänzen.«

»Ich kann es auch kaum erwarten, sie zu verteilen«, sagte Mimi lächelnd und nickte dann erwartungsvoll in Richtung des Umschlags. »Nun mach schon auf!«

Es war eine Fotografie. Sie hatte die Größe eines Buches. Und sie bestand aus mehreren einzelnen Porträts, die Mimi mühevoll und kunstvoll zugleich in der Dunkelkammer ineinander belichtet hatte. Da waren seine alten Klassenkameraden Vincent und Fritz. Da war Christel, die Mimi in die Mitte platziert hatte und die alles und jeden überstrahlte. Da war Anton. Und seine Schwestern.

Alexander schloss für einen kurzen Moment die Augen und versuchte, gegen den eigenartigen Schmerz in seiner Brust anzukämpfen. Er hätte nicht sagen können, was ihn beim Anblick der Fotocollage so schmerzte. War es schlicht Heimweh? Ein schlechtes Gewissen, weil er sich von seiner Vergangenheit so kompromisslos losgesagt hatte? War es Sehnsucht nach dem Vergangenen? Oder sah er in den unschuldigen Gesichtern von früher etwas, was er auf seinem Weg längst verloren hatte?

»Danke, sehr schön«, sagte er und steckte die Fotografie wieder in den Umschlag und diesen in seinen Koffer. Er sah Mimis Enttäuschung und spürte, wie Unmut in ihm aufstieg. Was erwartete sie von ihm? Dass er sich tausendmal bedankte? Dass er mit dem nächsten Zug nach Laichingen fuhr?

Noch bevor er etwas sagen konnte, ergriff sie seinen Arm und sagte sanft: »Lass uns gehen, wir sind spät dran. Der Zug wartet nicht.«

*

Besonders begeistert schien Alexander von der Fotografie nicht gewesen zu sein, dachte Mimi auf dem Heimweg. Und dafür hatte sie sich die halbe Nacht um die Ohren geschlagen!

Auch bei ihrer Ankunft zu Hause war das Gefühl der Enttäuschung noch nicht verflogen. Sei nicht kindisch, Mimi, rügte sie sich. Es war schließlich alles Geschmackssache.

Statt gleich in die Druckerei zu gehen, blieb sie zögerlich in der Mitte des Hofes stehen. Diese Woche hatten sie einen einzigen Auftrag zu erledigen – den Druck von Brot- und Kartoffelmarken, kein Hexenwerk für ihre Männer. Die Adventskalender hatte sie vor Kurzem mit Siegfried Hauser, ihrem treuesten Mitarbeiter, heimlich nachts gedruckt – sie hatte die anderen Männer nicht in Verlegenheit bringen wollen mit ihrem verbotenen Handeln. Den Familien, denen sie einen Kalender schenkte, würde sie sagen, dass sie sie noch aus Friedenszeiten »übrig hatte« – etwas anderes brauchte niemand zu wissen. Die Leute sollten sich unbeschwert freuen dürfen.

Mimi dachte noch kurz nach. Dann steuerte sie ihr Haus an und kam kurze Zeit später mit einer dick gefüllten Tasche wieder heraus.

Sie musste nur einmal klopfen, bevor Luitgard Authenrieth ihr öffnete. Bei Mimis Anblick erhellte sich die Miene der Witwe sogleich. »Frau Reventlow! Gibt's nun doch noch einen Handarbeitsabend vor Weihnachten?«

Mimi schüttelte lächelnd den Kopf. »Leider nein. Für dieses Jahr war es das. Corinne will morgen mit ihrer Herde zur Winterweide aufbrechen, und wir haben leider niemanden gefunden, der sie ersetzen kann …« Mimi schaute Luitgard Authenrieth bedeutungsvoll an. Keine der anderen Frauen im Dorf traute sich das Schlachten und Ausnehmen eines Schafes zu. Und erst recht nicht unter den besonderen Bedingungen …

»So was habe ich mir schon gedacht.« Die Witwe zuckte enttäuscht mit den Schultern. »Müssen wir halt von dem leben, was da ist.«

Mimi nickte. Am Ende des letzten Beisammenseins in der Spinnstube vorige Woche hatte Bernadette die doppelte Menge Lammfleisch an die Frauen verteilt, und Corinne hatte ihnen gezeigt, wie man das Fleisch mithilfe von Salz trocken reifen lassen konnte, sodass es sich über einen längeren Zeitraum hielt.

»Dafür habe ich etwas anderes für Sie – oder besser gesagt für Ihre Kinder.« Lächelnd zog Mimi einen Adventskalender aus der Tasche. »Bitte schön – ein vorgezogenes Weihnachtsgeschenk!«

»Ein Adventskalender?« Überrascht schaute Luitgard Authenrieth von Mimi zu dem Kalender mit den kindlichen Motiven.

»Du meine Güte, ist das schön… Jetzt haben wir vielleicht doch einen Grund, uns auf Weihnachten zu freuen«, sagte sie leise. »Meine Kinder werden sich riesig freuen. Tausend Dank!« Sie drückte mit ihrer freien Hand fest Mimis rechte.

»Der Kalender stammt noch aus einer Produktion vor dem Krieg. Es gibt nur ganz wenige davon. Deshalb wäre es am besten, wenn Sie ihn nicht allzu vielen Leuten zeigen«, log Mimi und schaute dabei so bedeutungsvoll drein wie zuvor.

Die Witwe drückte den Kalender an ihre Brust. »Keine Sorge! Den bekommt außer meinen Kleinen niemand zu sehen. Und wenn wir mal Besuch kriegen, hänge ich das Plakat mit den Durchhalteparolen davor!«

Mimi wollte sich schon verabschieden, doch Luitgard Authenrieth bat sie, noch einen Moment zu warten. Sie ging ins Haus, und als sie zurückkam, drückte sie Mimi eine kleine Papiertüte in die Hand. »Für Sie, liebe Frau Reventlow, das ist Trockenobst – Beeren, Pflaumen, Äpfel. Alles habe ich gesammelt und so getrocknet, wie die Französin es uns gezeigt hat. Viel ist es nicht, aber es kommt von Herzen.«

Gerührt und beschwingt zugleich ging Mimi weiter.

34. Kapitel

Münsingen auf der Schwäbischen Alb,
Mai 1917

Wenn Lutz Staigerwald etwas versprach, dann hielt er es auch. Seit er Bernadette im Sommer 1915 das Versprechen gegeben hatte, der hungernden Münsinger Bevölkerung zu helfen, lud der Kommandant die Leute hin und wieder ins Soldatenlager ein – ob zum Erntedankfest, zu Weihnachten oder zu einer kleinen Feier zu Frühjahrsbeginn. Bei schönem Wetter wurden auf den Grünflächen rund ums Offizierskasino Tische und Bänke aufgestellt, bei schlechtem Wetter bat der Kommandant seine Gäste in den holzgetäfelten Saal, in dem sonst seine Offiziere und er speisten. Immer sorgte Lutz dafür, dass die Gulaschkanone mit sättigendem Eintopf und reichlich Brot parat standen.

Im Mai 1917 war das Wetter gut. Nachdem es in der Woche zuvor viel geregnet hatte, war das Grün von Büschen, Gras und Bäumen regelrecht explodiert. Statt auf einem Exerzierplatz hatte man viel eher das Gefühl, in einem exotischen Urwald zu sein, dachte Bernadette, die zusammen mit Mimi ins Soldatenlager gekommen war und die wie alle anderen nun in der Schlange vor der Suppenausgabe anstand. Der Mai war immer ihr liebster Monat gewesen – die frohen Menschen wurden noch froher, und selbst die Griesgrame lächelten hin und wieder angesichts der übermütigen Natur. Doch die Zeiten hatten sich geändert. Bernadette verzog kurz das Gesicht, ehe es sich wieder glättete angesichts des verführerischen Geruchs nach Bohneneintopf mit Speck, der sogar den intensiven Duft der blühenden Esskastanien überlagerte. Um sich herum sah sie nur verkniffene Gesichter und verschlossene Mienen. Kaum jemand unterhielt sich, es wurden keine Scherze gemacht, alle stierten vor sich hin. Was war nur aus ihnen geworden? Vielleicht wäre es angebracht gewesen, dass sie als Bürgermeisterin ein paar Worte mit den vor ihr und hinter ihr Stehenden wechselte. Aber sie wollte sich heute nicht einmal mit Mimi unterhalten, so müde und ausgelaugt fühlte sie sich. Unauffällig zog sie ihren Rock hoch, der trotz Gürtels über die Hüften zu rutschen drohte.

Mimi und sie machten gerade einen Schritt nach vorn, als sie Lutz über den Rasen kommen sahen. Auch er wirkte müde, und Bernadette hatte den Eindruck, dass seine Schultern die perfekt geschnittene Uniform nicht mehr so gut ausfüllten wie sonst.

»Wollt ihr euch nicht gleich zu mir an den Tisch setzen? Ich lasse euch gern Essen bringen«, raunte Lutz ihnen zu, nachdem sie sich begrüßt hatten.

Bernadette schüttelte den Kopf. Das Anstehen war eine solidarische Geste, mehr nicht. Aber die ließ sie sich nicht nehmen. Stirnrunzelnd deutete sie auf die

Holzbaracken, die wie Pilze aus dem Boden rund ums Offizierskasino geschossen zu sein schienen. »Sind das Unterkünfte für die Kriegsgefangenen?«

Lutz Staigerwald nickte. »Ich weiß bald nicht mehr wohin mit den Männern, jedes Bett ist besetzt, teilweise schlafen sie auf Pritschen in den Gängen. Und dann der Verwaltungsaufwand – als ob wir nicht genug zu tun hätten mit allem anderen«, sagte er so leise, dass nur sie es hören konnte.

Bernadette zog die Brauen hoch. Es war das erste Mal, dass Lutz eine derartige Äußerung machte. Konnte es sein, dass ihm der nicht enden wollende Krieg allmählich auch nicht mehr ganz so glorreich vorkam? Tröstende oder aufmunternde Worte wollten ihr nicht einfallen, dafür legte sie eine Hand auf seinen rechten Arm und drückte ihn kurz in einer, wie sie hoffte, tröstenden Weise. »Auf dem Weg hierher haben Mimi und ich Dutzende neue Warnschilder gesehen. Ist inzwischen euer komplettes Gelände gesperrt? Das käme denkbar ungelegen – die Leute lechzen danach, auf den Wiesen und am Waldrand frisches Grün zu sammeln, Walderdbeeren und vielleicht auch ein wenig Waldmeister«, sagte sie dann.

»Tut mir leid, aber dafür müsst ihr euch andere Flächen suchen. Wir testen derzeit neue Waffen – Flammenwerfer, Maschinengewehre, Gasgranaten – in Bezug auf Reichweite und Grad der Zerstörung. Ich kann es einfach nicht verantworten, dass Pilzsammler und andere Leute sich in Gefahr begeben.«

»Neue Waffen – Grad der Zerstörung!«, spie Mimi aus. »Reicht es nicht, dass inzwischen schon Millionen von Menschen getötet worden sind? Soll der Krieg noch ewig weitergehen? Geht es nur noch darum, wer die schrecklichsten Waffen erfindet?«

»Mimi...«, sagte Bernadette mahnend. Lutz konnte nun wirklich nichts für all das Grauen.

Anstatt auf Mimis Bemerkung einzugehen, zog der Kommandant einen zusammengefalteten Papierbogen aus der Tasche. »Ich habe einen neuen Auftrag für dich. Ein Merkblatt für Soldaten auf Heimaturlaub. Die Druckvorlage liegt in meinem Büro bereit.«

Mit welch spitzen Fingern Mimi das Blatt entgegennahm, dachte Bernadette. Als handelte es sich um etwas Unappetitliches – dabei sollte sie doch froh sein, überhaupt Aufträge von Lutz zu bekommen!

»›Sei kein Sauertopf und nicht griesgrämig. Sei kein Maulheld und erdichte keine Heldentaten. Erzähle keine Schauergeschichten und übertreibe die Gefahren nicht. Deutsch sein heißt, seine Pflicht tun drinnen und draußen‹«, las Mimi vor. Sie schaute auf. »Das ist nicht euer Ernst, oder?«, sagte sie ungläubig. »Jetzt macht ihr den armen Burschen schon Vorschriften darüber, was sie beim Heimaturlaub sagen dürfen und was nicht? Und überhaupt, warum hatte Anton eigentlich nie Heimaturlaub?«

»Das kann ich dir auch nicht sagen.« Lutz riss ihr das Blatt aus der Hand. »Wenn du keine Lust hast, den Auftrag zu erledigen, dann sag es einfach. *Ich* habe jedenfalls keine Lust, jedes Mal mit dir über den Inhalt von Merkblättern, Plakaten oder sonstigen Druckwaren zu diskutieren!«, erwiderte er in ungewohnt scharfem Ton. Sogleich fuhren ein paar Augenpaare zu ihnen herum.

Bernadette stöhnte innerlich auf. So ging es schon die ganze Woche – wohin sie kam, wen sie auch traf, überall war die Stimmung so aufgeheizt wie kurz vor einem Gewitter.

»Lust?«, erwiderte Mimi aufbrausend. »Die Frage ist doch wohl eher, mit wessen Hilfe ich das drucken soll! Erst letzte Woche wurden auch noch meine zwei Lehrlinge eingezogen. Meine Mannschaft besteht nur noch aus drei alten Ruheständlern, von denen der eine schlecht sieht, der zweite es im Rücken hat und der dritte mehr trinkt, als ihm guttut!«

Lutz hatte den Mund schon zu einer Entgegnung geöffnet, als Bernadette erneut eine Hand auf seinen Arm legte.

»Schluss jetzt!«, sagte sie leise, aber bestimmt. »Unser aller Nerven liegen blank, wenn wir jetzt noch mit Streiten anfangen, dann gute Nacht!«, Wage es nicht zu widersprechen, sagte der Blick, den sie Mimi zuwarf.

»Was deinen Arbeitermangel angeht, da könnte ich Abhilfe schaffen. Du kannst ein paar Kriegsgefangene beschäftigen«, knurrte Lutz in Mimis Richtung. »Den Männern ist eh langweilig, sie wären für eine sichere Arbeit bestimmt dankbar.«

Ein Friedensangebot. Bernadette atmete auf und drückte eine Hand auf ihren vor Hunger schmerzenden Bauch. Doch die Warteschlange und der Krieg würden – wie alles im Leben – irgendwann ein Ende haben, oder?

»Danke nein«, erwiderte Mimi pikiert und schnippte einen Käfer von ihrer Schulter. »Das Druckerhandwerk muss von der Pike auf gelernt sein, an die Maschinen kann ich nicht irgendjemanden stellen. Außerdem …« Sie runzelte die Stirn, als überlegte sie, ob sie überhaupt noch etwas sagen sollte. »Ich fürchte mich ein wenig vor den Männern. Sie schauen einen auf so seltsame Art an – feindselig und lüstern zugleich. Erst vor ein paar Tagen sind mir ein paar Franzosen auf der Straße begegnet.« Sie wies in Richtung der provisorisch errichteten Barracken. »Einer von ihnen hat mich am Arm gepackt und mir wer weiß was für Schimpfwörter ins Gesicht geschleudert.«

Lutz gab einem vorbeilaufenden Soldaten ein Handzeichen, das Bernadette nicht deuten konnte, dann sagte er zu Mimi: »Warum hast du den Vorfall nicht gemeldet?«

Die Fotografin winkte ab. »Ich konnte mich zur Wehr setzen, keine Sorge! Dass die Kriegsgefangenen sauer sind, ist ja auch kein Wunder, schließlich haben wir Deutschen den Krieg begonnen und sie in diese Situation hier gebracht.«

Bernadette räusperte sich. »Also, ich könnte ein paar Männer gut brauchen. Bei uns ist gerade Schurzeit – Corinne und die anderen Schererinnen wissen nicht mehr ein noch aus vor lauter Arbeit. Auf dem Acker hätten wir längst die Kartoffeln stecken müssen, und in ein paar Wochen muss das erste Heu gemacht werden …« Ihre Stimme brach fast bei den letzten Worten. Sich am Riemen reißend, sagte sie: »Ein Dutzend kräftige Männer wären mir also eine große Hilfe.«

Lutz, der ihren schwachen Moment zu spüren schien, sagte: »Ich lasse dir ein paar Männer schicken, einverstanden?«

Bernadette nickte dankbar.

»Sag uns lieber, wie lange der ganze Mist noch dauert«, forderte Mimi in aufsässigem Ton. »Halb Frankreich liegt in Schutt und Asche, in Russland ist eine Revolution ausgebrochen – können wir nun endlich bald mit einem Ende des Krieges rechnen?«

Ob es in Ordnung war, wenn sie zwei Stücke Brot nahm?, fragte sich derweil Bernadette, die dem Koch hinter der Gulaschkanone andeutete, ihr einen weiteren Schöpflöffel voll in den Teller zu geben.

Lutz zuckte unverbindlich mit den Schultern. Dies hier war weder der Ort noch die Zeit für ein solches Gespräch, las Bernadette aus dieser Geste. Mimi jedoch war weiterhin streitlustig.

»Und warum ist bis heute niemand auf die Friedensrede des amerikanischen Präsidenten im Januar eingegangen? Sein Gedanke von einem Verhandlungsfrieden anstelle eines Beutefriedens ist doch der einzig gangbare Weg, findest du nicht?«

Lutz hob die Brauen. »Glaubst du wirklich, wir Europäer benötigen den amerikanischen Präsidenten, damit er uns sagt, wie wir vorzugehen haben? Die Aussicht auf Frieden wäre größer gewesen, hätte Amerika sich nicht auch noch eingemischt! Dennoch bin ich mir sicher, dass sich unsere Feinde sich bald ergeben werden – die Oberste Heeresleitung mit Ludendorf und Hindenburg wird dafür sorgen.«

Der Feind würde sich bald ergeben? Bernadette hätte vor Wut und Frust laut schreien wollen. Sie konnte diese ganzen sinnlosen Parolen nicht mehr hören. Niemand wusste, wie lange der Krieg noch dauern würde.

Das Einzige, was ihnen blieb, war, stark zu sein, und wenn es sie das Letzte kostete!

Sie drehte sich zu Lutz um und sagte: »Lutz, wo ist dein Tisch? Der Eintopf duftet köstlich, ich kann es kaum erwarten, ihn zu essen.«

*

Mai 1917, an der Westfront

Lutz meinte neulich, das Kriegsende sei nah. Lieber Anton, wie gern würde ich glauben, dass alles bald vorbei ist! Aber mein eigener Gradmesser – mein Bauchgefühl – ist verloren gegangen. Ich kann noch so viel Zeitung lesen, aber ich kann keine Schlüsse mehr aus dem Gelesenen ziehen. Ich kann fotografieren, was ich sehe, aber ich vermag es nicht mehr einzuordnen. Ich lese die Briefe von Josefine und meiner Mutter und verstehe nichts. Was hat es zum Beispiel zu bedeuten, dass Vater nun als Privatperson kein Blatt mehr vor den Mund nimmt? Im vierhundertsten Jubiläumsjahr der Reformation sollte allen Geistlichen daran gelegen sein, die Christen zu vereinen und sie nicht in einem Krieg gegeneinander aufzubringen, hat er in einem Leserbrief in der Esslinger Zeitung geschrieben. Und die Zeitung hat dies auch noch gedruckt! Mutter ist stolz auf ihn. Ich aber frage mich: Bringt er sich damit in Gefahr? Hilft er den Menschen? Anton, ich weiß es nicht. Ich weiß gar nichts mehr …

Anton schaute von Mimis Brief auf das Chaos um sich herum. Das Gefühl, das sie beschrieb, kannte er auch.

Anton, ich vermisse dich so sehr! Ich vermisse auch Josefine und Adrian, ich vermisse die schöne Zeit, die wir zusammen in Berlin hatten. Weißt du noch, wie wir mit den Rädern die Spree entlanggefahren sind, als hätten wir keine Sorge der Welt? Was, wenn wir untergehen, bevor der Krieg zu Ende ist? Was, wenn ich es in unserem kleinen Ort einfach nicht mehr aushalte?

Was hieß denn »wenn ich es nicht mehr aushalte«? Die Frage stellte sich doch gar nicht – sie alle mussten aushalten! Anton faltete den Brief ungehalten zusammen. Den Rest würde er später lesen, nun musste er seine Siebensachen packen, denn morgen in der Früh wurden das hiesige Bataillon und das Feldlazarett verlegt. Irgendwohin in den Norden, so hieß es zumindest. Anton war es egal, wohin er kam. Außer Therese hielt ihn hier nichts. Und die überlegte gerade, nach Paris überzusiedeln.

Seit dem Ende des Winters arbeitete Anton nicht mehr als Sanitäter, sondern als Fahrer. Während der letzten schweren Gefechte hatte es etliche der bisherigen Fahrer erwischt. Als die Offiziere mitbekommen hatten, dass Anton nicht nur Automobile fahren konnte, sondern auch über so viel technischen Verstand verfügte, dass er kleinere Reparaturen selbst durchzuführen vermochte, war seine Versetzung schnell beschlossene Sache gewesen.

Und so fuhr Anton nun mit seinem Sanitätskraftwagen zwischen der Front und den verschiedenen Feldlazaretten hin und her. Unter Einsatz seines Lebens rettete er während der Gefechte, die in diesem Frühjahr stattfanden, so viele Verletzte wie nur möglich. Wobei »retten« vielleicht nicht mehr der richtige Ausdruck war, dachte Anton oft. Denn wer nicht gleich im Kugelhagel sein Leben ließ, starb oft kurze Zeit später im Lazarett. Mit jedem Tag, an dem es wärmer wurde, wurden die hygienischen Zustände katastrophaler. Im Schützengraben grassierte das Fleckfieber, Magen-Darm-Erkrankungen waren an der Tagesordnung und erwischten auch die Angehörigen des Sanitätskorps regelmäßig. Inzwischen hatten auch die reinlichsten Männer ihre Körperpflege aufgegeben. Was nutzte eine Rasur oder Katzenwäsche, wenn alles, was man am Leib trug, seit Wochen durchtränkt war von Schweiß, Staub und Blut?

Nicht nur äußerlich waren die Männer verroht – dasselbe traf auch auf ihre Seelen zu. Die meisten kannten nur noch ein Thema: Weiber! Wer hatte wann welchen Kontakt mit einer Frau gehabt? Wo konnte man die nächste Prostituierte treffen? Und wie wurde man wieder den Tripper los, unter dem Soldaten wie Offiziere gleichermaßen litten?

Anton beteiligte sich an solchen Gesprächen grundsätzlich nicht. In jenen freien Minuten, die er nicht bei Theresa verbringen konnte, verkroch er sich in seiner provisorisch eingerichteten Werkstatt und fertigte Krücken an. Auch an einer Art Handprothese hatte er sich schon versucht, doch der Versuch, sie schließlich am Armstumpf eines Kameraden zu befestigen, war kläglich gescheitert.

Aus militärischer Sicht machten sie keinen Boden gut. Jede Offensive, die das deutsche Heer unternahm, wurde mit einer Gegenoffensive beantwortet, seit Ewigkeiten ging es hin und her. Anton war schleierhaft, wie der Krieg jemals von einer Seite entschieden werden sollte. Vielleicht würde es im Norden Frankreichs besser für sie laufen?

Anders sah es an der Ostfront aus. Es hieß, dass der Krieg dort längst gewonnen sei. Aber wem half das, solange es im Westen nichts Neues gab?

Ostfront – Westfront! Darüber redete und schrieb man ständig, aber was war mit der sogenannten Heimatfront?, dachte Anton wütend. Wenn er Mimis letzten Brief richtig las, war sie kurz vor dem Zusammenbruch. Hatten schon starke Frauen wie sie keine Kraft mehr zum Weitermachen, dann hieß das nichts anderes, als dass auch die dritte Front verloren war.

»Das war's dann wohl…« Traurig strich Anton Theresa über die Wange. »Ich habe meinen Marschbefehl bekommen, morgen früh geht es in Richtung Norden.«

»Bon voyage!« flüsterte Theresa und hielt seine Hand fest, drückte sie an ihre Wange. »Zu einer anderen Zeit, in einem anderen Leben – wer weiß, was aus uns geworden wäre…« In ihren großen Augen lag eine unsagbare Zärtlichkeit, und Anton fragte sich, wie er ab morgen ohne Theresa auskommen sollte. »Gibt es überhaupt eine andere Zeit als das Hier und Jetzt?«, fragte er. »Ist das Gestern nicht nur eine Einbildung? Das Morgen eine Illusion?« Er nahm ihre Hände in die seinen, und so alltäglich die Berührung war, es lag doch eine große Intimität darin. Einen Moment noch zauderte Anton, dann zog er Theresa zu sich heran. Die Heftigkeit, mit

der sich ihre Münder fanden, erschreckte ihn. Hatten sie beide so lange von diesem Augenblick geträumt? Ihre Lippen waren weicher und fordernder, als er sie sich vorgestellt hatte. Seine Zunge glitt in ihren Mund, die feuchte Süße ließ ihn aufstöhnen. Er spürte, wie auch Theresa erschauerte. Im nächsten Moment löste sie sich aus seiner Umarmung. »Komm!«, sagte sie rau und führte ihn in ihr kleines Schlafzimmer.

35. Kapitel

»Wir haben nichts mehr, gar nichts! Keine Schulhefte, keine Blöcke, kein Papier! Und ich weiß auch nicht, woher ich noch etwas bekommen soll. Frau Furtwängler, bitte, Sie müssen mir helfen!« Händeringend beendete die Lehrerin der Münsinger Grundschule ihre Litanei.

Wie zusammengesunken Bernadette hinter ihrem Schreibtisch saß, dachte Mimi, die im Türrahmen stand und wartete, bis die Freundin Zeit für die hatte. Wie eine alte Frau. Schon vor ein paar Tagen bei der Feier im Soldatenlager hatte Bernadette ihr nicht gefallen. Die fahle Gesichtshaut, die dunklen Schatten unter den Augen, die rissigen Lippen …

Natürlich sah derzeit niemand aus wie das blühende Leben. An manchen Tagen erschrak sie, Mimi, beim Blick in den Spiegel geradezu. Aber Bernadette wirkte momentan ungewöhnlich erschöpft. Sogar ihre Stimme war brüchig geworden, nichts von der ehemaligen Schärfe lag mehr darin.

»Haben Sie nicht den Sparappell gelesen, den die Oberschulbehörde vor Kurzem an alle Schulen gerichtet hat?«, fragte sie jetzt, zog ein Blatt aus der linken

Schublade ihres Schreibtisches und las vor: »»In der Vorschule möglichst weitgehender Gebrauch der Schiefertafel, ansonsten nur Hefte mit einfachen Linien, wobei die Zahl der Hefte aufs Äußerste zu beschränken ist – also am besten gar keine Hefte verwenden!«

Die Lehrerin, eine große Frau Mitte dreißig, schaute Bernadette unmutig an. »Im Unterricht lasse ich die Kinder natürlich auf die Tafeln schreiben. Aber für manche Aufgaben benötigen sie eben doch einen Bogen Papier – Sparappell hin oder her. Davon abgesehen, der Mangel an Unterrichtsmaterial ist nur eins von vielen Problemen. Viel schlimmer finde ich, dass die Kinder so häufig in der Schule fehlen, weil sie auf den Äckern und Feldern mithelfen müssen. Oder bei Ihnen bei der Schafschur! Und dass die Klassen jetzt fast siebzig Schüler haben, weil unsere männlichen Kollegen im Krieg sind, ist auch nicht gerade hilfreich. Und dann ...«

Bernadette hob gebieterisch eine Hand. »Es reicht, Fräulein Müller! Dass es derzeit für niemanden von uns leicht ist, weiß ich. Aber Sie sind doch eine starke Frau! Sie schaffen das ...« Noch während sie sprach, musste Bernadette hinter ihrer Hand ein Gähnen verstecken.

Fräulein Müller stutzte. »Langweile ich Sie etwa?«, sagte sie spitz.

Bernadette hatte den Mund schon zu einer Erwiderung geöffnet, als Mimi einen Schritt in den Raum hineintat.

»Verzeihung, wenn ich mich einmische. Aber vielleicht kann ich aushelfen? Ich habe in der Druckerei einen Stapel Papier, dessen einer Rand so ausgefranst ist, dass ich damit meine Maschinen nicht bestücken kann. Es sind große Bogen. Wenn Sie die auseinanderschneiden ...«

Hochzufrieden und gegenüber Mimi ein halbes Dutzend Dankesbekundungen aussprechend, ging die Lehrerin davon, nicht ohne Bernadette zuvor noch einen vernichtenden Blick zugeworfen zu haben.

»Danke«, sagte Bernadette, als die Frau gegangen war.

Mimi schaute sie wütend an. »Jetzt weiß ich wenigstens, wann dieser verdammte Krieg vorbei ist – nämlich dann, wenn auch der Kaiser eine Kreidetafel benutzen muss, um seine Marschbefehle daraufzuschreiben!«

»Oder auch erst dann, wenn das letzte Fremdwort aus unserem Sprachgebrauch ausgemerzt ist«, antwortete Bernadette bitter. Auf Mimis fragenden Blick hin zeigte sie auf ein dicht beschriebenes Formular auf ihrem Schreibtisch. »Das hier ist eine neue Verfügung. Wir in der Verwaltung sind angehalten, fortan nur noch deutsche Begriffe zu verwenden und entbehrliche Fremdwörter zu vermeiden. Also darf ich zukünftig nicht mehr Fiskus sagen, sondern Staatskasse. Und statt das Wort Desinfektion in den Mund zu nehmen, muss ich Entseuchen sagen. Lutz darf seine Kasernen für die Kriegsgefangenen nicht mehr provisorisch nennen, sondern vorläufig! Und kauf bloß nie mehr eine Zeitung an einem Kiosk. Der heißt ab jetzt nämlich Häuschen!«

Mimi schaute ihre Freundin ungläubig an. »Du veräppelst mich, oder?«

Bernadette schüttelte den Kopf.

Beide Frauen schwiegen für einen Moment, dann prusteten sie vor Lachen los.

Lachen, um nicht zu weinen, dachte Mimi. »Wie geht's dir?«, fragte sie sanft, nachdem sie sich wieder beruhigt hatten.

»Es ging mir schon mal besser«, sagte Bernadette ungewohnt offen. »Doktor Martin sagt, meine ständige Müdigkeit komme daher, dass ich an Blutarmut leide.« Sie zuckte mit den Schultern. »Ich soll viel eisenhaltige Lebensmittel essen – Rote Beete, Maronen, Blutwurst und Leber. Woher ich Rote Beete und Maronen oder gar eine schöne Blutwurst bekommen soll, hat er nicht gesagt. Bleibt die Leber übrig. Aber wenn ich Schafleber auch nur sehe, muss ich mich übergeben.«

Mimi spürte, wie ihr Magen schon zu knurren begann, wenn sie nur vom Essen sprachen. Eine feine Schafleber, gebraten mit ein paar Zwiebeln – dagegen hätte sie nichts einzuwenden gehabt. »Corinne hat mir im letzten Sommer eine Pflanze gezeigt, sie wächst auf den kargen Böden der Alb. Eisenkraut heißt sie. Vielleicht kommt der Name daher, dass Eisen darin enthalten ist? Am besten fragst du sie mal.«

Bernadette nickte, dann stand sie seufzend auf. »Wenn ich mal Zeit habe. Jetzt muss ich raus auf den Acker. Lutz hat mir gestern ein paar Männer fürs Kartoffelsetzen geschickt – Franzosen. Corinne hat ihnen genau erklärt, was sie tun sollen. Dennoch ist mir wohler, wenn ich selbst kurz nachschaue, ob alles in Ordnung ist.«

Mimi überlegte kurz. In der Druckerei gab es heute nichts zu tun. Das Wetter war schön. Und vielleicht war es ganz gut, wenn Bernadette sich ein wenig auf ihren Arm stützen konnte.

»Ich begleite dich!«

Der Kartoffelacker lag nur zehn Gehminuten vom Ort entfernt. Schon von Weitem sahen Mimi und Bernadette eine kleine Gruppe Männer, die Zigaretten rauchend eine Flasche Schnaps kreisen ließen.

Woher hatten die Männer Alkohol und Zigaretten?, fragte sich Mimi. Einer der Männer war derjenige, der sie neulich beschimpft und am Arm gepackt hatte, erkannte sie beim Näherkommen.

»Das sieht aber nicht nach Arbeit aus!«, raunte Bernadette skeptisch.

Mimi zeigte auf den riesigen Acker mit den aufgehäufelten Reihen. »Vielleicht sind sie schon fertig.« Sie hakte Bernadette bei sich unter, gemeinsam traten sie zu den Männern.

»Bonjour«, sagte Bernadette zu der Gruppe. *»Fini?«*

»Oui, Madame, fini!«, erwiderte einer. Von den anderen ertönte ein schmutziges Lachen.

»Ich trau denen nicht«, sagte Mimi leise.

»Ich auch nicht!« Bernadette löste sich von Mimis Arm und trat zwischen zwei Reihen, wo sie mit den Händen in der aufgehäufelten Erde zu buddeln begann. Statt einer Setzkartoffel beförderte sie lauter kleine zerhackte Kartoffelbröckchen zutage. Einen Schrei ausstoßend, wühlte sie mit ihrer Hand dreißig Zentimeter weiter erneut in den Boden.

Mimi, die am Rand stand, traute ihren Augen kaum. Wo Bernadette auch wühlte – überall kamen nur zerhackte Kartoffeln zutage, die nicht mehr keimfähig waren. »Ich fasse es nicht! Das ist Sabotage!«, schrie sie und baute sich vor den Männern auf, die sich köstlich zu amüsieren schienen. »Was habt ihr bloß gemacht?«

»A votre santé!«, sagte einer der Männer und hob die Schnapsflasche in die Höhe. Bevor er sie an seinen Mund setzte, leckte er lüstern über seine Lippen und schaute Mimi dabei an.

»Ihr Schweine! Von der Ernte hier hätten sehr viele Menschen satt werden sollen!«, schrie Mimi. Es hätte nicht viel gefehlt, und sie wäre mit den bloßen Fäusten auf die Männer losgegangen! Jetzt war der Krieg also auch hier angekommen...

Am ganzen Leib bebend, ging sie zu Bernadette, die noch immer am Boden kniete und hemmungslos weinte. Mimi wusste nicht, was sie mehr erschreckte – die Boshaftigkeit des Sabotageaktes und der dadurch angerichtete Schaden. Oder die Tatsache, dass die Schafbaronin derartig am Ende war. All ihre Kräfte mobilisierend, zog sie Bernadette hoch. »Komm! Das melden wir Lutz, und zwar sofort!«

Mimi schickte einen ihrer Drucker mit dem Fahrrad zum Truppenübungsplatz. Einen anderen wies sie an, am Bürgermeisteramt einen Zettel anzubringen, auf dem stand, dass das Amt vorübergehend nicht besetzt war. Sie selbst begleitete Bernadette nach Hause.

Corinne, die in einer der Scheunen auf Bernadettes Hof mit der Schafschur beschäftigt war, kam sofort angelaufen und wollte erschrocken wissen, was los war. »Später«, raunte Mimi ihr zu, dann brachten sie Bernadette gemeinsam ins Haus und ins Bett. »Jetzt ruh dich erst mal ein bisschen aus. Alles wird wieder gut«, murmelte Mimi und schämte sich, dass ihr nicht mehr einfiel als abgedroschene Worthülsen.

Auf der Bettkante sitzend, starrte Bernadette auf ihre nackten Füße. »Ich will nicht mehr. Und ich kann auch nicht mehr. Mir macht nicht nur die Blutarmut zu schaffen – es ist einfach alles zu viel. Wohin ich schaue – nur Probleme!« Schon schluchzte sie wieder los. Sie schaute Mimi an. »Ich reiße mir täglich zehn Arme und Beine aus, aber ich höre immer nur noch mehr Gejammer und Klagen, als ob ich persönlich für diesen ganzen Mist verantwortlich wäre! Und was die Kartoffeln angeht – das war mein kompletter Vorrat an Setzkartoffeln! Wovon sollen wir denn jetzt im kommenden Winter leben? Ich habe doch inzwischen so viele Mäuler zu stopfen, helfe hier aus und da…« Sie schluchzte auf. »Mimi, ich habe keine Kraft mehr. Wenn ich nur sterben könnte!« Mit diesen Worten zog sie sich die Decke über den Kopf.

Mimi blieb noch einen Moment lang ratlos am Bett der Freundin sitzen. Dann ging sie seufzend in die wie immer nach Schaf riechende Küche, kochte Tee und schmierte Margarinebrote. Sie war gerade dabei, alles auf ein Tablett zu stellen, als es an der Tür klopfte.

Es war Lutz Staigerwald höchstpersönlich, der Mimi mitteilte, dass die Männer festgenommen worden seien. Außerdem waren Haftbefehle wegen Kriegsverrat erlassen worden.

Statt zu fragen, was das bedeutete, nickte Mimi nur.

»Kann ich irgendwie helfen?«, fragte Lutz und schaute über Mimis Schulter hinweg ins Hausinnere.

»Ich weiß nicht«, sagte Mimi leise. »So elend habe ich Bernadette noch nie erlebt. Sie ist nicht nur körperlich erschöpft, sondern auch seelisch. Ich glaube, der Sabotageakt war nur der Tropfen, der das Fass zum Überlaufen gebracht hat. Sie muss unbedingt ein bisschen zur Ruhe kommen. Ich bleibe heute Nacht bei ihr.« Dass sie Angst hatte, die Freundin könne sich womöglich etwas antun, behielt sie für sich.

Lutz zögerte einen Augenblick, dann versprach er, gleich am nächsten Morgen wiederzukommen. Er wollte Mimi die Hand reichen, doch statt sie zu ergreifen, schaute sie über seine Schulter hinweg in Richtung Hofeingang, wo eine Gruppe Personen direkt auf Bernadettes Haus zusteuerte.

»Was hat das zu bedeuten?«, fragte Mimi. »Können die nicht lesen? Ich habe doch extra ein Schild ans Bürgermeisteramt hängen lassen, dass Bernadette derzeit nicht zu erreichen ist!« Mimi spürte, wie sich in ihr Stacheln aufstellten. Die Menschen schienen gar keine Hemmschwelle mehr zu haben, wenn sie Bernadette schon zu Hause mit ihren Klagen belästigen wollten.

»Keine Sorge, die sind wir gleich wieder los«, raunte Lutz.

Als die Gruppe näher kam, erkannte Mimi, dass es fast alles Frauen von den Handarbeitsabenden waren – Luitgard Authenrieth, Karla Wiedekind, Sieglinde Maier… Frauen, denen Bernadette im Laufe der Jahre immer wieder geholfen hatte. Undank ist der Welten Lohn, dachte Mimi bitter. Sie hatte den Mund schon zu einer garstigen Bemerkung geöffnet, als Lutz kühl sagte: »Meine Damen, darf ich Sie bitten, wieder zu gehen? Bürgermeisterin Furtwängler ist heute nicht zu sprechen.«

Luitgard Authenrieth schaute den obersten Kommandanten des Soldatenlagers eingeschüchtert an, dann wandte sie sich an Mimi. »Wir haben gehört, was passiert ist. Frau Reventlow, wären Sie so freundlich und würden der Bürgermeisterin das hier übergeben?« Sie reichte Mimi einen Korb, den sie unter ihrem linken Arm getragen hatte.

»Ich habe auch noch was«, sagte Sieglinde Maier.

»Und ich!«

»Und das hier ist von den Frauen aus meiner Straße!«

Ehe Mimi sichs versah, stellten die Frauen ein Dutzend Körbe und Eimer vor ihr ab. Alle waren mehr oder weniger mit Setzkartoffeln gefüllt.

Mimi spürte, wie sich ein Kloß in ihrem Hals bildete.

»Unsere Bürgermeisterin ist stets für uns da. Wann immer jemand in Not ist, hilft sie großzügig und meist aus eigener Tasche. Nun können wir ihr endlich einmal etwas zurückgeben«, erklärte Luitgard Authenrieth. »Wir sind eilig von Haus zu Haus gelaufen und haben gesammelt. Richten Sie Bernadette bitte aus, dass wir für sie da sind, wenn sie uns braucht. Sie ist eine tolle Frau, und wir sind dankbar, sie als Bürgermeisterin zu haben!«

Mit singendem Herzen ging Mimi, nachdem Lutz Staigerwald sich verabschiedet hatte, zu Bernadette und gab alles Wort für Wort wieder.

»Das hat Luitgard wirklich gesagt?« Bernadette schaute Mimi ungläubig an.

Mimi nickte triumphierend. »Da sieht man mal wieder – wo Schatten ist, ist auch Licht. Ich finde diese Solidarität einfach grandios! Und wo wir gerade dabei sind – Setzkartoffeln habe ich nicht, aber ich helfe selbstverständlich gern dabei, deinen neuen Vorrat in die Erde zu bringen.«

»Aber … ich …«

»Kein Aber! Die Menschen lieben und verehren dich«, erwiderte Mimi bestimmt. »Sie könnten sich keine bessere Bürgermeisterin vorstellen als dich, haben die Frauen gesagt.«

Noch immer ein wenig ungläubig schaute Bernadette Mimi an.

»All die Jahre habe ich mir gewünscht, dass die Leute mich so nehmen, wie ich bin«, sagte sie mit belegter Stimme. »Und nun hat es den Anschein, als würden sie das schon länger tun. Es musste wohl erst dieser eklige Sabotageakt geschehen, damit ich das erkenne.« Sie schluckte. »Aber so lieb das alles gemeint ist – ich kann es nicht annehmen. Mimi, die Leute haben doch selbst nichts zu essen.«

Mimi glaubte, nicht richtig zu hören. Sie ergriff Bernadettes Hände und drückte sie fest. »Und ob du das kannst! Du bist eine Kämpferin, das wissen wir alle. Aber lass jetzt bitte einmal andere für dich kämpfen. Du bist stark, aber jetzt ist es an der Zeit, dass du dir einmal erlaubst, schwach zu sein. Und wenn es nur für diesen einen Moment ist.«

Bernadette heulte erneut los.

36. Kapitel

Lothringen, November 1918

Der Boden war gefroren. Die eisigen Stacheln des alten Grases verursachten bei jedem Schritt, den die Heimkehrer machten, ein knirschendes Geräusch. Der Himmel war grau, kein Blatt hing mehr an den Bäumen. Vielleicht schien irgendwo in den Vogesen oder im Hochschwarzwald die Sonne – hierher ins Flachland hatte sie es seit Tagen nicht mehr geschafft.

Für Anton hätte es auch Mitte November 1930 sein können. Oder ein November im Jahr 2020. Oder sonst ein November in sonst einem Jahr. Während er mit einer Gruppe Heimkehrer von Metz aus zum nächstgelegenen Bahnhof marschierte – in Metz selbst war wegen eines größeren technischen Defekts kein Wegkommen gewesen –, kam ihm alles unwirklich vor. Aber es war nicht die typische Stimmung eines grau verhangenen Novembertags, die Anton so zu schaffen machte.

Das hier war eine surreale Kraterlandschaft, aber nie und nimmer die Gegend, durch die sie einst gen Frankreich marschiert waren, dachte er entsetzt. Damals hatten Bauern Äcker gepflügt, Pferdefuhrwerke hatten aus den Wäldern Holz für den Winter herbeigefahren, Frauen hatten am Straßenrand Himbeeren und süße Pfirsiche feilgeboten. Anton erinnerte sich noch genau daran, dass Lothringen ihm nach der kargen Schwäbischen Alb wie ein Garten Eden vorgekommen war. Doch wo einst Leben und Fruchtbarkeit gewesen waren, schaute er nun auf Ödnis und Verfall. Häuser waren abgebrannt, Dächer eingefallen, Bauernhöfe verlassen. Bis auf ein paar müde Klepper unter den Satteln einiger Soldaten sah er nirgendwo ein Pferd. Kein Hofhund bellte, wenn sie an einem ehemaligen Gehöft vorbeikamen. Keine Schweine suhlten sich in den Pferchen. Kein Gänserich kam aus einem Hof geschossen, um vermeintliche Eindringlinge zu vertreiben. Und draußen, vor den Dörfern, durch die sie liefen, waren die Äcker nicht nach der Ernte umgepflügt, sondern lagen brach.

Alles kaputt, dachte Anton immer wieder, während sich ein paar der Kameraden – die meisten kannte er nicht – dröhnend darüber unterhielten, dass der Zusammenbruch, der zum Ende des Krieges geführt hatte, *hinter* der Front in den Stabszentralen der Berliner Generäle stattgefunden hatte und nicht bei ihnen, an der Heldenfront! Niemals bei ihnen – *sie* hätten noch lange ausgeharrt, so viel stand für die Männer fest. Und dass die Franzosen vor ihnen schlappgemacht hätten, auch darin waren sich die geschlagenen Heimkehrer einig.

Seid ihr alle vollends verrückt geworden?, wollte Anton ihnen zurufen. Wir alle sind der Zusammenbruch, jeder Einzelne von uns! Von den wahnsinnigen Schlachten im vergangenen Frühjahr hatten sie sich bis heute nicht mehr erholt. Jeder Einzelne war erschöpft bis auf die Knochen, abgemagert, ausgehungert und teilweise so schwach, dass er kaum mehr laufen konnte. Sie marschierten nicht – sie schleppten sich in die Heimat zurück. Und was das Ausharren an der Front anging – als sie ihre Stellung vor ein paar Tagen aufgegeben hatten, war das Versorgungslager des Lazaretts bis auf ein paar verhungerte Mäuse leer gewesen, Reserven oder Nachschub aus der Heimat hatten sie seit Ewigkeiten nicht mehr gesehen. Anton bezweifelte, dass es anderswo besser ausgesehen hatte. Es ist vorbei, Männer!, hätte Anton jedem Einzelnen am liebsten ins Gesicht geschrien. Mehr als einmal räusperte er sich, hob an zu reden, doch kein Ton kam über seine Lippen. Also schwieg er. Vielleicht war es besser so.

Wann er wohl in Stuttgart ankommen würde? In zwei Tagen? In einer Woche? Anton hatte keine Ahnung, was ihn noch auf der Strecke erwartete. Gesperrte Straßen, gesprengte Brücken, völlig überlastete Bahnhöfe oder Züge, die aufgrund irgendwelcher Mängel nicht mehr fuhren. Und wenn schon! Auf ein paar Tage mehr oder weniger kam es nun auch nicht mehr an. Im Gegenteil – er hatte das Gefühl, die Zeit der Heimreise sogar dringend zu benötigen, um sich innerlich auf zu Hause vorzubereiten. Wenn es ihm nur halbwegs gelänge, die bösen Fratzen und Gespenster des Krieges aus seinem Kopf zu verbannen, war ihm schon viel geholfen.

Du alter Jammerlappen, schalt er sich. Sei froh, dass du überhaupt nach Hause kommst!

Viele seiner Kameraden hatten es nicht geschafft. Karli Badstubner, der gleich im ersten Herbst in seinen

Armen gestorben war. Johann Merkle, der sich völlig aufgegeben hatte, nachdem er durch eine Bombe seinen linken Arm verloren hatte. Jakob Stempfle aus Ulm, der in irgendeinem Sanatorium am Ende der Welt dahinvegetierte, weil man niemandem seinen Anblick zumuten wollte. Und Michel. Der tapfere Allgäuer Junge, der sich von seinem amputierten Bein nicht hatte unterkriegen lassen.

Sie alle hätten ihr letztes Hemd dafür geben, hier an seiner Stelle zu sein. Anton fühlte sich noch schäbiger als zuvor. So viele Jahre hatten sie vom Frieden geträumt! Davon, wieder Alltag erleben zu dürfen. Er hatte davon geträumt, Mimi wiederzusehen, sie in die Arme zu schließen und nie mehr loszulassen. Davon, die Druckerei wieder flottzumachen und richtig viel Geld zu verdienen. Himmel noch mal, wie viele Stunden der Sehnsucht hatte er mit den Gedanken an zu Hause verbracht! Doch nun, da er diesem Traum immer näherkam, war seine Sehnsucht wie verflogen. Stattdessen wurde er von dem Gefühl überwältigt, nicht »genug« gewesen zu sein.

Nicht tapfer genug. Nicht mitfühlend genug. Nicht mutig genug. Nicht fleißig genug. Ja, als Sanitäter hatte er dem einen oder anderen Kameraden helfen können. Laut so manchem Vorgesetzten hatte er sich sogar zu viel um die Verwundeten gekümmert. Doch er, Anton, hatte weiter am Bett von Sterbenden gesessen, hatte ihre Hand gehalten, als sie den letzten quälenden Atemzug taten. Und er hatte Krücken gebaut, als kein Nachschub mehr gekommen war. So manch Beinamputierter hatte dank seiner Gehhilfen wieder zu laufen gelernt.

Und dennoch – wenn Anton zurückschaute, dann war das, was er geleistet hatte, lediglich ein kühler Tropfen im heißen Meer der Kriegsopfer gewesen.

Was, wenn er im Alltag genauso versagte? Was, wenn er auch da seinen Mann nicht mehr stand?

*

Es reicht, dass wir von der Obrigkeit in den letzten fünf Jahren wie Kanonenfutter verheizt worden sind. Schauen Sie sich doch an, in welch desolatem Zustand einst gestandene Männer – Familienväter und Ernährer – von der Front heimkehren! Wir vom Arbeiter- und Soldatenrat wollen fortan die politische Verantwortung übernehmen. Unser Ziel ist es, Württemberg zu einem demokratischen Land zu machen, in dem das Recht des kleinen Mannes etwas gilt. Wir fordern König Wilhelm II. auf, sich den Wünschen des Volkes zu beugen und sofort abzudanken!

Das konnte doch nicht wahr sein! Fassungslos schaute Mimi von dem Zeitungsartikel im Ulmer Tagblatt

auf die großformatige Fotografie daneben. Da, auf dem Podest auf dem Stuttgarter Marktplatz – das war doch Johann Merkle, ihre alte Liebe!

Hatte Anton nicht in einem Brief geschrieben, der Gewerkschafter habe sich aufgegeben, nachdem eine Granate ihm einen Arm abgerissen hatte? Vor drei Jahren war das gewesen, vielleicht auch schon vor vier Jahren. An das Datum erinnerte sie sich nicht mehr genau, aber daran, dass sie sehr erleichtert gewesen war, dass Johann noch lebte. Und nun sah sie ihn hier in der

Zeitung wieder, kämpferische Reden schwingend wie eh und je. Unter der Fotografie stand, dass er zur Spitze der Arbeiterbewegung Württembergs gehörte und aktiv für die Absetzung ihres Königs eintrat. Mimi runzelte die Stirn. Sie hatte König Wilhelm II. bisher als einen guten Landesvater empfunden – beliebt, volksnah, stets zu einem Scherz aufgelegt. Auch in Kriegszeiten hatte er sich immer wieder an sein Volk gerichtet, seine aufmunternden Worte waren ihr nie so unverbindlich vorgekommen wie die seines Berliner Namensvetters, des Kaisers. Wie oft hatte Mimi bedauert, König Wilhelm nie fotografiert zu haben! Denn Postkarten, die ihn und seine Spitzhunde zeigten, verkauften sich an jedem Zeitungskiosk seit Jahrzehnten sehr gut.

Verwirrt und beunruhigt zugleich faltete Mimi die Zeitung zusammen. Wenn Johann und seine Mitstreiter es ernst meinten, dann standen ihnen unruhige Zeiten bevor. Sogar der mächtige Zar in Russland hatte im letzten Jahr abdanken müssen, da würde es ihrem Landesvater nicht anders ergehen. Aber wer würde das Land regieren, wenn König Wilhelm sich wirklich dem Druck der Straße beugte? Johann und seine Gefolgsleute?

Eine Revolution in Württemberg, gerade jetzt! Als gäbe es nicht schon genug Probleme.

Es war später Vormittag. Eigentlich hätte sie um diese Zeit längst in der Druckerei sein müssen, doch im Moment nahm es keiner so genau. Wozu auch – es lief doch eh nichts, wie es sollte. Der Krieg war zum Glück zu Ende, doch die Herausforderungen, vor denen sie täglich standen, waren dadurch nicht weniger geworden.

Tag für Tag kehrten mehr Männer heim nach Münsingen, aber ob sie den Frauen eine große Hilfe waren? Oskar Baumann, der Münsinger Bürgermeister, hatte ein Bein verloren und war so schwach, dass er sich auf seinen Krücken gerade einmal von der Ofenbank zum Tisch schleppen konnte – an eine Rückkehr ins Rathaus war vorerst nicht zu denken. Und so war es Bernadette, die weiterhin sein Amt bekleidete.

Auch einige von Bernadettes Hirten waren wieder da. Doch der eine zitterte unentwegt so heftig, dass sie ihm nicht einmal ein Hufschneidemesser in die Hand drücken konnte. Der Nächste hatte einen Arm verloren, der Übernächste starrte düster vor sich hin und war zur Arbeit nicht zu bewegen. Und so war es Corinne, die weiterhin fast die ganze Last in der Schäferei stemmte.

Wie sollte man mit den Männern umgehen?, fragten sich die Frauen. Sollte man sie mitfühlend schonen? Oder sie fordern und so tun, als wären sie völlig gesund? Würde man überhaupt jemals wieder mit ihnen rechnen können? Oder war es womöglich besser, sich heimlich nach Ersatzarbeitskräften umzusehen? Woher diese allerdings kommen sollten, wusste keine.

Auch Mimi stand vor der Frage, wie es in der Druckerei weitergehen sollte. Der Drucker Zacharias Bäumler, auf den nicht nur seine Frau und sein behinderter Sohn, sondern auch Mimi so sehnsüchtig gewartet hatten, hatte ein Auge verloren und sah mit dem anderen so schlecht, dass Mimi nicht wusste, wo sie ihn überhaupt einsetzen sollte. Dabei hatte er früher bei der Nachkontrolle stets auch geringste Farb- oder Formabweichungen entdeckt!

Konrad Wiedekind, auch einer ihrer besten Männer, hatte das rechte Bein vom Knie ab verloren und konnte nie und nimmer neun Stunden am Tag stehen.

Von ihren jungen Handelsvertretern war bisher nur Paul Trinkwalder nach Hause gekehrt, von Gernot Müller gab es seit Monaten kein Lebenszeichen, niemand wusste, wo er war und ob er überhaupt noch lebte. Und Martin Hauser, der Sohn von Mimis rechter Hand Siegfried, war schon vor Jahren gefallen.

Zu Mimis großer Freude war Anfang der Woche eine Nachricht aus Ulm eingetroffen – Steffen Hilpert, ihr Grafiker, war wohlbehalten und ohne eine Schramme aus dem Krieg heimgekehrt. Allerdings hatte er eine Lungenentzündung und konnte deswegen seine alte Arbeit nicht sogleich antreten. Er solle sich in Ruhe auskurieren, hatte Mimi zurückgeschrieben, derzeit gab es eh keine Arbeit für ihn.

Eine Handvoll Männer. Und keiner war mehr der, der einst gegangen war. Dazu keinerlei Nachschub an Druckerfarbe und Papier – wie um alles in der Welt sollte sie den Betrieb so zum Laufen bringen? Die Frage brachte Mimi regelmäßig um ihren Nachtschlaf. In der Zeitung stand zwar, dass anderswo die Industrie wie auch die Handwerker schon wieder erste zivile Aufträge annahmen. Doch Mimi wusste nicht, ob dies stimmte, und falls ja, dann war diese Entwicklung bisher an ihr vorbeigegangen.

Wenn nur Anton nach Hause käme!, dachte Mimi halb wütend, halb verzweifelt. Er war immer so gewieft gewesen, hatte mit seiner Schläue für alles Mittel und Wege gefunden, auf die sie nie gekommen wäre. Bestimmt würde ihm auch jetzt etwas einfallen. Aber seit drei Wochen hatte sie nichts mehr von ihm gehört.

Unwillkürlich fiel ihr Blick nach draußen. Für Mitte November war es schon ungewöhnlich kalt, wenn ihr Gefühl nicht trog, würde es heute noch zu schneien beginnen.

Sie hatte so gut wie keinen Holzvorrat! Ihre Speisekammer war fast immer leer. In ihrem Kleiderschrank hingen nur noch alte Lumpen. Der Krieg war aus, und es gab … nichts. Mimi stieß einen Unmutslaut aus. Aber wem würde ein Wutanfall helfen? Ihr nicht und auch sonst niemandem. Also ging sie zu dem Schrank mit den Putzutensilien und holte Staubwedel und Besen heraus. Sie würde hinüber in Antons Wohnung gehen und dort sauber machen. Wenn er nach Hause kam, sollte ihn kein Staubkörnchen erwarten! Geschäftig bleiben, nur nicht zu viel nachdenken – damit hatte sie die letzten Jahre durchgestanden, und bei dieser Devise würde sie auch bleiben. Sie legte sich ein wärmendes Tuch um die Schulter und hatte die Haustür noch nicht ganz geöffnet, als sie einen großen Mann über den Hof kommen sah. Ihr wurde heiß und kalt zugleich.

»Anton!«

Sie fielen sich in die Arme. Sie lachten, und sie weinten. Sie küssten sich, tausendmal! Und es fühlte sich selbstverständlich und gut an. Mimi berührte seinen stoppeligen Bart, er fuhr ihr über die brüchig gewordenen Haare, in denen sich erste silberne Strähnen zeigten.

Aus den Augenwinkeln sah Mimi, dass Zacharias Bäumler und Paul Trinkwalder aus dem Tor der Druckerei traten. Als sie realisierten, mit wem Mimi an ihrer Haustür zusammenstand, steuerten sie sogleich freudestrahlend auf sie zu. Das hatte noch Zeit, befand Mimi und bedeutete den beiden freundlich, aber bestimmt, später wiederzukommen.

»Komm, lass uns reingehen«, sagte Anton und legte einen Arm um sie.

Mimi hatte am Vortag das Glück gehabt, ein kleines Brot und etwas Käse kaufen zu können. Ein paar alte Rettiche hatte sie ebenfalls noch – mit mehr konnte sie nicht aufwarten. Während Anton seine Marschausrüstung hinüber in seine Wohnung brachte und sich frisch machte, richtete sie die bescheidene Brotzeit her. Zuletzt erinnerte sie sich an die Flasche Wein, die sie jahrelang für diesen Moment aufgespart hatte. Nun war er gekommen, dachte sie bewegt, während sie mit zitternden Händen die Flasche öffnete.

Sie aßen und tranken. Beide waren erstaunt, dass sie vor lauter Fassungslosigkeit über ihr großes Glück überhaupt etwas hinunterbrachten. Unentwegt hielten sie sich an den Händen und ließen sich nur los, wenn sich einer von ihnen ein Brot schmierte. Ihre Blicke verfingen sich ineinander. Ein Wunder!, las jeder im Blick des anderen. Einmal zwickte Mimi sich sogar unauffällig, nur um sicherzugehen, dass sie nicht träumte. Ihr Gespräch hingegen verlief stockend, dabei gingen ihr tausendundein Gedanke durch den Sinn. Aber was war hier und jetzt am wichtigsten? Und was konnte noch warten?

Irgendwann schob Anton seinen Teller von sich, gleichzeitig versuchte er, hinter vorgehaltener Hand ein Gähnen zu verstecken.

Mimi konnte sich nicht einmal ansatzweise vorstellen, wie müde er war. »Was würdest du davon halten, wenn ich dir ein heißes Bad einlasse? Ich habe vorhin schon Wasser aufgestellt.« Mit einem sanften Lächeln zeigte sie auf die beiden riesigen Töpfe hinten auf dem Herd. »Und danach legst du dich erst mal für ein, zwei Stündchen hin.«

Anton öffnete den Mund zum Widerspruch, doch sie legte ihm sanft einen Finger auf die Lippen und flüsterte: »Alles andere hat Zeit.«

37. Kapitel

Seltsam, dachte Anton, eigentlich hatte er immer gedacht, dass er es nicht würde erwarten können, in die Druckerei zu kommen. Aber im Augenblick vermochte ihn nichts dazu zu bringen, Mimis Badewanne zu verlassen – vor allem, da sie ihm schon zwei Mal heißes Wasser nachgeschüttet hatte. Beim zweiten Mal hatte sie ihm außerdem ein Glas Wein und das Ulmer Tagblatt gebracht. Ein württembergischer Trollingerwein – wie oft hatte er davon geträumt! Er schnappte sich die Zeitung von dem Hocker neben der Wanne. »Du glaubst nicht, wen du auf der dritten Seite siehst!«, hatte Mimi gesagt, also überflog er nur rasch die Schlagzeilen der Titelseite und blätterte dann zur dritten Seite weiter. Im nächsten Moment lachte er schallend auf. Johann Merkle, der alte Aufrührer!

»Darf ich reinkommen?« Mit einem großen Handtuch stand Mimi im Türrahmen.

»Und ob! Ich habe deine Gesellschaft lange genug vermisst.« Anton zeigte auf den Artikel. »Der Merkle …«

»Unglaublich, oder?«, sagte Mimi und legte das Handtuch auf den Hocker.

»Ich ziehe meinen Hut davor, wie Merkle sich zurückgekämpft hat! Und das meine ich ganz ehrlich. Aber in meinen Augen hätte er sich besser um Eveline gekümmert, die er vor dem Krieg hochschwanger hat sitzen lassen. Damit wäre wahrscheinlich vielen mehr geholfen gewesen als mit seinen Umsturzplänen den König betreffend.«

Mimi setzte sich auf den Wannenrand und begann – als wäre es das Selbstverständlichste auf der Welt –, mit einem löchrigen Schwamm seinen Rücken zu waschen. »Umsturz hin, Politik her – du kannst davon halten, was du willst, aber ich habe beschlossen, die große Politik in der nächsten Zeit, so gut es geht, zu ignorieren. Sollen sie doch alle machen, was sie wollen – *ich* will endlich wieder mehr fotografieren! In den letzten Jahren war dies nur bedingt möglich – wenn ich überhaupt fotografiert habe, dann waren es alltägliche Dinge. Vielleicht gelingen mir jetzt, wo der Krieg zu Ende ist, wieder …«

Welche Leidenschaft noch immer in ihrer Stimme mitschwang, wenn sie vom Fotografieren sprach, dachte Anton. In all den Jahren – immer dann, wenn er glaubte, er würde es keinen Tag länger aushalten – hatte er Mimi und ihre Lebendigkeit in sich wachgehalten. Der Gedanke, irgendwann wieder mit ihr zusammen zu sein, hatte ihn überleben lassen. Manchmal hatte er schon nicht mehr daran geglaubt. Und jetzt lag er hier, gesund und mit allen Gliedmaßen, tausendmal besser dran als so viele seiner Kameraden, die irgendwo elendig am Wundbrand krepierten. Die weggesperrt waren in irgendwelche Krüppelheime. Die nie mehr eine Frau lieben, sich nie mehr als ganzer Mann fühlen würden.

Er spürte, wie sich in seinem Hals ein Kloß bildete, und hustete, um ihn wieder loszuwerden.

»Anton?« Mimi schaute ihn unsicher an.

Genug der düsteren Gedanken! Er warf die Zeitung auf den Boden, schnappte sich das Handtuch, dann hievte er sich aus dem Wasser und drückte Mimi einen nassen Kuss auf die Lippen. O Gott, wie er diese Frau liebte! Schon spürte er Erregung in sich aufsteigen und wollte sich schamhaft von Mimi abwenden, doch im selben Moment schlang sie ihre Arme ungeachtet des nassen Handtuchs um seinen Leib.

»Ich ... weiß ja nicht, wie es dir ergeht«, sagte sie leise, »ich meine ... all die Jahre waren wir Geschäftspartner und Freunde. Aber ... vielleicht ...« Sie schaute zu ihm auf. »Vielleicht ist jetzt ja alles ganz anders.« Ihr Mund drängte sich dem seinen entgegen, und sie küssten sich leidenschaftlich.

Anton wurde so schwindlig, dass er für einen Moment Angst hatte, ohnmächtig zu werden. Wie oft hatte er von diesem Augenblick geträumt! Seine linke Hand wanderte sanft an ihrem Rücken hoch und wieder hinab, seine rechte Hand umschlang eine dicke Haarsträhne. Er zog Mimi noch enger zu sich heran, sein Atem war wie eine heiße Böe auf ihrer Haut. Sie öffnete ihre Lippen ein wenig, spielerisch bahnte sich seine Zungenspitze ihren Weg. Mimi stieß einen Laut aus – rau und fordernd, wie er ihn schon lange nicht mehr gehört hatte. Es war die Melodie der Liebe ...

Sie löste sich aus seiner Umarmung, und ihr Blick

war dunkel und voller Verlangen, als sie ihn wortlos an der Hand nahm und in ihr Schlafzimmer führte.

Und dann fanden sie sich und konnten nicht mehr voneinander lassen. Antons Finger fuhren über Mimis Körper, über die hervorstehenden Hüftknochen, dort, wo sie einst weibliche Rundungen besessen hatte. Tränen liefen über seine Wangen, während er immer wieder ihren Namen flüsterte.

Sie selbst, so schien es ihm, konnte nicht mehr sprechen, sie konnte nur noch fühlen, die Augen geschlossen, fühlen mit jeder Faser ihres Seins, mit jedem Nervenende, mit jeder Fingerkuppe. Danke, betete Anton stumm, danke, lieber Gott, dass du mich wohlbehalten zurückgebracht hast.

»Wie oft habe ich davon geträumt…« Spielerisch ließ Anton seine Finger durch ihre Haare gleiten.

Es war früher Abend, und sie lagen noch immer nackt im Bett, beleuchtet nur vom Schein zweier Kerzen. »Du und ich…«

»Ja«, erwiderte sie schlicht. »Du und ich.« Sie schmiegte sich seufzend an ihn. »Es ist so verrückt…«

Für einen langen Moment genossen sie nur die Wärme des anderen. Dann kicherte Mimi leise.

»Was ist?« Er hob ihr Kinn, um ihr in die Augen sehen zu können.

»Bei unserer Einweihungsfeier der Druckerei hat Josefine gemeint, wir zwei würden ein schönes Paar abgeben. Damals habe ich sie für verrückt erklärt! Wir seien Freunde und Geschäftspartner, mehr nicht, habe ich behauptet und es auch geglaubt. Dass wir einmal ein Liebespaar sein könnten, hätte ich mir damals noch nicht vorstellen können. Doch dann…« Sie stemmte sich auf ihrem Ellenbogen auf, schaute Anton an. »Als du weg warst und ich dich immer mehr vermisst habe – da wurde mir langsam klar, dass ich doch mehr für dich empfinde, als ich mir eingestehen wollte… Und danach wurde die Sehnsucht immer unerträglicher.« Sie drückte ihr Gesicht an seine Brust. »O Gott, Anton! Die Leute werden sich das Maul zerreißen, wenn sie das mitbekommen. Du und ich!«

»Wen kümmert's, was die Leute reden?«, sagte er rau. »Ich liebe dich. Schon lange. Mehr noch, du bist meine große Liebe. Und von jetzt an lass ich dich nicht mehr los.«

Während Mimi einschlief, nachdem sie sich ein weiteres Mal geliebt hatten, wurde Anton rastlos. Tausend Gedanken schossen ihm durch den Kopf, unter anderem auch solche, die mit ihrer Arbeit zu tun hatten. Was, wenn es auf längere Zeit kein Papier zu kaufen gab? Was, wenn es ihm nicht gelang, Benzin für das Automobil aufzutreiben? Und wie würde seine erste Begegnung mit den Druckern sein? Laut Mimi gab es auch bei ihnen etliche Kriegsversehrte – würde er es schaffen, den Betrieb so umzustellen, dass die Männer ihren Platz darin fanden?

Als er es im Bett nicht mehr aushielt, zog er sich an, nahm den Schlüssel zur Druckerei vom Schlüsselbrett und ging hinüber in die Halle. Der leichte Geruch nach Druckerschwärze verstärkte seine Rastlosigkeit noch, das Gefühl innerer Unruhe wurde fast unerträglich.

Was genau ihn so unruhig machte, hätte er nicht einmal sagen können. Aber irgendwie machte der Alltag ihm fast so viel Angst wie der Krieg.

*

»Jetzt kann endlich wieder Normalität einkehren«, sagte Mimi wohlig aufseufzend, als sie und Anton am nächsten Morgen beim Frühstück mit Brot, etwas säuerlicher Marmelade und Tee zusammensaßen.

»Das hoffe ich doch!«, erwiderte er. »Ich kann es kaum erwarten, in der Druckerei wieder loszulegen. Außerdem muss ich dringend schauen, dass ich Brennholz organisiere. Ab jetzt sollst du nie mehr frieren müssen!« Er wies auf den kalten Ofen, während er ihr mit der anderen Hand das wollene Tuch, das heruntergerutscht war, wieder um die Schultern legte.

Die kleine Geste rührte Mimi so sehr, dass sie schlucken musste. Sie ergriff Antons Hand, drückte sie fest. »Ich bin so froh, dass du zurück bist! Dieser schreckliche Krieg… Wenn ein Brief von dir kam, war das immer der Höhepunkt des Tages, manchmal der ganzen Woche! Aber jetzt endlich können wir uns alles von Angesicht zu Angesicht erzählen, nicht wahr?«

Er schaute sie ernst an. »Mimi, bitte… Ich werde nie über den Krieg reden.«

Hatte sie das richtig verstanden? »Und warum nicht?«, fragte sie verwirrt.

Er seufzte. »Weil es sinnlos wäre, alles nochmals durchzukauen. Ich will dieses unselige Kapitel einfach nur abschließen. Es ist das Beste so, glaube mir.«

War es nicht wichtig für eine Frau zu verstehen, was ihr Mann durchgemacht hatte? Tat es ihm nicht gut, sich mal alles von der Seele zu reden?

Während Mimi noch rätselte, sagte Anton in betont frohem Ton: »Wer von den Münsinger Männern ist denn eigentlich schon zurück?«

... und wer nicht, hörte Mimi unausgesprochen.

Sie nannte die Kriegsheimkehrer, von denen sie wusste. Anton nickte. »Vielleicht kann ich in den nächsten Tagen mal ein Treffen arrangieren. Und Lutz will ich auch so schnell wie möglich besuchen, bin gespannt, was er zu allem sagt.«

Was meinte er mit »allem«?, fragte sich Mimi, wagte aber nicht, die Frage laut zu stellen. Mit ihr mochte er schließlich nicht über seine Erlebnisse sprechen, doch offenbar mit den anderen Soldaten. Sie wollte verletzt ihre Hand zurückziehen, doch er hielt sie fest.

»Vielleicht hast du ja recht«, sagte sie seufzend. »Wenn ich ehrlich bin, habe ich auch keine große Lust, das ganze Elend noch mal aufleben zu lassen. Aber wie heißt es? Ein Bild sagt mehr als tausend Worte. Wenn du also Lust hast, könnte ich dir meine Fotografien aus den letzten Jahren zeigen. Ich habe mich bemüht, den Kriegsalltag hier im Ort zu dokumentieren – sozusagen als Spiegelung der großen Weltpolitik.« Sie schaute ihn erwartungsvoll an. »Soll ich die Alben holen?«

Antons Blick wirkte leicht gequält, als er erwiderte: »Bestimmt sind deine Fotografien wie immer etwas ganz Besonderes. Aber im Augenblick habe ich dafür keine Geduld. Ich weiß nur, dass viele dank der ›großen Weltpolitik‹ nicht mal mehr einen Stift halten können, weil ihnen ein Arm fehlt oder sie nicht mehr sehen können, weil sie durch einen Gasangriff erblindet sind.«

Mimi zuckte betroffen zusammen. »Entschuldige, dass ich dich mit meinen Themen belästigt habe.«

Er beugte sich zu ihr hinüber, drückte ihr einen Kuss auf die Wange. »So war das nicht gemeint. Ein andermal schau ich mir deine Fotos gern an, nur eben nicht jetzt. Aber erzähl mal – wie ist der Zustand in der Druckerei?«

Vielleicht hätte sie ihn mit den Fotos nicht so überfallen sollen, dachte Mimi, es gab ja wirklich Wichtigeres. Ruhig antwortete sie: »Wir wursteln uns so durch. Du wirst es ja später selbst sehen. Aber einen Lichtblick gab es in den letzten Tagen: Es ist ein dicker Briefumschlag gekommen – von Alexander! Er hat auch für dieses Jahr Adventskalendermotive gemalt, ist das nicht wunderbar? Obwohl ich alles Mögliche versucht habe, konnte ich allerdings bisher kein Papier auftreiben, um ...«

»Alexander!«, spie Anton so heftig aus, dass Mimi erneut zusammenzuckte. »Dass du im letzten Jahr ausgerechnet *ihn* zu Hilfe gerufen hast, kann ich nicht gutheißen. Mit seinen Schlachtenbildern gehört er zu den Kriegsgewinnlern, die ich aus tiefstem Herzen verachte!«

»Wie bitte? Was hätte ich denn machen sollen? Alexander war in dem Moment der einzige Künstler, der mir einfiel. Falls es dir entgangen ist – in meinem Bekanntenkreis wimmelt es nicht gerade von begnadeten Malern. Und was seine Schlachtengemälde angeht: Alexander musste halt auch schauen, wo er blieb. Wie wir alle! Das Leben an der ›Heimatfront‹ war nämlich auch kein Zuckerschlecken«, fuhr Mimi wütend und verletzt zugleich auf. Anton hatte gut reden! Er wusste nichts von dem Spagat, den sie Tag für Tag hatte leisten müssen zwischen den verhassten Aufträgen, die Lutz ihr zugeschanzt hatte und die ihr Geld eingebracht hatten, und dem Bemühen, ihre künstlerische Identität nicht völlig aufzugeben.

Er schaute sie an, und sie sah, dass er eine scharfe Erwiderung mühsam hinunterschluckte. »Ich geh dann mal. Der Krieg hat mir vier Jahre meines Lebens geraubt, nun gibt es viel zu tun«, sagte er knapp, dann war er fort.

Wahrscheinlich war es ganz normal, dass jeder seine eigene Sicht auf die Dinge hatte, versuchte Mimi, sich selbst zu beschwichtigen, während sie den Tisch abräumte. Wenn sie sich erst einmal wieder aneinander gewöhnt hatten, würde sich die alte Harmonie bestimmt rasch einstellen.

*

Die Fotografie von Loup, die Mimi Anfang Oktober gemacht hatte. Etwas Unterwäsche. Etwas zu lesen. Ihr Kamm. Wolle und Stricknadeln. Die Salbe gegen die Schrunden an ihren Füßen, eine Nagelschere, die rotblaue Decke, die ihre Mutter aus Schafswolle gewebt hatte…

Stirnrunzelnd schaute Corinne auf den Stapel auf ihrem Tisch, der immer größer wurde. Mehr durfte sie für ihre Reise zur Winterweide keinesfalls einpacken, sonst würde sie doch einen ihrer beiden Esel als Packtier nutzen müssen. Und das wollte sie nicht, denn beide waren inzwischen alt und würden die lange Strecke bis nach Rheinhessen nur mit Mühe bewältigen.

Mit schwerem Herzen legte Corinne die Decke wieder fort. Das Andenken an ihre Mutter trug sie in ihrem Herzen, dazu brauchte es die Decke nicht. Sollte sich Loup in ihrer Abwesenheit an den Farben erfreuen!

Loup ... Noch nie war es ihr so schwergefallen wie dieses Jahr, ihn bei den Großeltern zu lassen. Mit seinen dreieinhalb Jahren war ihr Sohn ein lebhaftes, fröhliches und doch auch anhängliches Kind. Seinen Babyspeck hatte er längst verloren, inzwischen deutete sich schon an, dass er einmal genauso langbeinig und drahtig wie sein Vater werden würde. Und genau wie seine Eltern war er verrückt nach Schafen! Es verging kein Tag, an dem er sie, Corinne, nicht auf die Weiden begleitete – ganz gleich, ob es Hunde und Katzen regnete oder eiskalt war so wie in den letzten Tagen. Dann sprang er über Baumstämme, spielte mit den Lämmern oder half ihr beim Verteilen des Heus. Wenn er müde wurde, schmiegte er sich an Achille, ihren Hund, der inzwischen mehr schlief als wach war.

Corinne schaute gedankenverloren aus dem Fenster hinaus in die mattschwarze Winternacht. Beide – ihr Sohn und ihr alter Hütehund – wünschten sich wahrscheinlich nichts sehnlicher, als mit ihr auf die Winterweide gehen zu dürfen. Doch beiden würde sie diesen Wunsch verwehren müssen. Achille aus Altersgründen – und Loup, weil er den Kontakt mit den anderen Kindern im Dorf mindestens so sehr brauchte wie die

Nähe zu den Schafen. Er sollte schließlich kein Einsiedler werden! Ihre Schwiegereltern würden bestens auf Loup aufpassen und ihn wie immer nach Strich und Faden verwöhnen. In der warmen Stube hatte er es außerdem viel besser als im kalten Schäferkarren. Corinne ging hinüber zum Sofa, wo Loup am frühen Abend eingeschlafen war, deckte ihn mit der schönen Decke zu. Dann strich sie ihm in einer zärtlichen Geste über den Kopf. »Du wirst mir fehlen«, flüsterte sie.

Achille, der wie immer jede Gefühlsregung seiner Herrin wahrnahm, hob den Kopf und klopfte müde mit seiner dicken Rute auf den Boden.

»Und du auch!«, sagte sie und tätschelte im Vorbeigehen seinen riesigen Kopf. Beim Anblick seiner grauen Schnauze und der glasigen Augen, die wahrscheinlich nur noch Schatten sahen, wurde Corinnes Herz noch schwerer. Wenn sie daran dachte, wie agil Achille bei ihrer Ankunft vor fünfeinhalb Jahren hier auf der Schwäbischen Alb gewesen war! Nicht einen Tag auf der tausend Kilometer langen Reise hatte er geschwächelt, treu hatte er Tag für Tag an ihrer Seite gestanden. Doch nun war er ein alter Herr mit müden Knochen. Und so war es dieses Jahr Achilles zweijähriger Sohn, der sie zum ersten Mal begleiten würde. Auch er war ein großes, kräftiges Tier von bestem Gemüt, aber in der Ausbildung war er noch lange nicht so weit wie sein Vater. Corinne wusste, dass sie sich nicht vollständig auf ihn verlassen konnte. Aber in den Monaten auf der Winterweide würde die Bindung zwischen ihnen wachsen, so viel stand fest.

Resolut packte Corinne ihre Habseligkeiten in den

Rucksack. Es war, wie es war, alles nahm seinen Lauf. Leben wurde geboren, wuchs heran und starb. Neues Leben wurde geboren, und der Kreislauf begann von vorn. Das wusste niemand besser als sie, die Hirtin. Bis auf die Zeit direkt nach Wolfs Tod, als sie ihren ganzen Lebensmut verloren hatte, war sie eigentlich immer eine Frohnatur gewesen. Dennoch tat sie sich derzeit schwer damit, das Schicksal geduldig anzunehmen.

So viele Männer kamen dieser Tage nach Hause! Nur ihr Wolfram würde nie mehr mit seinen schweren Stiefeln hier durch die Tür poltern. Ein Jahr hatten sie sich lieben dürfen, drei Monate hatte sie sich seine Ehefrau genannt. Nun war sie seit über vier Jahren schon Witwe und würde es für immer bleiben. Nicht einmal seinen Sohn hatte er kennengelernt.

Sie setzte sich aufs Bett, schlang beide Arme um ihren Leib, als wollte sie sich selbst umarmen. Es tat ihr nicht gut, sich solch düsteren Gedanken hinzugeben, das wusste sie. Aber im Augenblick fehlte ihr das Gegenmittel dazu. Vielleicht tat ihr der Umstand, dass sie morgen zur Winterweide aufbrach, doch ganz gut?

Corinne hatte gerade ihre Zähne geputzt und war dabei, sich für die Nacht fertig zu machen, als es an der Tür klopfte. Sofort schlug ihr Herz schneller. Wer kam so spät noch zu ihr? War etwas mit Wilhelm oder Mariele?

Vor der Tür stand ein Mann, erkannte sie vom Fenster aus, doch wer es war, konnte sie nicht sehen.

»Ja bitte?«, sagte sie misstrauisch durch die geschlossene Tür.

»*C'est moi!* Raffa!«

Corinne stieß einen kleinen Schrei aus. Gleichzeitig wich sie einen Schritt von der Tür zurück, als hätte sie in heißes Feuer gegriffen. Die heisere Stimme. Das Französisch. Konnte es wirklich sein? Ohne weiter nachzudenken, riss sie die Tür auf.

»Raffa?« Ungläubig musterte sie den Mann von oben bis unten. Die braunen Locken. Die dunkelgrünen Augen, die sie voller Liebe anschauten. Die Grübchen rund um den Mund. Er war es wirklich. Raffa Perin, ihr Jugendfreund. Der Mann, mit dem sie jedes Geheimnis geteilt hatte. Der Mann, der wie ein Bruder für sie gewesen war. Der noch vor ihr gewusst hatte, dass Wolfram und sie füreinander bestimmt waren. Mit zitternder Hand strich sie über seine Wange, wollte sich vergewissern, dass sie nicht in irgendeinem Traum gefangen war. »Raffa! Wo kommst du her? Nach all den Jahren… Ich… bin sprachlos!« Sie lachte und weinte vor Freude gleichzeitig.

»Ich war in Kriegsgefangenschaft, in Ratisbonne, das liegt in Bayern. Vor ein paar Tagen haben sie die Tore des Lagers geöffnet, wir durften gehen. Da habe ich mich zu dir durchgeschlagen. Corinne, *mon amie*, ich bin so froh, dich wohlbehalten zu sehen…« Er wollte sie umarmen, doch bevor es dazu kam, drängte sich Achille an Corinne vorbei durch die Tür. Jaulend vor Wiedersehensfreude platzierte der alte Hund seine Vorderpfoten auf Raffas Schultern, und eine lange nasse Hundezunge schleckte hingebungsvoll über das Gesicht des französischen Hirten. Corinne und er brachen in Gelächter aus.

Es dauerte einen Moment, bis der Hund sich beruhigt

hatte, dann sagte Corinne: »Du bist bestimmt hungrig und durchgefroren! Ich werde für dich kochen – *Cassoulet* mit Lamm und Speck, so wie du es früher immer gern bei uns gegessen hast. Und dann… Ach Raffa, wir haben uns so viel zu erzählen!« Sie nahm die Hand des alten Freundes und zog ihn ins Haus.

Nun war doch ein Mann zu ihr zurückgekommen.

38. Kapitel

Am zweiten Abend nach Antons Heimkehr begann es zu schneien. Im Schein der trüben Laternen glänzten die Schneeflocken wie goldene Kristalle, als Anton und Mimi Arm in Arm durch die spärlich beleuchteten Straßen von Münsingen in Richtung Fuchsen gingen. Unwillkürlich beschleunigte er seinen Schritt. Er konnte es kaum erwarten, die alten Freunde und Bekannten wiederzusehen! In der Gaststätte hatten sie so manchen feuchtfröhlichen Abend verbracht, und genau danach stand ihm heute der Sinn.

»Morgen machen wir wieder das, was wir zwei besonders gut können: neu anfangen! Du fotografierst – und ich bringe die Druckerei auf Trab. Zum Glück hat mir Lutz noch ein paar Liter Benzin organisieren können.«

»Weiß er schon, wie es mit dem Soldatenlager weitergeht?«, fragte Mimi. »Da Deutschland den Krieg verloren hat, werden die Siegermächte doch sicher nicht zulassen, dass weiterhin neue Soldaten ausgebildet werden, oder?«

Anton zuckte mit den Schultern. »Lutz hofft, dass das Lager in irgendeiner Form bestehen bleibt und er seine

Stelle nicht verliert, aber noch weiß er nichts Genaues.« Jahr für Jahr waren in Münsingen Tausende von Soldaten ausgebildet worden. Von dem ständigen Kommen und Gehen hatte der Ort sehr profitiert. Was würde sein, wenn es das Lager nicht mehr gab? Bevor er in düstere Gedanken versinken konnte, riss Anton sich zusammen. »Ich will so schnell wie möglich bei unseren Kunden vorstellig werden, bevor andere sich ins Geschäft drängen. Unseren Papierlieferanten will ich auch besuchen – er soll mir sagen, wann alles seiner Einschätzung nach wieder seinen gewohnten Gang geht«, sagte Anton. »Apropos seinen Gang gehen – wie steht's denn inzwischen um Lutz und Bernadette? Als ich gestern bei ihm war, kam das Gespräch nicht darauf – sind sie nun ein Paar oder immer noch nicht?«, fragte Anton.

Mimi lachte leise auf. »Das weiß keiner so genau. Mir weicht sie jedes Mal aus, wenn ich sie frage.« Sie schmiegte sich noch enger an Anton. »Aber wie ich dich kenne, wirst du das rasch herausfinden!«

In der Gaststätte war es voll. Auch der Stammtisch war besetzt. Der Besitzer der Limonadenfabrik war da, der Münsinger Metzger, der Inhaber einer kleinen Eisengießerei, auch Bernadette und Lutz saßen in der Runde. Anton wurde freudig willkommen geheißen, Bernadette musste sogar sichtlich mit den Tränen kämpfen, während sie ihn umarmte. Lutz organisierte eilig zwei Stühle für die Neuankömmlinge. Noch bevor Anton eine Bestellung aufgeben konnte, standen zwei Gläser Bier vor Mimi und ihm.

Das Gespräch war laut und sprunghaft. Es ging um

das nahende Ende der württembergischen Monarchie und die schlechte Stimmung allerorten. Es ging um die Frage, welche Entschädigungen das Kaiserreich an Frankreich und England würde leisten müssen. Wenn fortan alle Rohstoffe wie Kohle, Eisen oder auch Stahl außer Landes gebracht wurden – wie sollten sie dann ihre marode Wirtschaft aufbauen?, fragte der Besitzer der Eisengießerei. Und selbst wenn ihnen das gelang – wer sollte ihre Produkte kaufen?, fügte der Inhaber der Limonadenfabrik hinzu. So viele Leute waren arbeitslos, in den meisten Familien fehlte es am Nötigsten, vor allem auch an Geld.

Anton wollte gerade erwidern, dass die allgemeine Lage vielleicht auch Chancen für sie, die eigentümergeführten Kleinunternehmen, berge als die Tür aufging und Bürgermeister Oskar Baumann hereinkam. Mimi hatte Anton zwar erzählt, dass dem Mann ein Bein fehlte, dennoch versetzte es Anton einen Stich zu sehen, wie mühevoll sich der einst so agile Mann in Richtung Garderobe bewegte.

»Wahrscheinlich wäre Oskar in einem Krüppelheim auch besser aufgehoben, die sind doch auf so was eingestellt«, murmelte der Inhaber der Eisengießerei.

Auf »so was« eingestellt? Du Idiot!, dachte Anton wütend und hatte schon eine scharfe Erwiderung auf den Lippen, als es hinter ihnen ein lautes Getöse gab. Ruckartig drehte sich Anton um und sah, dass der Bürgermeister samt Krücken gestürzt war. Zwei Dutzend Augenpaare richteten sich auf den Mann, der hilflos auf dem Rücken lag und mit rudernden Bewegungen versuchte, wieder an seine Krücken zu kommen.

Während die anderen nur betroffen dreinschauten, sprang Anton auf und zog Oskar Baumann ohne viele Worte hoch. Statt ihn zum Stammtisch zu führen, brachte er ihn an einen gerade frei gewordenen Zweiertisch am Fenster. Noch im Gehen winkte Anton der Bedienung zu. »Zwei Bier!«

»Alle Achtung, dass Sie es den ganzen Weg von Ihrem Haus bis hierher auf diesen Krücken geschafft haben«, sagte er, nachdem er dem Versehrten auf einen der beiden Stühle geholfen hatte.

»Sie wissen ja nicht, wie lange ich für die paar Meter gebraucht habe!«, erwiderte der Bürgermeister und wischte sich Schweißperlen von der Stirn.

»Wenn die Straßen später verschneit sind, müssen Sie auf dem Heimweg höllisch aufpassen. Wenn Sie mögen, begleite ich Sie«, sagte Anton.

Der Bürgermeister winkte ab. »An den Heimweg denke ich noch nicht. Ich habe vor, mich erst mal besinnungslos zu betrinken!«

Just in dem Moment kam die Bedienung und stellte zwei Biergläser vor ihnen ab. Die Männer lachten einvernehmlich.

»Wie ist das passiert?« Anton wies auf Oskars Beinstumpf.

»Eine Granate«, sagte der Bürgermeister und führte mit zitternder Hand sein Bierglas an den Mund. »Sie sind der Erste, der mich das fragt. Die anderen wollen nichts darüber wissen, wie es war. Meine Frau tut so, als wäre alles in Ordnung.«

Anton runzelte die Stirn. »Erhalten Sie Hilfe von den Behörden?«

Der Bürgermeister schnaubte so heftig, dass Bierschaum über den Tisch spritzte. »Von wegen! Ich habe schon zig Formulare ausgefüllt – Anträge auf Bewilligung einer Kriegsversehrtenrente, einen Antrag auf eine Prothese, aber es kommt nichts zurück! Wovon wir leben sollen, bis alles geklärt ist, ist den Behörden wohl egal. Eigentlich kann ich mir einen Wirtshausbesuch gar nicht leisten, aber was soll's. Ich hab's einfach nicht mehr daheim ausgehalten, wäre sonst verrückt geworden.« Seine Stimme klang bitter, als er hinzufügte: »Da hielten wir jahrelang unseren Kopf hin für diesen verdammten Krieg, und jetzt werden wir noch dafür bestraft.«

»Auf bessere Zeiten!« Anton hielt sein Glas in die Höhe. »Und morgen kommen Sie zu mir, ich bau Ihnen erst mal ordentliche Krücken, diese da sind nämlich der letzte Mist. Kein Wunder, dass Sie damit gestürzt sind, die haben ja auf der Unterseite nicht einmal eine Gummierung.«

*

»Oskar – der Bürgermeister hat mir das Du angeboten, stell dir vor – bekommt von nirgendwo Hilfe, da ist es wohl das Mindeste, dass ich ihm helfe«, sagte Anton, als sie auf dem Heimweg waren.

»Du willst Krücken bauen?«, fragte Mimi. »Ich dachte, du möchtest so schnell wie möglich unsere Kunden besuchen.«

Anton warf ihr einen ungeduldigen Blick zu. »Auf einen Tag früher oder später kommt es wohl nicht an. Dringender als Krücken bräuchte der Oskar eine Prothese, aber da kann ich ihm leider nicht helfen. Und selbst wenn die Behörden ihm eine genehmigen – das, was derzeit auf dem Markt ist, taugt nichts, da kannst du jeden fragen, der sich damit herumquälen muss. Die Prothesenbauer hätten längst viel mehr Energie in die Forschung stecken müssen, anstatt sich mit Minimallösungen zufriedenzugeben. Bei Prothesen hilft nur tüfteln, probieren, immer wieder neue Versuche wagen! Das gilt für Krücken übrigens auch. Meine Gehhilfen sehen auf den ersten Blick nicht viel anders aus als die, die das deutsche Heer an die Versehrten ausgegeben hat. Dennoch unterscheiden sie sich in vielen hilfreichen Details. Und was Oskar angeht – Leute wie er benötigten dringend Unterstützung und Anleitung, um sich wieder im Berufsleben zurechtzufinden. Die Leute einfach aufs Abstellgleis zu schieben ist jedenfalls wenig hilfreich. Und das haben sie auch nicht verdient!«

Mimi, die seiner langen Rede aufmerksam zugehört hatte, runzelte die Stirn. »Aufs Abstellgleis schieben? Nun, Bernadette kann es kaum erwarten, dass Oskar wieder ins Bürgermeisteramt zurückkehrt! Die Frage ist doch viel eher, wie viel Aufmerksamkeit man diesen Behinderungen schenken soll. Laut Bernadette gibt die Krüppelfürsorge für Angehörige Versehrter die Devise aus, so zu tun, als wenn nichts geschehen wäre. Dies sei für die Betroffenen wohl am hilfreichsten.«

»So zu tun, als wenn nichts geschehen wäre, soll hilfreich sein?« Anton glaubte, nicht richtig gehört zu haben. »Am liebsten würden sie wahrscheinlich alle Krüppel unsichtbar machen. Und da dies nicht gelingt, sollen sie wenigstens schön ruhig sein und dem Staat nur ja nicht zur Last fallen. Verdammt, bei solchen Reden geht mir das Messer im Sack auf! Weißt du, dass eine verstümmelte Offiziershand wesentlich mehr wert ist in Bezug auf die Verstümmelungszulage als die eines normalen Soldaten?«

Mimi blieb abrupt stehen. »Nein, das weiß ich nicht. Und es interessiert mich auch nicht besonders. Wir haben alle unsere Päckchen zu tragen. Ich bin froh, dass du heil zurückgekommen bist. Und das solltest du auch sein, statt dich so zu echauffieren!« Sie lächelte aufmunternd, dann hakte sie sich bei ihm unter. »Der Abend war so schön, da brauchen wir jetzt nicht noch so ernste Themen zu wälzen. Denk einfach an etwas anderes!«

Das war leichter gesagt als getan, dachte Anton. Während Mimi ihm erzählte, dass sie nach Ulm fahren wolle, um Material fürs Fotografieren zu besorgen, hatte er plötzlich eine andere Frauenstimme im Ohr. Es war die von Theresa Power, die in einem ihrer letzten Gespräche prophezeit hatte, dass die Familien die Kriegsheimkehrer nie verstehen würden. *»Uns alle werden die Gräuel des Krieges ein Leben lang begleiten. Ich sage dir – nur wenn wir tot sind, werden wir das Ende des Krieges gesehen haben.«*

Antons Blick wanderte hinauf in den sternenklaren Himmel. Was, wenn Theresa recht gehabt hatte?

*

»Was ist das?« Misstrauisch schaute Bernadette auf die Uniformjacke, die Lutz vor ihr auf seinen Schreibtisch gelegt hatte. Gehörte die Jacke ihm? Wollte er sie mit dieser Geste wissen lassen, dass er degradiert worden war? Zum ersten Mal, seit sie ihn kannte, trug er lediglich eine schlichte Uniformjacke ohne irgendwelche Dekorationen.

Es war der Tag, nachdem sie sich im Fuchsen getroffen hatten. Ob sie am nächsten Morgen zu ihm ins Soldatenlager kommen könne, hatte Lutz sie gefragt. Er habe sowohl etwas Geschäftliches als auch etwas Privates mit ihr zu besprechen. Warum nicht?, hatte sie beiläufig geantwortet. Als sie später in ihrem Bett lag, war ihre Lässigkeit wie weggeblasen gewesen, und die Frage, was Lutz wohl von ihr wollte, hatte sie nicht einschlafen lassen.

»Die Jacke sollte dir bekannt vorkommen, ich habe dir solch eine nämlich schon mal gezeigt, damals, vor dem Krieg. Sie gehört zur Uniform der Feldjäger«, sagte Lutz jetzt.

Also war es nicht seine eigene, dachte Bernadette. »Kann sein«, antwortete sie und setzte in ihrem Zopfkranz eine der Haarnadeln um, die unangenehm pikste. Angesichts dessen, was sie heute früh von Corinne erfahren hatte, war ihr nicht nach Ratespielen zumute. »Du meintest damals, die Fasern unserer Wolle seien zu kurz und zu störrisch, und dass der Walkstoff deshalb nicht flexibel genug sei. Und du hast mir gedroht, dir einen anderen Lieferanten zu suchen, falls wir dieses Problem nicht lösen.« Wie schneeweiß seine Schläfen in der letzten Zeit geworden waren, dachte sie. Und wie müde er aussah. Der Krieg hatte bei ihnen allen Spuren hinterlassen. Auch ihr Haar war inzwischen eher grau als aschblond, was bei ihrer Frisur jedoch nicht so ins Auge fiel.

»Fass mal an«, sagte Lutz, ohne auf ihren anklagenden Ton einzugehen.

Bernadette tat, wie ihr geheißen. »Die Jacke ist ja butterweich!«, entfuhr es ihr erstaunt.

Lutz nickte. »Unser Uniformschneider hat ein wenig experimentiert. Aufgrund von Rohstoffmangel hatte er in den letzten zwei Kriegsjahren eher wenig zu tun, somit konnte er sich Themen widmen, die bisher immer ein wenig vernachlässigt wurden. Die Verbesserung der Lodenqualität war so ein Thema. Die Rohwolle, die er von euch bekommt, hat sich in den letzten Jahren qualitativ enorm verbessert, sagt er. Wenn sie entsprechend verarbeitet wird, sieht das Ergebnis so aus – Walkstoff, der dem Soldaten einerseits genug Bewegungsfreiheit gibt, aber andererseits dicht genug ist, um vor Wind und Regen zu schützen, ob bei Übungen oder im Einsatz.« Er seufzte tief auf. »Ironie des Schicksals ist nur, dass es hier oben womöglich bald keine Übungen mehr geben wird …«

Bernadette hob alarmiert die Brauen. »Weißt du schon was Neues?« An wen sollten sie ihr Lammfleisch und ihre Wolle verkaufen, wenn das Lager geschlossen wurde?

Lutz verneinte. »Die allgemeine Demobilisierung ist noch in vollem Gange, was genau in den Friedensverträgen stehen wird – also welche Kaserne geschlossen wird und welche weiter bestehen bleibt –, weiß noch niemand. Im Augenblick habe ich Order, auf meinem Posten zu bleiben und dafür zu sorgen, dass die Entlassung der Kriegsgefangenen geordnet vonstattengeht. Hier im Lager befinden sich außerdem hochsensible Waffen, für ihre Bewachung wird mehr als eine Handvoll Männer benötigt. Von meinen Generälen musste ich deshalb auch noch keinen entlassen. Vielleicht werden wir alle degradiert, aber ob sie gleich das ganze Lager schließen?« Er zuckte mit den Schultern. »Ich glaube kaum.«

Bernadette runzelte die Stirn. So selbstsicher er klingen wollte, so hörte sie doch eine gewisse Verunsicherung heraus. Aber wenn Lutz daran gelegen war, die ungewisse Zukunft nicht weiter zu thematisieren, würde sie ihm diesen Gefallen tun. Sie zeigte erneut auf die Jacke. »Wenn sich die Wollqualität verbessert hat, dann ist das allein Corinnes Verdienst. Sie hat unsere Zucht, so gut es ging, in Wolframs Sinn weiterbetrieben. Und jetzt…« Bernadettes Stimme wurde zittrig. »Jetzt geht Corinne wahrscheinlich mit diesem Raffa fort und lässt mich mit dem ganzen Schlamassel hier allein!« Bevor sie sich dagegen wehren konnte, schossen ihr bittere Tränen in die Augen. Verlegen schlug sie beide Hände vors Gesicht. Lutz hatte genügend eigene Probleme, und da kam sie und belastete ihn auch noch mit ihren!

Als sie heute Morgen zu Corinne gegangen war, um ihr alles Gute für die Wanderung nach Rheinhessen zu wünschen, hatte sie fast der Schlag getroffen, da sie bei ihr auch einen Mann antraf. Sie hatte ihn gleich erkannt – er war einer der französischen Hirten, die zusammen mit Corinne einst die französische Schafherde hergebracht hatten. Raffa sei aus deutscher Kriegsgefangenschaft entlassen worden, hatte Corinne erklärt und ihr strahlend verkündet, dass er sie auf die Winterweide begleiten würde. Sogar Wolframs alten Hirtenumhang hatte sie ihm gegeben und seinen Hütestab. Am liebsten hätte sie, Bernadette, dem Mann beides wieder weggenommen!

Lutz trat jetzt zu ihr, nahm sie in den Arm. »Wie kommst du denn darauf, dass Corinne weggehen könnte? Sie ist doch hier zu Hause ...«

Bernadette schaute mit verheulten Augen auf. »Was, wenn dieser Raffa sie überredet, mit ihm wieder nach Südfrankreich zu gehen? Du hättest mal die Vertrautheit erleben müssen, die zwischen den beiden herrscht – als ob sie sich ewig kennen würden. Was ja auch stimmt... Es würde mich nicht wundern, wenn aus denen noch vor Weihnachten ein Liebespaar wird«, fügte sie hinzu, dann heulte sie erneut los.

»Und wäre das so schlimm?«, fragte Lutz leise und wiegte sie hin und her. »Soll Corinne nach Wolframs Tod ewig allein bleiben?«

»Ach Lutz...«, sagte Bernadette und fühlte sich auf einmal ausgelaugt und steinalt. »Natürlich gönne ich Corinne jedes Glück der Welt. Aber ich dachte, jetzt würde bei uns allen endlich mal ein bisschen Ruhe einkehren. Wenn Corinne uns verlässt, bin ich aufgeschmissen! Dann kann ich den Laden von heute auf morgen zumachen, verstehst du?« Und den kleinen Loup würde sie auch vermissen, sehr sogar!, ergänzte Bernadette stumm und wurde von heftigen Schluchzern geschüttelt.

»Bernadette, jetzt hör mal mit dieser Schwarzmalerei auf. Vielleicht bleibt Raffa ja auch hier? Alles wird gut, ich verspreche es dir. Und nun komm!« Er hielt ihr ein blütenweißes Taschentuch hin. »Im Kasino gibt es heute Gaisburger Marsch mit Ochsenfleisch und Suppengrün! Frag mich nicht, wo unser Proviantmeister den Ochsen aufgetrieben hat, aber es ist ihm gelungen.«

Bernadette nahm das Taschentuch und schnäuzte sich. Normalerweise erfreute sie die Aussicht auf ein Essen im Offizierskasino. Doch statt eilig aufzuspringen, blieb sie verzagt auf dem Besucherstuhl vor Lutz' Schreibtisch sitzen. »Corinne verzehrt sich noch oft genug vor Heimweh nach Südfrankreich – so abwegig ist der Gedanke, dass sie gehen könnte, also nicht. Und die beiden lieben sich! Es ist vielleicht nicht die große Liebe, wie Corinne sie mit Wolfram erlebt hat, aber Liebe hat nun einmal viele Gesichter. Das weiß ich mittlerweile sehr gut.« Sie schniefte laut.

»Ist das so?« Lutz ging vor ihr in die Hocke, hob mit seiner rechten Hand ihr Kinn, schaute ihr tief in die Augen. »Vielleicht erkennst du die Liebe bei anderen, aber nicht, wenn es um dich selbst geht.«

»Wie meinst du das?« Irritiert schob sie seine Hand fort.

Statt wieder aufzustehen, kniete sich der Generalmajor vor sie hin. »Muss ich dir das wirklich erklären?« Er schaute sie so innig an, als wäre sie das Kostbarste, was er je erblickt hatte. »Wir kennen uns nun schon so lange! Bald sind es zehn Jahre, dass ich die Kommandantur des Truppenübungsplatzes übernommen habe. Damals, als ich dich das erste Mal sah, war mir klar: Die will ich! Und keine andere. Daran hat sich bis heute nichts geändert.«

Bernadette spürte eine Wärme in sich aufsteigen, wie sie es noch nie erlebt hatte. Liebe auf den ersten Blick? Er wollte sie und keine andere?

»Aber … warum … hast du nie etwas gesagt?«

Er lächelte gequält. »Wann hätte ich denn etwas sagen sollen? Damals, im Sommer 1913, als ich deine Hochzeitseinladung in der Hand hielt? Oder in den letzten Jahren, als wir alle genug damit zu tun hatten, den Kopf über Wasser zu halten? Eine meiner großen Tugenden ist, dass ich auf den richtigen Zeitpunkt warten kann.« Er verlagerte sein Gewicht von einem Knie aufs andere, verzog dabei das Gesicht, als hätte er Schmerzen.

Bernadette hatte auf einmal das Gefühl, sich in einem Gewässer mit starkem Wellengang zu befinden, ohne zu wissen, ob die Wellen sie ans Ufer oder hinaus aufs freie Meer tragen würden. Machte Lutz ihr gerade wirklich eine Liebeserklärung? Sie kämpfte gegen ein leichtes Schwindelgefühl an.

Er ergriff ihre Hände. »Liebe Bernadette, all die Jahre sind wir gemeinsam durch dick und dünn gegangen. Wie es hier im Lager weitergeht, weiß ich nicht – kann gut sein, dass uns beiden erneut schwierige Zeiten bevorstehen. Aber dass wir uns aufeinander verlassen können, wissen wir.« Er schaute ihr tief in die Augen, wartete einen Moment, als erwartete er ihren Einspruch.

Doch sie nickte nur stumm. Ja, sie konnten sich wirklich aufeinander verlassen.

Als von ihr nichts kam, sprach er weiter: »Was ich dir jedoch noch nie gesagt habe, ist, dass ich dich liebe. Ich verspreche dir, auch weiterhin an deiner Seite zu stehen, ganz gleich, welche Kapriolen das Leben noch schlägt. Sag, liebst du mich denn auch, wenigstens ein kleines bisschen?«

»Ja ... Ich glaube schon«, antwortete sie gedehnt, als könnte sie sich selbst nicht trauen. Sie und die Liebe – sie waren nicht gerade ein eingespieltes Team. Im Gegenteil, bisher hatte die Liebe sie jedes Mal im Stich gelassen. Und dennoch wiederholte sie zu ihrem eigenen Erstaunen: »Ja!« Um der Situation ein wenig den Ernst zu nehmen, fügte sie lachend hinzu: »Aber nun steh endlich auf, sonst komme ich noch auf die Idee, dass du mir einen Antrag machen willst.«

»Was glaubst du denn, was das hier ist?«, fragte er konsterniert, und seine stahlgrauen Augen blitzten fast jungenhaft.

»Du warst schon mal komischer«, stellte Bernadette pikiert fest und zog ihre Hände zurück. »Die Sache mit dem Heiraten ist mein wunder Punkt, das weißt du ganz genau, darüber musst du keine Witze machen. Mir reichen meine Erfahrungen mit dem Heiraten.«

»Ich mache keinen Witz, mir war nie etwas ernster als das hier«, erwiderte Lutz, und nun war er es, der verletzt klang. Doch er fing sich rasch und fuhr fort: »Bernadette, bitte, lass uns heiraten! Im nächsten Frühjahr, wenn alles blüht, soll endlich auch unsere Liebe blühen. Dann möchte ich dich zum Traualtar führen, und zwar nicht zu einer Vernunftsehe, sondern zu einem wahren Bund der Liebe. Ich möchte für immer mit dir zusammen sein, ich will morgens mit dir aufwachen, und ich will dich als Letztes sehen, bevor ich abends einschlafe. Ich will gute Zeiten mit dir erleben, jetzt, nach all den schlechten! Und deshalb frage ich dich – willst du meine Frau werden?«

39. Kapitel

Die feine Gesellschaft hatte sich am Samstag, dem 4. Januar 1919, zum Neujahrsempfang im Weißen Saal des Stuttgarter Schlosses versammelt. Der Landadel aus der Umgebung war angereist, Industrielle mit ihren Gattinnen waren da, Stadträte und selbstredend der Bürgermeister. Auch Vertreter der neuen Regierung waren anwesend. Die besten Tänzer des Stuttgarter Balletts waren ebenso eingeladen worden wie angesagte Maler und eine Handvoll berühmter Schauspieler des ehemaligen Königlichen Hoftheaters, das nun Württembergisches Landestheater hieß. Zwei Personen fehlten allerdings – der ehemalige König Wilhelm und seine Gattin Charlotte. Noch im letzten Jahr hatte das Königspaar die Gäste empfangen, und diese hatten sich geschmeichelt gefühlt, in der Nähe solch erlauchter Persönlichkeiten zu sein. Heute durfte sich der König nur noch Herzog von Württemberg nennen, wohnte in einem einfachen Jagdschloss im Hinterland von Tübingen, und viele taten so, als würden sie ihn nicht kennen.

Heute über den gewienerten Parkettboden wandeln, morgen weg vom Fenster sein – es konnte so schnell gehen, dachte Mylo und war froh, dass Paon und er auch in diesem Jahr eingeladen worden waren. Für ihn war der Neujahrsempfang im Stuttgarter Schloss immer eine Art Richtschnur, wo man in der gesellschaftlichen Ordnung stand. Aber täuschte er sich, oder wurden sie dieses Mal von weniger Leuten gegrüßt als sonst? Seit einer ganzen Weile schon stand er nun schon mit einem Sektglas in der Hand an einem der Stehtische und wartete darauf, dass Paon von den Waschräumen zurückkehrte. Noch kein einziger Gast war zu ihm getreten, um ein paar Worte zu wechseln oder Neujahrswünsche auszutauschen. Dabei hatte er etliche Bekannte im Saal entdeckt – den Geheimrat Ottenbruch, der Paon vor Jahren den Ausflug an die Front ermöglicht hatte, Susanne Morgental, in deren Villa am Bodensee sie schon Gast gewesen waren, die von Auerwalds waren auch da … Man hatte sich kurz zugenickt und sonst nichts.

Waren Paon und er etwa nicht mehr gefragt, und er hatte es lediglich nicht gemerkt? Die Falte auf Mylos Stirn wurde tiefer. Mit einer heftigen Bewegung stellte er sein Sektglas ab. Vor einem halben Jahr noch hatte man ihnen Paons Schlachtengemälde aus den Händen gerissen! Und nun, da Deutschland den Krieg verloren hatte, taten die Leute so, als wären der Künstler und er als sein Agent Aussätzige?

Schon den ganzen Tag über war Mylo ungewöhnlich düsterer Stimmung gewesen und hatte diese auch nicht abschütteln können, als Paon und er sich für den Neujahrsempfang herrichteten. Dabei liebte er die Zeit des Jahreswechsels normalerweise sehr! Ein neues Jahr war wie ein Buch mit dreihundertfünfundsechzig weißen Seiten. Und er – der erfolgreiche Architekt und Agent des berühmten Paon – er allein legte die Überschriften der einzelnen Kapitel fest: Ausstellungen, Einladungen, Reisen und Empfänge. Zwischendurch blieb auch mal ein Blatt leer – Zeit für Erholung musste schließlich auch sein. Paon, sein geliebtes Wunderkind, sein Gefährte, seine »Kreation«, redete ihm selten in seine Planungen hinein. Solange er einen nie versiegenden Vorrat an Leinwänden und Farben, einen gedeckten Tisch und ein weiches Daunenbett hatte, war er zufrieden.

Mylo konnte sich lediglich an eine kurze Zeit erinnern, in der Paon ungewöhnlich widerspenstig gewesen war, und diese Zeit lag schon über zwei Jahre zurück.

Es war nach einem Besuch auf der Schwäbischen Alb gewesen, wo ihm die Fotografin, die sein Zeichentalent einst entdeckt hatte, ihm irgendwelche Ideen von künstlerischer Freiheit ins Ohr gepflanzt hatte. Nach dieser Reise, für die er ärgerlicherweise diesen riesigen Auftrag am Bodensee abgesagt hatte, war Paon ziemlich verwirrt zurückgekommen. Er hatte von Schuld und Sühne gesprochen, davon, dass er sich schuldig am Tod seines Vaters fühle und dass er dafür sühnen wolle, indem er das Thema Schuld auf künstlerische Weise aufgriff. Was für ein ausgemachter Blödsinn! Er, Mylo, hatte sich ein entsetztes Auflachen gerade noch verkneifen können.

Zum Glück war es ihm schnell gelungen, seinem Schützling diese spinnerten Ideen wieder auszutreiben. So etwas würde niemand kaufen, hatte er geduldig erklärt. Und ihm klargemacht, dass Leinwände und Farben teuer waren – wenn die Kasse nicht klingelte, war es mit der künstlerischen Selbstverwirklichung schnell vorbei! Wie viele Menschen, die aus ärmlichsten Verhältnissen kamen und es zu Wohlstand gebracht hatten, schätzte auch Paon das süße Leben. Die Vorstellung, aufgrund persönlichen Versagens wieder auf einem Strohsack schlafen zu müssen, war für ihn schrecklich. Und so hatte er brav weiter dampfende Pferdeleiber und Soldaten mit stechendem Blick gemalt.

Es war eigentlich ganz einfach, Paon zu führen, dachte Mylo jetzt, und zum ersten Mal an diesem Tag huschte ein kleines Lächeln über seine schmalen Lippen. Zuckerbrot und Peitsche – Lob, Anerkennung und hin und wieder eine Drohung reichten völlig aus.

Doch nun war der Krieg vorbei. Millionen von Soldaten hatten darin ihr Leben gelassen. Und keiner wollte sich mehr die von Paon abgebildeten Schlachten anschauen, im Gegenteil! Hier im Stuttgarter Schloss waren die zwei Gemälde, die die Staatskanzlei vor drei Jahren für einen hohen Preis gekauft hatte, sogar schon von den Wänden genommen worden, als wären sie Schandflecke.

Eine neue Idee musste her – dringend! Am besten ein künstlerisch noch unbespieltes Thema, so wie einst die Pfauen vor den Stuttgarter Stadtansichten, sinnierte Mylo, während er Paon durch eine der weit geöffneten Flügeltüren in den Saal kommen sah. Ein Thema, das so weit weg vom Krieg war wie nur möglich, ohne jedoch banal zu wirken. Und mit netten Landschaftsbildern oder gefälligen Frauenporträts allein konnte Paon die

Preise, die er für seine Schlachtengemälde erzielt hatte, nicht mehr erreichen. Er brauchte eine gute Geschichte, eine Art Aufhänger für die neue Gemäldereihe…

So angenehm es einerseits war, dass Paon sich willig von ihm führen ließ, so bürdete er ihm dadurch auch eine große Verantwortung auf. Nicht dass er sich dieser nicht gewachsen fühlte, aber langsam war es an der Zeit, dass er einen veritablen Geistesblitz hatte, verflixt!

Mylo spürte, wie der Druck in seinem Brustkorb, den er schon seit Tagen spürte, zunahm. Er leerte sein Sektglas in einem Zug. Hektisch winkte er dann eins der Serviermädchen zu sich und nahm sich ein volles Glas von seinem Tablett. Langsam wurde es peinlich, hier allein herumzustehen. Und statt zu ihm zu kommen, ließ sich Paon nun auch noch in ein Gespräch verwickeln! Von einem älteren Herrn in einem schlecht sitzenden Anzug, mehr konnte er auf die Entfernung nicht erkennen. Wahrscheinlich verarmter Landadel, dachte Mylo, als Kunde völlig ungeeignet. Das sah Paon ähnlich, derart seine Zeit zu vertun. Und jetzt tätschelte der Mann auch noch höchst vertraulich Paons Arm! Selbst wenn es ein potenzieller Kunde war – Paon wusste ganz genau, dass er solche Vertraulichkeiten nicht schätzte, dachte Mylo eifersüchtig, während Paon in seine Richtung zeigte. Wollte er den Mann etwa zu ihm an den Tisch bringen? Genau das fehlte ihm heute noch, dachte Mylo und hob sein Sektglas. Mit zusammengekniffenen Augen schaute er nochmals hin in der Hoffnung, erkennen zu können, wen Paon da anschleppte. Im nächsten Moment traf ihn fast der Schlag, und er prustete den Sekt zurück ins Glas.

Das… Das war doch… sein Vater!

Mylo spürte, wie sämtliche Farbe aus seinen Wangen wich, ihm wurde heiß und kalt zugleich.

Das war der Augenblick, den er seit dem vierten September 1911 gefürchtet hatte.

Vor neun Jahren hatte er Paon – damals noch Alexander Schubert – in der Stuttgarter Kunstschule das erste Mal gesehen und dabei erfahren, dass der Junge aus Laichingen stammte.

So wie er.

Als sie sich etwas näher kennenlernten, hatte Paon ihm erzählt, dass sein Vater in der Weberei von Herrmann Gehringer angestellt gewesen war. In dem Betrieb seines, Mylos, Vater! Und als ob das noch nicht ausreichte an schicksalshaften Zufällen, waren es offenbar die miserablen Arbeitsbedingungen in der Weberei Gehringer gewesen, die Paons Vater letztlich in den Selbstmord trieben. Nie durfte sein Schützling erfahren, dass er der Sohn des Mannes war, der Paons Familie ins Unglück gestürzt hatte!, schwor sich Mylo damals. Und neun Jahre lang war es ihm gelungen, sein Geheimnis für sich zu behalten.

Bis jetzt.

Mylos Augen rasten hektisch durch den Saal, doch zum Davoneilen war es zu spät.

»Mylo, du glaubst nicht, wen ich getroffen habe!«, rief Paon ihm schon aus ein paar Metern Entfernung zu. »Darf ich vorstellen…« Weiter kam er nicht, denn der Mann an seiner Seite stieß einen furchtbaren Laut aus wie ein vom Jagdgewehr getroffener Hirsch.

»Herr Gehringer, ist alles in Ordnung?«, fragte Paon stirnrunzelnd.

»Michael?«, flüsterte der Mann und griff sich an den Hals, als bekäme er keine Luft. »Bist du es wirklich?«

Mylo stand reglos da. Sag was! Mach was!, befahl er sich. Rede dich raus, irgendwie! Doch es wollte ihm partout nichts einfallen. Sein Kopf steckte in der Schlinge. Und nun zog sie sich zu.

»Michael?« Verwirrt schaute Paon von einem Mann zum anderen. »Ihr kennt euch? Ich verstehe nicht...«

Mehr als ein Krächzen brachte Mylo nicht zustande.

»Michael, mein Sohn!«, rief Herrmann Gehringer mit Tränen in den Augen. »Und ich habe geglaubt, du bist tot.«

»Ich fasse es nicht! All die Jahre hast du mich belogen und betrogen!« Ruckartig riss Paon seine Anzüge aus dem Schrank und warf sie in einen der großen Reisekoffer. Noch nie in seinem ganzen Leben war er so vorgeführt worden! So verraten! Seine Hände zitterten, als er sein Waschzeug aus dem Bad holte und es ebenfalls in den Koffer legte.

»Paon, bitte... Was hätte ich denn tun sollen? Ich hielt es einfach für besser, nichts zu sagen.« Händeringend tänzelte Mylo ums Bett. »Ich hätte doch im Traum nicht daran gedacht, meinem Vater, den ich mindestens so abgrundtief hasse wie du, jemals wieder zu begegnen! Mit Laichingen habe ich schon vor Jahrzehnten für immer abgeschlossen. Ich habe mich vollkommen neu erfunden, von meinen Kunden, ach was – in meinem ganzen Umfeld – weiß niemand, dass ich aus Laichingen stamme!«

Paons Kopf schoss herum. »All das hättest du mir

sagen können, gleich am Anfang, als wir uns kennenlernten! Doch anstatt mir dein Vertrauen zu schenken, hast du es vorgezogen, mich aufs Übelste anzulügen.«

»Kannst du dir denn gar nicht vorstellen, wie verwirrt ich war, als ich erfuhr, woher du kamst? Nächtelang grübelte ich darüber nach, wie ich damit umgehen sollte. Das Ganze konnte kein Zufall sein, davon war ich überzeugt. Du wurdest mir geschickt, damit *ich* das Unglück, das mein Vater über deine Familie gebracht hat, wiedergutmachte, Geliebter! Das war fortan meine Aufgabe – dich aus irgendwelchen anderen Gründen anzulügen hatte ich gewiss nicht im Sinn!«, rief Mylo verzweifelt.

»Und doch hast du es getan. Zugleich mit deinen ach so feinen *Wohltätigkeiten* hättest du mir doch auch die Wahrheit sagen können! Dann wäre ich in der Lage gewesen, selbst zu entscheiden, ob ich deine Hilfe annehme oder nicht. So aber hast du mich jahrelang für dumm verkauft!« Paon verschränkte beide Arme vor der Brust, schaute seinen ehemaligen Mentor und Freund voller Abscheu an. Mehr als einmal war es ihm seltsam vorgekommen, wie gut sich Mylo in das enge, dörfliche Leben auf der Schwäbischen Alb hatte hineindenken können. Doch auf die Idee, dass der gefeierte, weltgewandte Architekt selbst aus Laichingen stammte, wäre er nie gekommen. Gehringers Sohn, Pfui Teufel!

»Paon, bitte ... Du kannst doch jetzt nicht einfach davonlaufen. Lass uns in Ruhe über alles sprechen!« Flehentlich zerrte Mylo an Paons Arm. »Ich kann dir noch genauer erklären, warum ich schwieg. Meine Karriere ... hätte ich damals gesagt, dass ich ... Was ich meine, ich ...«

Paon schüttelte seine Hand ab wie eine lästige Fliege. »Ich! Ich! Ich! Ich höre immer nur *ich*!«, schrie er ihn an. »In Wahrheit ging es dir doch nie um mich. Es ging dir darum, mich nach deinen Wünschen zu formen! Aber damit ist nun Schluss. Ich weiß jetzt, woran ich mit dir bin.« Keinen Tag länger – keine *Stunde* länger! – würde er hierbleiben. Bebend vor Aufregung klappte Paon seinen Koffer zu. Es wunderte ihn, dass er nicht in Tränen ausbrach ob dieses Verrats. Aber die Wut, die er verspürte, war so glühend heiß, dass sie jede andere Emotion überdeckte.

»Wo willst du denn hin? Ohne mich bist du doch aufgeschmissen! Hier ist dein Zuhause, *ich* bin dein Zuhause!« In Mylos Stimme klang Panik, aber auch unterdrückte Wut mit.

Ja, dass ich mich einmal gegen dich stellen würde, damit hast du wohl nicht gerechnet, dachte Paon gehässig. »Du bist gar nichts mehr für mich. Und wenn ich heute Nacht unter der Brücke schlafen müsste, wäre das immer noch besser als hier in dieser Schlangengrube. *Adieu, mon amour.* Nun kannst du dir einen anderen Goldesel suchen!« Er warf seiner Staffelei am Fenster einen letzten Blick zu, schnappte sich seinen Koffer und ging.

»Paon, Geliebter … Bitte verlass mich nicht …« Mylos Flehen verklang im Treppenhaus.

Paon schlug die Haustür hinter sich zu.

40. Kapitel

Hollywood, USA, Neujahr 1919

Es war ein sonniger, strahlend klarer Wintertag, doch die Gäste des Neujahrsempfangs der Paramount Pictures nahmen weder Notiz von der blassen Sonne noch von den Bergen, die heute zum Greifen nah schienen. Jeder hatte genug damit zu tun, sich selbst im besten Licht zu präsentieren und, so sich eine Chance bot, diese zu ergreifen.

Mit einem Glas Champagner in der Hand wandelte – nein, schwebte – Chrystal Kahla am Arm ihres derzeitigen Geliebten durch den Raum. Während die Schleppe ihres spitzenbesetzten Brokatkleides sanft über den weißen Marmor des Paramount Ballsaals wischte, dankte sie wieder einmal dem gnädigen Schicksal, dass es ihr Will Schneider geschickt hatte. Er war nicht nur ihr Geliebter, sondern vielleicht auch der erste Mann, der es wirklich gut mit ihr meinte. Ihr Hauptgewinn in der großen verrückten Lotterie des Lebens. Und das nach all den Nieten, die sie zuvor gezogen hatte. Zufrieden aufseufzend, drückte sie seinen Arm, während der

Chef der Paramount auf sie zusteuerte, um Chrystal nochmals sein Bedauern über ihren Weggang auszudrücken. Tja, *sometimes you win, sometimes you lose*, du Idiot!, dachte Chrystal gehässig, während sie gnädig seinen Handkuss erduldete. Nie mehr würde sie sich von dem Ekel schikanieren lassen! Es hätte nicht viel gefehlt, und sie hätte dem Mann all das ins Gesicht geschrien. Doch Will schätzte es nicht, wenn sie hysterisch wurde.

»Ich muss mir dringend die Hände waschen, der ist eklig«, sagte sie stattdessen zu ihm, kaum dass der Paramount-Chef ihnen den Rücken zugewandt hatte. Ein Schauer lief durch ihren Leib, das Diamantcollier um ihren Hals fing in der Bewegung noch mehr Licht auf und funkelte noch stärker.

»Darling, von wem sprichst du – war da jemand?«, sagte Will, und sie lachten verschwörerisch zusammen.

Will war einfach der perfekte Mann für sie, dachte Chrystal nicht zum ersten Mal. Wie sie hatte auch er den Aufbruch gewagt. Wie sie hatte auch er in Hollywood sein Glück gemacht. Und wie für sie war auch für ihn die Reise des Erfolgs noch lange nicht zu Ende …

Will Schneider war Deutscher wie sie, er stammte aus Berlin, seine Familie war seit Generationen im Tiefbaugewerbe tätig. Doch Wilhelm, wie er damals noch hieß, hatte weder Brücken noch Tunnel bauen wollen, und auch mit dem äußerst lukrativen Aufbau von städtischen Ver- und Entsorgungsnetzen hatte er nichts am Hut. Er wollte die Welt erobern, und mit Ende zwanzig wusste er auch ganz genau, wie! Denn schon in Berlin hatte er erkannt, dass die Kinosäle mit ihren Leinwänden und vielfältigen Geschichten eine Welt darstellten, der jeder – arm oder reich – verfiel. Die Küchenmagd, der Postbote, der Ladenbesitzer – sie alle konnten im Kino den Alltag vergessen, konnten ihr Leben vergessen und träumen.

Fast zur selben Zeit, in der Chrystal als junges Mädchen aus ihrem Heimatort Laichingen auf der Schwäbischen Alb geflüchtet und nach Amerika aufgebrochen war, hatte Wilhelm sich sein Erbe auszahlen lassen, war ohne Zögern nach Hollywood gereist und hatte sein eigenes Unternehmen eröffnet, ohne die geringste Ahnung vom *business* zu haben. Dream Factory – Traumfabrik – hieß sein Filmunternehmen, und Will, wie er sich fortan nannte, arbeitete Tag und Nacht dafür, dass sein Traum vom großen Erfolg wahr wurde.

Während Chrystal von Rolle zu Rolle hetzte und ein Lichtspiel nach dem anderen drehte, angelte sich Will mit seinem Geld die besten Regisseure, die besten Kulissenbauer, die besten Drehbuchautoren. Und selbstredend auch die besten Schauspieler. Sein Plan ging auf, sein Studio gehörte bald zu den erfolgreichsten der ganzen Lichtspielbranche.

Im Zuge seines Fischzugs hatte er auch Chrystal, die inzwischen ebenfalls einen Namen hatte und bei Paramount unter Vertrag stand, dort abgeworben. Dass sie sich dabei ineinander verlieben würden, hatte nicht in seinem Drehbuch gestanden – es war einfach geschehen. Seitdem lebte Chrystal in seiner dreihundert Quadratmeter großen Villa hoch über der Stadt. Und Will las Drehbuch um Drehbuch, um den perfekten Film zu finden, der seiner Chrystal zum weltweiten Durchbruch verhelfen würde. Noch viel größer herausbringen wollte er seinen Schatz, ihre alten Erfolge in den Schatten stellen! Bisher war ihm kein Drehbuch gut genug gewesen. Doch Will, Unternehmer durch und durch, ließ die Zeit nicht nutzlos verstreichen, sondern arbeitete täglich daran, Chrystals eh schon glänzendes Image weiter aufzupolieren und zu schärfen.

Leider, dachte Chrystal jetzt. Denn Wills Pläne, ihre deutsche Herkunft in den Mittelpunkt seiner Reklamekampagne zu stellen, gefielen ihr nicht sonderlich. Sie hatte sie so mühevoll abgestreift wie eine Schlange, die aus einer zu engen Haut schlüpfen musste. Dass sie aus Deutschland stammte, ging keinen etwas an – sie war niemand anders als Chrystal Kahla, eine der größten Stummfilmschauspielerinnen ihrer Zeit! Wohin sie auch kam, stand sie im Mittelpunkt. Das reichte.

Auch hier bei dem Empfang blieben die Großen, die Reichen und manchmal auch die Schönen gern stehen, um ein paar Worte mit ihnen zu wechseln und sich in ihrem Glanz zu sonnen. Die Komplimente, die Chrystal zu hören bekam, sprudelten so kräftig wie die Perlen des Champagners in ihrem Glas. Und warum sollte es auch anders sein?, dachte sie, während sie sich in einem der zahlreichen Spiegel an den Wänden einen zufriedenen Blick zuwarf. Keine hatte so prachtvolle goldblonde Haare wie sie, keine war eleganter gekleidet oder besser geschminkt. In einer Branche, in der so viele schöne Frauen offensiv zeigten, was sie hatten – Dekolleté, Brüste, pralle Schenkel –, übte sie sich in der eleganten Kunst der Andeutung. Ein bisschen Chiffon hier, ein wenig Spitzenstoff da, weichfallende Seide…

Während Chrystal quer durch den Raum hinweg Rudolph Valentino zuwinkte, der wieder einmal stärker geschminkt war als so manche Frau, hatte sie auf einmal eine raue Frauenstimme mit polnischem Akzent im Ohr: *»Schätzelchen, du bist attraktiv, unbestritten! Aber hier in der Stadt der Engel ist die Konkurrenz unerbittlich, und zwar in jeder Branche! Wenn du wirklich jemand Besonderes werden willst, musst du anders sein als die anderen. Du musst lernen, die Männer zu verführen, anstatt nur dein Fleisch anzubieten!«*

Über Chrystals ebenmäßige Miene huschte ein Lächeln. Randy Rita. Puffmutter in Downtown Los Angeles und Chrystals allererste Förderin.

In den Nächten, wenn draußen die Zikaden zirpten und Will und sie wach im Bett lagen und sich gegenseitig aus ihren Leben erzählten, verschwieg sie ihm das Kapitel mit Randy Rita geflissentlich. Und das würde sie auch weiterhin tun, denn dass sie einst in einem Puff gewohnt – wenn auch nicht gearbeitet – hatte, passte so gar nicht zu Wills Vorstellung von der deutschen Landschönheit. Im Stillen jedoch zählte sie die Zeit, in der sie mit den Huren gefrühstückt hatte und mit ihnen *shopping* gewesen war, zu den wichtigsten ihres Lebens. Denn Randy Rita hatte sie alles gelehrt, was sie brauchte, und das war nicht wenig. Unvorstellbar, was aus ihr geworden wäre, wäre sie damals, bei ihrer Ankunft in der Stadt, nicht ausgerechnet der Puffmutter über den Weg gelaufen. Sie…

»Ob es wohl einen anderen Ort auf der Welt gibt,

an dem so viele Sprachen gleichzeitig gesprochen werden?«, raunte Will ihr zu und riss sie damit aus ihren Gedanken. »Englisch, Polnisch, Deutsch, Spanisch – auch nach all der Zeit, die ich nun schon hier bin, empfinde ich das als verrückt! Vorhin habe ich ein paar Worte mit Natacha Rambova gewechselt – immer wieder hat sie mehr oder weniger passend ein russisches Wort in unsere Unterhaltung eingeworfen, als wollte sie dadurch ihr neues ›russisches Image‹ noch unterstreichen. Was für eine Farce!« Er lachte.

»Wieso Farce?«, erwiderte Chrystal. »Natacha lebt mit einem russischen Ballett-Choreografen zusammen, da wird sie wohl das eine oder andere Wort Russisch aufschnappen.« Sie warf der Schauspielkollegin, die einen Turban mit großer Strassbrosche auf ihrem tiefschwarzen Haar trug und äußerst elegant wirkte, einen anerkennenden Blick zu. In ihren Augen gelang Natacha der Imagewandel sehr gut.

»Ein russischer Liebhaber macht sie doch nicht zur Russin! Es geht um Authentizität, Darling, das sage ich dir immer wieder. Nur wer authentisch ist, wird in dieser Branche auf Dauer erfolgreich bleiben. Luftnummern und Möchtegerne gibt es schließlich genug.«

Eilig nahm Chrystal ein frisches Glas von einem Tablett und reichte es Will in der Hoffnung, ihn so von seinem Lieblingsthema abzubringen. »Champagner?«

Doch Will hatte längst Feuer gefangen. Und so stellte sich Chrystal auf einen längeren Vortrag ein.

Wie so viele Auswanderer hatte Will seine Heimatliebe erst entdeckt, als er ausgewandert war, und wurde nun nicht müde, die deutschen Lande zu preisen. Dass sie keinen Pfifferling auf Deutschland gab, verstand er nicht – mehr noch, es war das einzige Reizthema in ihrer sonst so harmonischen Beziehung. Auch ein Hauptgewinn hatte eben seinen Haken, dachte sie und musste schmunzeln.

Will, der ihr Lächeln als Zustimmung deutete, nickte zufrieden. »Wird dir also auch endlich klar, dass wir uns für unsere deutsche Herkunft nicht schämen müssen, auch wenn der verlorene Krieg für Deutschland nicht gerade ruhmreich verlaufen ist. Aber die deutsche Pünktlichkeit, unsere Genauigkeit, die Art und Weise, wie wir alles analytisch angehen – all das wird in der Welt wertgeschätzt. Deine deutsche Herkunft und dazu das perfekte Drehbuch – das ist eine unschlagbare Kombination. Warte nur ab, Darling, bald bist du nicht nur einer der größten Stummfilmstars Amerikas, sondern der Welt!«

»Soll ich jetzt anfangen, jedem, dem ich begegne, von dem kleinen Kaff zu erzählen, in dem ich das Pech hatte, geboren zu sein?«, fragte sie halb amüsiert, halb verärgert. Mit seinen Millionen konnte er sie auch ohne ihre deutschen Wurzeln groß herausbringen, verdammt!

Doch Will, der ihr nur selten ihre Launen übel nahm, lachte nur. »Da gibt es wesentlich elegantere Wege.« Er machte mit seiner freien Hand eine weit ausholende Handbewegung. »Mir schwebt ein großformatiger Bildband vor, mit Fotografien, die dich in deiner ganzen Schönheit zeigen. Du in einem Försterkostüm in einem Wald, du im Blumenkleid auf einer Wiese, Fotografien von dir in einem Dirndl oder einer Tracht ... Du bist authentisch – im Gegensatz zu den ganzen Kunstpflanzen hier!« Er wies verächtlich in den Raum, wo Pola Negri, Mary Pickford und andere Schönheiten der Traumfabrik Hollywood wie sie das neue Jahr feierten.

Chrystal runzelte die Stirn. Ein Bildband? Mit Fotografien von ihr allein? Das war neu. Bisher war immer nur von Zeitungsinterviews, in denen sie ihre deutsche Seele entblößen sollte, die Rede gewesen.

»Wenn dann unser erster gemeinsamer Film in die Kinos kommt, möchte ich die besten Fotografien aus dem Bildband für die Reklamekampagne verwenden. Mir schweben Anzeigen in den größten Zeitungen des Landes vor – der New York Times, der Washington Post, der Los Angeles Times, dazu riesige Plakate …«

Das Feuer in seinen Augen! Dieses Strahlen darin, das fast schon an Besessenheit grenzte. Sie, Christel, war vielleicht nicht die klügste aller Frauen. Und ihre Bildung ließ auch zu wünschen übrig – in Laichingen war der Wischmopp für eine Frau wichtiger als Goethes Werther. Doch ihr Instinkt war unschlagbar. Er machte jedes Manko wett. Und ihr Instinkt sagte ihr, dass sie Will und sein millionenschweres Engagement für sie verlieren würde, wenn sie nicht auf sein Lieblingsthema einstieg. Und noch etwas wurde ihr klar: Wenn es Will tatsächlich so wichtig war, dass sie in Bezug auf ihre Herkunft die Karten auf den Tisch legte, musste sie dafür sorgen, dass sie wenigstens das Blatt in der Hand hielt! Denn in ihrer Vergangenheit gab es auch unrühmliche Kapitel, und sie legte nicht den geringsten Wert darauf, dass diese heute noch zutage gefördert wurden. Aber das würde nicht geschehen, denn sie hatte den perfekten Joker in der Hand. Sie musste ihn nur richtig ausspielen …

Sie schaute Will so bewundernd an, als wäre er das siebte Weltwunder. »O Will, du bist einfach fantastisch! Deine Weitsicht, deine Visionen … Ich kenne keinen Mann, der dir das Wasser reichen könnte. Du musst mir verzeihen, dass ich manchmal so schnell gar nicht mitkomme, ich bin schließlich nur eine kleine Schauspielerin …«

Er winkte mit großzügiger Geste ab. »Darling, sei nicht so bescheiden, du bist die größte Schauspielerin von allen.«

Chrystals Augenlider flatterten ein wenig, als wäre ihr sein Lob peinlich. »Ob du es glaubst oder nicht – deine Visionen haben mich gerade auf eine Idee gebracht …«

Es war das erste Mal, dass sie zu seinen Plänen etwas beitrug, dementsprechend erwartungsvoll und auch ein wenig erstaunt schaute er sie an.

Sehr gut, dachte Chrystal. Als würde sie wie in einem ihrer Filme ihrem Gegenüber ein Geheimnis verraten, beugte sie sich übertrieben nahe zu ihm. »Seien wir doch ehrlich – hier in Amerika versteht niemand, was es bedeutet, im Deutschen Kaiserreich geboren worden zu sein. Dieses ganz besondere Lebensgefühl, das uns bewegt …« Gleichgültig war ihr das! Doch mit pathetischer Stimme sprach sie weiter: »Wenn ich mich bereit erkläre, Modell zu stehen für einen solchen Bildband mit Fotografien, dann nur mit jemandem, der meine *deutsche* Seele versteht.«

»Das ist doch selbstverständlich, Darling!«, rief Will

exaltiert aus. »Kann es sein, dass du schon einen Fotografen im Sinn hast, womöglich sogar einen deutschen? Der Preis spielt keine Rolle, ich zahle jedes Honorar!«

Das wurde immer besser, frohlockte Chrystal. »Nenne es Zufall oder Schicksal – jedenfalls kenne ich seit frühester Jugend eine sehr berühmte deutsche Fotografin. Sie war eine der ersten Frauen, die ins männliche Metier der Fotografie eingedrungen ist, mehr noch, sie hat sich als Wanderfotografin einen großen Namen gemacht. Dass eine Frau einen solchen Erfolg haben kann, hat mich damals äußerst beeindruckt. Mimi Reventlow heißt sie, und sie hat einst die allerersten Fotografien von mir gemacht, damals, als ich in meiner Familie nur das Dienstmädchen war.« Chrystal setzte eine verletzt-verächtliche Miene auf, doch gleich darauf ließ sie ihr Antlitz wieder voller Dankbarkeit erstrahlen. »Im Grunde waren es die Gespräche mit Mimi, der großen Fotografin, die dazu beitrugen, dass ich es überhaupt wagte, über ein anderes, neues Leben für mich nachzudenken. Ohne Mimi Reventlow, ihre Inspiration und ihre wunderbaren Fotografien hätte ich die Enge meines Heimatdorfes vielleicht nie hinter mir gelassen. Ich hoffe so sehr, dass sie diesen grausamen Krieg überlebt hat…« Das war doch genau der Schuss Heimatromantik, den Will sich wünschte, oder nicht?, dachte Chrystal zufrieden. In Wahrheit hatte Mimi Reventlow damals lediglich ein paar Familien- und Konfirmationsfotografien von ihr gemacht und ein, zwei Gespräche mit ihr geführt, mehr nicht. Aber das brauchte Will nicht zu wissen. Ihre Geschichte klang so viel besser!

Will schaute sie an, und in seinem Blick lag nichts

als Bewunderung. »Dann war diese Frau Reventlow also deine erste Förderin. Sie hat dich schon fotografiert, als du noch unbekannt warst, und nun, wo du berühmt bist, fotografiert sie dich wieder – hier schließt sich sozusagen der Kreis. Baby, das ist fantastisch! Am liebsten würde ich der Frau sofort schreiben und eine Passage nach Amerika für sie buchen«, sagte Will aufgeregt. »Aber … Diese Fotografin, von der du sprichst – ist sie auch gut?«

Chrystal lächelte triumphierend. »Darling, sie ist die Beste von allen!«

ENDE

Und so geht es weiter:

Freuen Sie sich auf das fulminante Ende der fünfteiligen Fotografin-Saga!

Mimi Reventlow. Anton Schaufler. Paon. Chrystal Kahla.

Vier Menschen, vom Schicksal einst zusammengeworfen wie ein Kartenblatt mit vier Assen.

Vier Menschen, vom Schicksal wieder auseinandergewirbelt wie Blätter im Wind.

Vier Menschen, deren Lebenswege nicht unterschiedlicher sein könnten, die im tiefsten Innern jedoch unzertrennbar miteinander verbunden sind.

Anmerkungen

Wie immer mischen sich im historischen Roman Fiktion und Wahrheit.

Laut meinen Recherchen hätte man Anton wahrscheinlich dem Württembergischen Pionier-Bataillon Nr. 13 in Ulm zugeordnet, wenn er nicht ausgemustert worden wäre. Dies war das einzige Pionier-Bataillon in ganz Württemberg. In meinem Roman meldet sich Anton freiwillig als Sanitäter und kommt zu einem fiktiven Württembergischen Pionier-Bataillon Nr. 14. Dies gab mir die Freiheit, im Rahmen der realen Kriegshandlung Antons Geschichte zu erzählen.

Anton trifft im Jahr 1916 in einem französischen Dorf hinter der Westfront eine Künstlerin, die Kupfermasken für Gesichtsversehrte herstellt. Patin für meine Figur Theresa Power war die großartige Amerikanerin Anna Coleman Watts Ladd, die im Ersten Weltkrieg den Gesichtsversehrten ihre Zeit und ihr ganzes künstlerisches Können schenkte. Wer Lust hat, mehr über diese großartige Frau herauszufinden, wird im Internet fündig – auf Youtube gibt es sogar einen kleinen Stummfilm über sie.

Den Truppenübungsplatz bei Münsingen auf der Schwäbischen Alb hat es tatsächlich gegeben – Lutz

Staigerwald als Kommandanten hingegen nicht. Der tatsächliche Generalmajor in dieser Zeit hieß Albert von Dinkelacker, und sein Dienst endete nach der deutschen Niederlage im Ersten Weltkrieg. Während der Kriegsjahre waren im Soldatenlager Kriegsgefangene untergebracht – allerdings sah man ihre Unterkünfte vom Offizierskasino nicht, so wie in einer kleinen Szene von mir beschrieben.

Durch den 1895 gegründeten Truppenübungsplatz war der Krieg auf der Schwäbischen Alb nie fern. Von 1895 an bis zur Schließung des Soldatenlagers besuchten Millionen Soldaten zu Ausbildungszwecken »Schwäbisch Sibirien«. Auch der Ort Münsingen selbst war eng verknüpft mit dem Truppenübungsplatz, der Arbeitsplätze und einen wirtschaftlichen Aufschwung mit sich brachte.

Im Jahr 2006 wurde das ehemalige Soldatenlager dann für die Öffentlichkeit freigegeben. Eigens ausgebildete Truppenübungsplatz-Guides bieten seitdem spannende Führungen zu diversen Themen an. Im Rahmen des großen und mutigen Investorenprojekts Albgut siedeln sich außerdem in den ehemaligen Soldatenunterkünften regionale Produzenten an. Im ehemaligen Offizierskasino finden heute Hochzeiten und andere Events statt. Ob zum Schafauftrieb, zur Messe Schön & Gut oder gleich für einen Alburlaub – ein Besuch in Münsingen lohnt sich immer! Weitere Infos dazu bekommen Sie in der Tourist-Information Münsingen unter www.muensingen.com und www.albgut.de

Warum die Vergangenheit nie zu Ende ist

Über den ersten Weltkrieg wurde und wird viel geschrieben. Wir kennen Romane, in denen sich die tapfere Krankenschwester in den attraktiven verletzten Soldaten verliebt, und wir kennen die heroischen Kriegsschilderungen um die schrecklichen Schlachten bei Verdun.

Als mir klar wurde, dass meine Fotografin-Saga auch in den Jahren des Ersten Weltkriegs spielen würde, wusste ich vom ersten Moment an genau, welche Art von Geschichte ich schreiben wollte – die Idee dazu wurde mir vor längerer Zeit auf einem meiner Spaziergänge auf der Schwäbischen Alb geschenkt. Ich war in der Nähe des Gestütshofs von Sankt Johann unterwegs, dort, wo der Schwäbische Albverein im Jahr 1923 einen Aussichtsturm errichtet hatte. Dieser Hohe-Warte-Turm gilt als Ehrendenkmal für die gefallenen Soldaten des Ersten Weltkriegs. Auf einer steinernen Tafel am Fuße des Turms steht zu lesen:

In dankbarer Erinnerung an seine im Kampf für das Vaterland gefallenen 1500 Mitglieder wurden Turm und Denkmal unter allseitiger Teilnahme 1922/23 vom Schwäbischen Albverein erbaut und am 1. Juli 23 eingeweiht.

Unter dieser Inschrift werden noch Architekt, Bauleiter und der Vereinsvorstand namentlich genannt.

Als ich diese Tafel das erste Mal sah, lief mir eine Gänsehaut über den Rücken. 1500 Mitglieder des Schwäbischen Albvereins verloren im Ersten Weltkrieg ihr Leben? Ich stellte mir vor, wie sie im Albverein fehlten – bei der Ausweisung, Markierung und dem Unterhalt der vielen Wanderwege. Natürlich wurden diese Männer nicht nur als Vereinsmitglieder schmerzhaft vermisst, sondern in erster Linie von ihren Familien. So viel Leid, so viel Elend in so vielen Häusern, wo der Verlust des Mannes, des Sohnes, des Bruders, des Vaters zu beklagen war!

Wie erging es den zurückgebliebenen Frauen, die auf ihre Männer warteten? Ließen sie sich von der Kriegspropaganda blenden? Waren sie stolz auf ihre Soldaten? Wie wurden sie mit den Todesnachrichten von der Front fertig? Wie gelang es den Frauen, unter den von Jahr zu Jahr härter werdenden Umständen zu überleben, mehr noch – sie selbst zu bleiben? Sie mussten schließlich nicht nur ihr übliches Tagwerk schaffen, sondern auch noch die Aufgaben der Männer übernehmen. Die Stunde der Sehnsucht hatte geschlagen, und mir war klar, dass ich genau darüber schreiben wollte.

Viele Betriebe verloren damals ihre Eigenständigkeit und wurden zur Produktion von kriegswichtigen Gütern verpflichtet. Wie erging es Mimi Reventlow, meiner Fotografin? Als Generalmajor Lutz Staigerwald ihre Druckerei quasi zur »Armeedruckerei« benennt – dass Lutz dies in seiner Funktion konnte, entspringt meiner Fantasie –, muss sie plötzlich Brot- und andere Lebensmittelkarten drucken. Der oberste Soldat des Lagers Münsingen fragt Mimi außerdem, ob sie nicht ein paar romantische Fotografien von heroischen Soldaten in Postkartenform herstellen kann. Aufmunterungen in Form von pseudofröhlichen Darstellungen, gern auch mit Kindern als Motiv. Würde sich Mimi Reventlow darauf einlassen?, fragte ich mich. Mimi hatte den Menschen doch immer Schönheit schenken wollen! Andererseits war sie für die zwanzig Familien ihrer Drucker verantwortlich, von denen die meisten eingezogen worden waren – wie gelang es ihr, sich unter diesem enormen Druck von außen selbst treu zu bleiben? Diese Fragen zu ergründen gehörte für mich zu den bisher spannendsten schriftstellerischen Herausforderungen überhaupt.

Herzlichst

Ihre Petra Durst-Benning

Postkarten und Fotografien

Sämtliche Postkarten und Fotografien in diesem Anhang stammen aus meinem Privatbesitz.

Postkarten dieser Art sollten die Moral der Soldaten aufrechterhalten. Sie spielten eine Idylle – und eine Solidarität – vor, die es im hungernden Kriegsdeutschland längst nicht mehr gab.

So wurde im Fotoatelier der »schöne Schein« gewahrt...

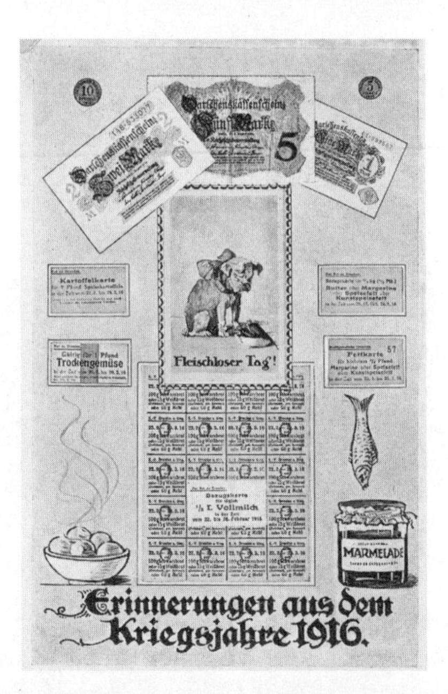

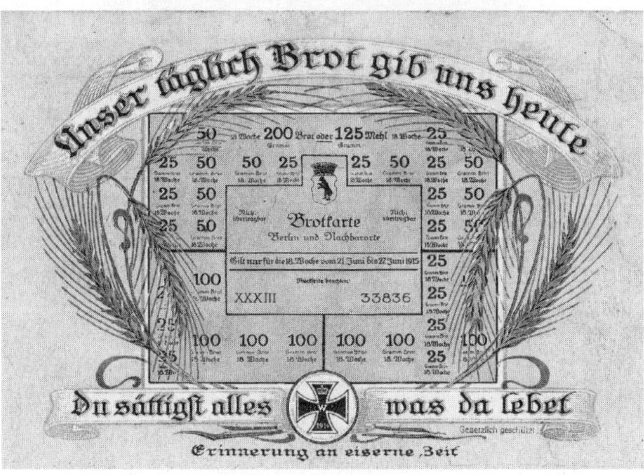

Rationskarten für Lebensmittel und Brot waren allgegenwärtig in den Kriegsjahren 1914 bis 1918, sogar auf Postkarten fanden sie sich wieder.

Mimi Reventlow jedoch wollte den Menschen Schönheit, Freude und Hoffnung auf eine andere Weise schenken – mit ihren handgemalten Adventskalendern.